S0-CRV-443

Le Concile et ses Conséquences

MARIO VON GALLI BERNHARD MOOSBRUGGER

Le Concile
et ses Conséquences

ÉDITIONS RENCONTRE LAUSANNE

Cet ouvrage est le fruit d'une étroite collaboration, qui a duré quatre ans, des deux auteurs personnellement engagés dans les événements du concile. Mario von Galli, auteur du texte, s'est aussi chargé du choix et de la traduction des documents et des discours prononcés au concile, et le photographe Bernhard Moosbrugger est responsable de l'exécution graphique de l'ouvrage. Les dessins, faits à Rome dans l'atmosphère du concile, sont de Fritz Weigner.

Imprimé en Suisse par C.-J. Bucher S.A., Lucerne

Ut unum sint — Afin qu'ils soient un

Les prophètes de malheur répètent constamment que le présent ne cesse d'empirer par rapport au passé. Mais nous voyons l'humanité entrer dans un ordre nouveau, et nous reconnaissons là un plan divin. (Jean XXIII.)

Dessin : Château Saint-Ange

Introduction

Ecrire dès à présent un livre sur l'ensemble du concile est une sorte de gageure. Sans doute seize décrets et constitutions ont-ils été définitivement adoptés. Pareils à seize tours, ils se dressent devant nous dans toutes les directions du ciel. Une galerie réunit ces tours en un tout. Elles se renforcent ainsi les unes les autres. A la vérité, elles s'affaiblissent aussi les unes les autres, dans la mesure où certaines tours sont moins solides que leurs voisines.

Citons quelques exemples. Peu s'en faut que le décret sur les *Moyens de communication sociaux* n'entre en contradiction avec la constitution pastorale sur l'*Eglise dans le monde actuel*, dans la manière de concevoir les rapports entre l'Eglise et le monde. A cet égard, le décret sur l'*Activité missionnaire* occupe une position intermédiaire. Maints passages y correspondent plus ou moins nettement au texte sur les moyens de communication, alors que d'autres se situent manifestement dans l'éclairage de la constitution pastorale. On peut constater ici une ligne de croissance: les moyens de communication furent l'un des tout premiers objets de discussion, et les rapports entre l'Eglise et le monde constituèrent le thème principal des dernières séances.

Une interprétation objective possède donc le droit de commenter le texte sur les moyens de communication à la lumière des textes finals. Ce qui a été dit dans le décret sur les moyens de communication – où une pensée paternaliste, nullement orientée vers le dialogue, gêne encore l'expression – il est légitime, indispensable de le comprendre dans le sens ultérieur de la constitution pastorale. Cela ne revient pas à pallier quoi que ce soit; pleins à la fois de bonne volonté et d'embarras, en effet, les rédacteurs du texte sur les moyens de communication n'avaient pas encore la possibilité de s'exprimer comme ils auraient pu le faire à la fin du concile.

Il est vrai que le cas inverse se présente aussi. De tous les textes conciliaires, le premier à trouver sa forme définitive fut la constitution *De la sainte liturgie*. Ce qu'elle dit sur la communauté et l'unité de l'Eglise est, dans une large mesure, plus clair et plus profond que ce que l'on peut lire par la suite dans la grande constitution *De l'Eglise*. Ici, un certain estompement résulte de l'effort fourni tout au long du concile pour écarter les difficultés et pour se rapprocher le plus possible de l'unanimité lors du scrutin final. Du fait que la constitution *De l'Eglise* est postérieure à celle *De la liturgie*, doit-on s'interdire de recourir à celle-ci pour expliquer l'autre? Je ne le crois pas, car la pensée et la volonté des pères conciliaires n'avaient nullement changé. Si le texte sur l'Eglise manque de clarté, c'est uniquement parce que les pères ne voulaient pas encore, dans ce concile, engager un débat sur les questions soulevées par ce qui avait été dit précédemment d'une manière simple et claire. Ces obscurités ne font donc qu'indiquer les tâches qui restent à accomplir après le concile, et ne diminuent en rien le caractère explicite du texte sur la liturgie.

On ne saurait donc interpréter les divers textes séparément. Il faut les considérer ensemble; aussi est-il nécessaire de connaître quelque peu leur histoire. On n'a pas le droit de disjoindre textes et concile. Quiconque juge d'une question d'après les textes, voire d'après un texte particulier, tombe dans la partialité.

Un dernier exemple : la lecture du décret sur l'*Apostolat des laïcs* apporte quantité de renseignements utiles, surtout en ce qui touche l'organisation ; d'anciennes lignes de développement semblent avoir été abandonnées, tandis que des voies nouvelles apparaissent distinctement. Mais le lecteur ne les discernera qu'en se référant à ce qu'il est dit des laïcs dans la constitution *De l'Eglise.* Et il ne doit pas s'en tenir là. Les innovations les plus audacieuses, il les découvre là où il s'y attend le moins : dans les textes concernant les missions. Puis il lui faut chercher ce qui se trouve dans le décret *Sur l'œcuménisme* et dans la déclaration *Sur la liberté religieuse.* C'est enfin la constitution pastorale sur *L'Eglise dans le monde actuel* qui lui fournit les données peut-être les plus importantes de toutes. Et, après tant de lecture, il ne connaît pas encore le texte sur la *Fonction pastorale des évêques*, où sont définis leurs rapports avec les laïcs ; ni tout ce qui a été dit par les évêques et se pratique déjà à la suite du concile, sans avoir pris forme dans aucun « texte ». Un évêque des Etats-Unis, qui exerce son ministère depuis trente ans, m'a avoué aux derniers jours du concile : « Je voulais vous le dire : ce que je vous ai déclaré sur mes rapports avec les laïcs, durant la première session, ne correspond plus à mes idées actuelles. J'ai entièrement changé d'avis. Dès maintenant, dans mon diocèse, les laïcs joueront un rôle important. J'ai fait des plans précis. Chez moi, déjà dans quelques années, on ne reconnaîtra plus l'Eglise. »

Nous avons donc essayé de présenter l'ensemble du concile. Ses lignes directrices, d'abord, puis les principaux thèmes de discussion. Certains schémas, en effet, n'occupèrent que brièvement le concile, tandis que d'autres s'étendirent sur plusieurs sessions. Tel d'entre eux ne fut traité dans l'aula qu'une fois, en quelques jours, quand d'autres revenaient jusqu'à trois fois dans les débats.

Seuls, parmi les grands textes, le schéma *De la sainte liturgie* et le texte sur *Les communications de masse* (dont le titre devint plus tard *Les moyens de communication sociaux*) ont été débattus d'une manière continue : présentés et discutés à la première session (1962), ils furent améliorés et adoptés durant la deuxième session par deux séries de scrutins. On pourrait en dire autant du schéma *Sur l'œcuménisme*, n'était qu'à l'origine ses chapitres quatre et cinq contenaient ce qui devait plus tard devenir l'objet de deux déclarations séparées : sur les juifs et sur la liberté religieuse. Ces deux thèmes, par des voies compliquées, dépassaient de beaucoup la portée des trois premiers chapitres. Les textes subirent de telles transformations que, cessant de constituer des « amendements », ils durent recevoir un nouveau nom. En outre, le texte sur les juifs prit une extension qui imposa le choix d'un autre titre : déclaration *Sur les religions non chrétiennes.* D'où un rebondissement de la discussion. De même, à deux reprises, la déclaration *Sur la liberté religieuse* subit des modifications si profondes qu'elle fut débattue pendant les deuxième, troisième et quatrième sessions.

Bien que le concile ne se soit exprimé que deux fois sur la Révélation lors des débats généraux (d'abord sous le titre de *Projet sur les sources de la Révélation*, du 14 au 21 novembre 1962, puis sous le titre *De la Révélation divine*, du 30 septembre au 6 octobre 1964), la discussion de ce schéma s'étendit de la première à la dernière session. Temporairement, on pouvait penser qu'il avait été biffé du plan conciliaire. Puis, à travers la presse, des bruits circulaient soudain sur une séance mouvementée de la commission mixte qui devait corriger le premier texte. Ainsi donc, le schéma vivait encore!

Un semblable destin, on pouvait le signaler durant les plus diverses métamorphoses de la plupart des textes. Le plus souvent, entre deux sessions, un schéma appelé d'abord à devenir un décret se transformait en simples directives sur l'ordre des modérateurs. Les évêques exprimaient leur mécontentement à ce sujet. Sur quoi les directives reprenaient les dimensions d'un décret qui, cependant, ne correspondait plus guère au projet primitif, car le «climat» du concile avait changé entre-temps.

D'après tout ce qui précède, on voit que l'usage systématique de l'ordre chronologique conviendrait mal à un livre comme celui-ci. C'est pourquoi nous avons placé au début une brève chronique, qui permettra au lecteur attentif de suivre les vicissitudes que nous venons d'indiquer. Nous le prions de ne pas se laisser troubler par le changement des titres donnés aux schémas; ces changements officiels de titre proviennent tant de la situation générale du concile que des modifications de texte proprement dites. Rien que sur l'«évolution des titres», on pourrait écrire un exposé plein d'enseignements. Aussi, dans un tableau final, avons-nous essayé de rendre plus clairs ces enchevêtrements chronologiques.

Si utiles qu'elles puissent être d'un point de vue historique, ces précisions cachent quelque peu le devenir du concile et, surtout, les résultats que l'on peut en attendre. C'est pourquoi, à la suite de la chronique, nous avons tenté de dégager les lignes de force qui ont traversé le concile en direction de l'avenir. Ainsi voisinent des schémas qui, en fait, sont restés séparés durant le concile; nulle part, la grande constitution *De l'Eglise* n'est présentée dans son ensemble; diverses directives, tel ou tel décret sont à peine mentionnés ou même passés sous silence. Veuille le lecteur ne pas nous en tenir rigueur. Notre propos n'est pas d'écrire une histoire du concile, mais de donner à la question: «Qu'est-ce qui a donc changé?» une réponse qui, sans être superficielle, soit le plus facilement compréhensible qu'il se peut. En effet, nous sommes d'avis que, grâce au concile, un profond changement s'est accompli dans l'attitude de toute l'Eglise catholique. Ce changement apparaît distinctement dans quelques textes conciliaires. Dans d'autres, il est moins marqué, bien qu'il ne fasse défaut nulle part.

Tant que dura le concile, nombre d'épisodes suscitèrent un intérêt brûlant; ainsi, les lettres du secrétaire général, Mgr Felici, à propos des deux textes sur la liberté religieuse et sur les juifs. Toute la question était de savoir qui, du pape, du cardinal Cicognani, de Mgr Dell'Acqua, se tenait à l'arrière-plan; si le cardinal Bea n'était pas tombé en disgrâce auprès de l'«autorité supérieure», et s'il ne fallait pas voir là les symptômes d'un «coup de barre». A ce sujet, on a écrit des livres entiers, qui étaient d'une lecture passionnante... Maintenant que le concile a pris fin, les lettres en question ne constituent plus qu'un fastidieux intermède.

En revanche, d'autres événements ou épisodes qui attirèrent à peine l'attention pendant le concile prennent à sa suite une grande importance, car leur rôle s'avère déterminant dans les effets du concile; tel est le cas, par exemple, pour la petite phrase, qui ne donna lieu à aucune contestation, sur l'Eglise en tant que signe du salut pour le monde entier, et qui finit par constituer le pivot du schéma sur l'*Eglise dans le monde actuel*. A plusieurs reprises, la question mariale sembla diviser le concile en deux camps à peu près égaux en nombre; après le concile, elle prend la position marginale qui lui revient. Un autre problème agita les esprits pendant le concile: la structure de la Curie romaine; après le concile, c'est un problème dont on avait peu parlé qui prit une importance incomparablement plus grande: la transformation des curies épiscopales. Durant le concile, en ce qui touche la rénovation de la sainte liturgie, l'introduction de la langue vernaculaire semblait être au centre de la dispute. A la suite du concile, l'usage de la langue vernaculaire dans la liturgie ne constitue plus qu'une question secondaire.

Un livre écrit après le concile est tout autre chose qu'un livre écrit pendant le concile. Veuille le lecteur tenir compte de ce fait, s'il s'étonne de ne voir traités que brièvement dans ce livre, voire pas du tout, des événements sur lesquels, non sans raison, des informations ont été diffusées en masse durant le concile. Cet ouvrage contient peu de renseignements concrets sur les résultats que l'on peut désigner du doigt; ce qui le remplit jusqu'aux bords, ce sont les «résultats» en tant qu'exigences désormais inéluctables. Tel a été notre seul souci.

Un dernier vœu à l'adresse du lecteur: ce livre est fait d'images et de textes. Le «et» ne signifie ni un rapprochement fortuit, ni une prédominance quelconque des uns sur les autres. Il ne s'agit donc pas de deux parties distinctes (un double recueil de textes et d'images), plus ou moins artistement entremêlées, mais dont la publication aurait tout aussi bien – sinon mieux – pu se faire séparément. Tel est le cas pour beaucoup de livres où textes et images se partagent la place. Ici, non. Des témoignages essentiels, indispensables à la compréhension du concile, ne se trouvent pas dans le texte des exposés ni dans les discours conciliaires, mais sont fournis par les photos – et inversement. Les photos ne servent pas plus d'illustration au texte que le texte ne sert de commentaire aux photos. Une sorte de mariage s'est fait entre texte et image: devenus «une même chair», ils restent cependant eux-mêmes, partenaires au sens étymologique du mot. Chaque chapitre, enfin, est précédé d'un dessin expressif, fait sur les lieux mêmes du concile, à Rome; ces dessins ajoutent la contribution de l'art au commun témoignage de la photo et du texte.

C'est ainsi que nous espérons présenter une image fidèle de cet événement aux multiples aspects. Que le lecteur laisse agir sur lui l'ensemble (non pas par pièces et morceaux, mais dans un accord harmonieux): alors, il comprendra et pressentira les résultats du concile – bien au-delà de ce qu'il y a été dit et écrit.

Le pape Jean XXIII déroule le plan du concile

Mes révérends frères!

Notre mère l'Eglise est en fête, puisque, par une grâce particulière de la Providence divine, ce jour si vivement attendu est arrivé, où, près du tombeau de saint Pierre, et sous la protection de la Mère virginale de Dieu, dont on célèbre aujourd'hui solennellement la glorieuse maternité, le deuxième Concile œcuménique du Vatican commence.

Les conciles œcuméniques dans l'Eglise

Tous les conciles – aussi bien les vingt conciles œcuméniques que les innombrables conciles provinciaux et régionaux, dont l'importance n'est certes pas négligeable – tous, par leurs solennités qui jalonnent le cours de l'Histoire, attestent manifestement la vitalité de l'Eglise...
Ils ne cessent de publier la gloire de cette institution divine et humaine, l'Eglise du Christ, qui tient du divin Rédempteur nom, grâce et toute sorte de mandat.
Cependant, ces sources de joie spirituelle ne sauraient nous empêcher de voir la longue suite de maux et d'amertumes qui, depuis dix-neuf cents ans, assombrissent cette histoire...
Chaque fois que se célèbrent des conciles œcuméniques, ils témoignent solennellement de l'unité du Christ avec son Eglise et répandent au loin la lumière de la Vérité. Ils conduisent sur la bonne voie l'existence individuelle des hommes, comme celle des familles et de la société. Ils éveillent et fortifient les énergies spirituelles et ils dirigent constamment les cœurs vers les biens véritables et éternels...

Suite à la page 25

En ce qui le concerne, le pape Jean XXIII ne fut pas précisément heureux de l'entrée prévue pour l'ouverture du concile. Plus tard, il la qualifia de «baroque et peu conforme au temps présent». Ces termes s'appliquaient avant tout aux éventails de palmes, au baldaquin et à la *sedia gestatoria*, avec tous ses ornements. Le pape avait d'abord projeté d'avancer à pied derrière la longue file des évêques, mais son entourage – qu'il devait appeler plus tard en plaisantant «sa couronne d'épines» – lui démontra que le peuple voulait le voir, ce qui n'était possible qu'au moyen de la *sedia gestatoria*. Il céda. Par la suite, ces accessoires «baroques» disparurent de plus en plus, et le pape Paul VI maintint sans hésiter cette ligne de conduite, à l'effroi des gardiens des vieilles rubriques.

Pendant trois ans et demi, l'église Saint-Pierre tout entière fut sacrifiée au concile. Il y a cent ans encore, le bas-côté droit suffisait à contenir l'assemblée des évêques. Cette fois, la répartition des places, qui comprenait toute la nef centrale et qui était disposée très judicieusement, ne fut pas toujours suffisante. Elle était prévue pour deux mille deux cents personnes, mais plus de deux mille cinq cents assistèrent à l'ouverture! Ainsi, aux moments de grande affluence, de nombreuses personnes durent s'asseoir sur les marches, ce qui rendait difficile aux orateurs l'accès au microphone placé devant chaque bloc. Ce 21e Concile fut véritablement pour la première fois «œcuménique», au sens originel du mot: il s'étendit à toute la partie «habitée» du globe terrestre. Cela ne signifiait pas seulement un grand nombre, mais aussi la rencontre de mondes extrêmement différents puisque, pour la première fois, des évêques indigènes d'Asie, d'Afrique et de toutes les terres de mission y prirent part.

EGNI CAELORVM TV ES
C VNA FIDES

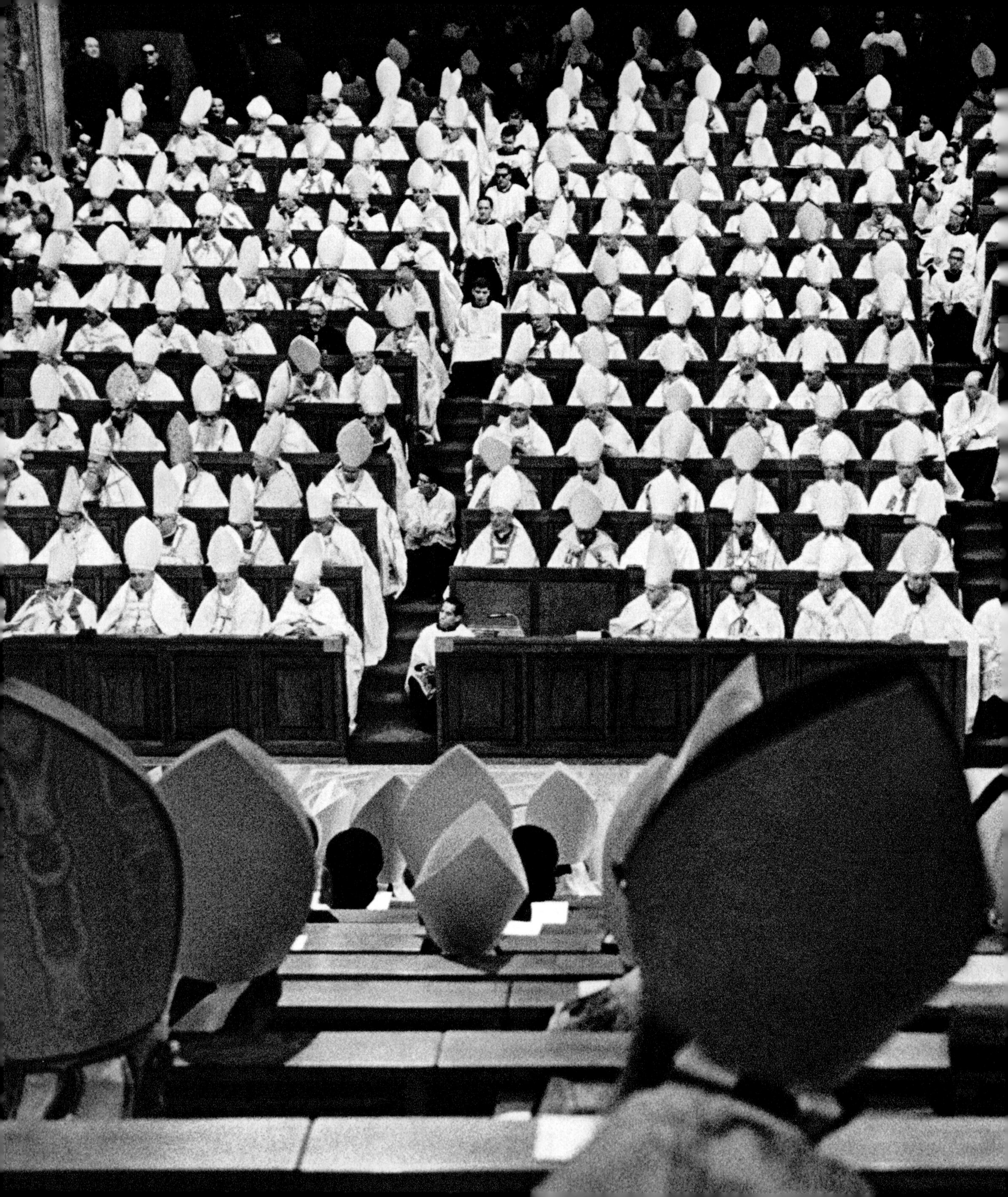

Déjà dans son allocution d'ouverture, qui inaugurait un nouveau style de concile, Jean XXIII, le pape, semblait fatigué et surmené. La mort était déjà près de lui. Cela l'engagea à faire débuter le concile avant même que les «préparatifs» fussent terminés. Il voulait au moins que le commencement soit placé sur la bonne voie: pas de condamnations, un langage que chacun puisse comprendre et, au-delà de la théologie, ne pas oublier les problèmes mondiaux! «Chaque fois que je vois un théologien, je dois me défendre contre une légère méfiance», aurait-il dit, selon un reporter des Etats-Unis. En tout cas, ce concile devait être le premier à ne pas utiliser un langage d'école ou un langage théologique mystérieux, mais à être un message pour tous.

Le moment le plus favorable du concile

Il est, mes révérends frères, un autre point à considérer, et qui doit vous aider à la compréhension. Dans l'exercice quotidien de notre fonction apostolique de pasteur, il arrive souvent que la voix de certaines personnes afflige notre oreille parce que, bien que brûlant d'enthousiasme religieux, elles n'ont pas assez de sens pour un sain jugement des choses et ne peuvent pas exprimer un avis intelligent. Elles ne voient, dans les circonstances actuelles de la société humaine, que malheur et déclin. Elles répètent sans cesse que notre époque a bien empiré par rapport à celles d'autrefois. Elles se conduisent comme si elles n'avaient rien appris de l'Histoire, maîtresse de vie, et comme si, au cours des conciles antérieurs, tout s'était passé proprement et justement, en ce qui concerne l'enseignement chrétien, les mœurs et la liberté de l'Eglise.
Mais nous avons une tout autre opinion que ces prophètes de malheur, qui sont toujours à prédire le mal, comme si le monde était au bord de l'abîme. Dans le développement actuel des événements par lesquels l'humanité semble entrer dans un ordre nouveau, il faut plutôt reconnaître un plan caché de la divine Providence. Ce plan vise son propre but, avec l'écoulement du temps, à travers les œuvres des hommes et, le plus souvent, au-delà de leurs espoirs. Il dirige tout avec sagesse, même les intérêts humains opposés, pour le salut de l'Eglise. On peut aisément le constater lorsqu'on réfléchit attentivement aux difficiles problèmes politiques et économiques, ainsi qu'aux questions litigieuses en suspens. Les hommes sont tellement pleins de ces soucis qu'ils n'ont plus le temps de s'intéresser aux questions religieuses dont s'occupe la sainte fonction enseignante de l'Eglise.
Un tel comportement n'est certainement pas dénué de méchanceté, et, par là, il est condamnable. Mais personne ne peut nier que ces nouvelles conditions de la vie moderne ont au moins l'avantage d'éliminer d'innombrables obstacles, par lesquels autrefois les enfants de ce monde gênaient la liberté d'action.
Un bref regard sur l'histoire de l'Eglise suffit pour se rendre compte que les conciles œcuméniques, qui formaient pourtant une lignée d'actes glorieux de l'Eglise, ne se déroulaient souvent pas sans grandes difficultés ni douleurs, par suite de l'intervention inadmissible des autorités politiques. Les princes de ce monde se proposaient parfois, en

toute sincérité, de se mettre au service de la protection de l'Eglise, mais cela ne se passait pas sans dommage spirituel ni sans danger, car ces seigneurs étaient souvent poussés par des vues politiques tendant à satisfaire des intérêts purement personnels.

Premier devoir : protection et propagation de la doctrine

Le principal devoir du concile consiste à protéger et à expliquer la sainte tradition (dépôt) de l'enseignement chrétien par des méthodes plus efficaces. Cet enseignement comprend l'homme «in globo», corps et âme, et il nous ordonne, à nous qui habitons cette terre, de marcher comme pèlerins à la rencontre de notre patrie céleste...
Afin que cet enseignement atteigne les multiples sphères de l'activité humaine, aussi bien les particuliers que les familles et la vie sociale, il est avant tout nécessaire que l'Eglise ne détourne pas son attention du trésor de la Vérité qu'elle a hérité de ses pères. Ensuite, elle doit prendre en considération le temps présent, qui a créé de nouvelles conditions de milieux et de vie, et qui a ouvert de nouvelles voies à l'apostolat catholique.
Pour cette raison, l'Eglise n'est pas restée inactive devant les merveilleuses découvertes de l'esprit humain et le progrès des connaissances dont, aujourd'hui, nous tirons profit. Elle les a estimés à leur juste valeur. Mais dans le souci constant qu'elle a de ce développement, elle n'a pas manqué d'exhorter les hommes à regarder Dieu, au-delà de ces attentes terrestres... Sinon le charme fugitif du terrestre empêcherait le véritable progrès de s'accomplir.

Comment doit être propagé l'enseignement chrétien aujourd'hui

Ce qui a été dit, révérends frères, démontre avec une clarté suffisante ce que le concile devra tracer dans le détail pour la propagation de l'enseignement. C'est-à-dire que le 21e concile, qui a à sa disposition l'appui actif et précieux de savants éprouvés en droit canon, en liturgie, en matière d'apostolat et dans l'administration, veut transmettre l'enseignement catholique pur, sans le diminuer ni le défigurer, tel qu'il est devenu, héritage commun de l'humanité, malgré les difficultés et les controverses. Cet héritage n'est pas agréable à tous, mais il est offert à

tous les hommes de bonne volonté, comme trésor très riche et précieux.
Cependant, notre devoir n'est pas de conserver seulement ce précieux trésor, comme si nous ne nous intéressions qu'à ce qui est ancien; mais nous voulons nous mettre à l'œuvre, joyeusement et sans crainte, et continuer dans la voie parcourue par l'Eglise depuis vingt siècles.
Ce n'est pas notre affaire non plus de traiter en premier lieu quelques points principaux de l'enseignement de l'Eglise, ni de répéter en détail l'enseignement des pères et des théologiens anciens et nouveaux. Car nous croyons que vous connaissez cet enseignement, et qu'il est familier à vos esprits. Point n'est besoin de convoquer un concile œcuménique pour de tels débats. Il est aujourd'hui vraiment nécessaire que tout l'enseignement chrétien soit accepté par tous, dans un nouvel effort. Les déclarations transmises par les actes du Concile de Trente et du Concile du Vatican I doivent être examinées et interprétées avec une conscience sereine et tranquille.
Il faut que cet enseignement soit révélé dans toute son abondance et dans toute sa profondeur, ainsi que le désirent ardemment tous ceux qui professent avec sérieux la foi chrétienne, catholique et apostolique, afin qu'il pénètre et enflamme plus parfaitement les cœurs. Oui, cet enseignement sûr et durable, auquel il faut croire et obéir, doit être approfondi et expliqué comme l'exige notre époque.
Car si le «Depositum Fidei» – ou les vérités contenues dans cet enseignement que nous vénérons – est une chose, la manière dont ces vérités sont annoncées, évidemment dans le même sens et avec la même signification, en est une autre. Il faut prêter une grande attention à cela; et si c'est nécessaire, il faut y travailler patiemment, c'est-à-dire qu'il faut peser tous les arguments afin d'éclairer les questions, ainsi qu'il convient d'une fonction enseignante dont l'essence est avant tout pastorale.

Comment faut-il éviter les erreurs

Au début du second Concile œcuménique du Vatican, il est plus clair que jamais que la vérité du Seigneur est valable pour l'éternité. Nous remarquons comment, au cours des temps, les opinions incertaines des hommes se relaient et les erreurs souvent s'élèvent comme un brouillard matinal, bientôt dissipé par le soleil.

L'Eglise a, de tout temps, résisté à ces erreurs. Souvent elle les a condamnées, parfois avec une grande rigueur. Aujourd'hui, toutefois, l'Epouse du Christ préfère le remède de la miséricorde aux armes de la sévérité. Elle croit qu'il est plus conforme aux nécessités actuelles d'expliquer abondamment la force de son enseignement que de condamner. Cela ne signifie pas qu'il n'y ait pas de faux enseignements ni d'opinions dangereuses à éviter et à disperser. Mais ceux-ci sont si manifestement en contradiction avec les principes de l'honneur, et leurs fruits sont si destructeurs que les hommes, aujourd'hui, condamnent d'eux-mêmes de tels enseignements... Mais ce qui compte le plus : ils ont appris par expérience que l'emploi de la violence, le potentiel d'armement et la suprématie politique ne suffisent pas à résoudre leurs graves problèmes...

Pour l'unité des chrétiens et de l'humanité

Ainsi, le souci de l'Eglise pour la propagation et la conservation de la vérité consiste en ce que, selon le plan divin de salut «qui veut que tous les hommes soient sauvés et parviennent à la connaissance de la vérité» (I Tim. 2:4), les hommes arrivent, avec la seule aide de la révélation intégrale, à l'unité sûre et absolue des cœurs, à laquelle se rattachent la paix véritable et le salut éternel.
Malheureusement, l'unité perceptible dans la vérité n'a pas encore – dans son achèvement et dans sa perfection – atteint toute la famille chrétienne. C'est pour cette raison que l'Eglise catholique estime de son devoir de faire tout son possible pour que s'accomplisse le grand mystère de l'unité que Jésus-Christ, la veille de sa mort, implora de son Père céleste par d'ardentes prières. L'Eglise se réjouit, dans une paix tranquille, d'être unie intimement à cette prière du Christ. Elle se réjouit aussi de tout son cœur lorsqu'elle voit les riches fruits que porte cette prière, auprès de ceux qui vivent séparés de l'Eglise. Oui, tout bien considéré, cette unité, que Jésus-Christ demanda pour son Eglise, rayonne d'une triple lumière : l'unité des catholiques entre eux, qui est un lumineux exemple, l'unité qui subsiste dans la prière, et les espoirs ardents des chrétiens séparés du Siège apostolique d'être réunis à nous, enfin l'unité de la haute considération et du respect que témoignent à l'Eglise catholique d'autres religions, pas encore chrétiennes.

Révérends frères !
Voici l'intention du second Concile œcuménique du Vatican : réunir les forces prédominantes de l'Eglise et s'efforcer avec ardeur de faire accepter le message de salut avec bonne volonté par les hommes. De cette manière, le concile prépare et affermit le chemin conduisant à l'unité du genre humain, unité qui est le fondement nécessaire à la ressemblance de la patrie terrestre avec la patrie céleste...
Avec le début du concile se lève un jour de lumière rayonnante... Contemplons les étoiles qui, par leur clarté, augmentent la majesté de ce sanctuaire. C'est vous qui êtes ces étoiles d'après l'apôtre Jean (Apocalypse I : 20). Et avec vous, nous voyons des lueurs dorées autour de la tombe du Prince des Apôtres, c'est-à-dire les églises qui vous sont confiées. On peut donc dire que le ciel et la terre s'unissent dans une œuvre commune pour la célébration du concile. Les saints du ciel protègent notre travail, les croyants de la terre prient Dieu sans interruption, et vous suivez avec conscience l'inspiration du Saint-Esprit, déployant toute votre ardeur pour que votre travail réponde aux espoirs et aux besoins des différents peuples. Pour cela, il vous est demandé une grande paix de l'esprit, une fraternelle concorde, de la mesure dans vos propositions, de la dignité dans les conseils et de la sagesse dans la réflexion.
Puissent vos efforts et votre travail répondre à l'attente de tant de peuples qui ont mis en vous leurs espoirs !

Chronique du deuxième Concile du Vatican

Dessin: Pierre assis sur le trône

La période préconciliaire

Les pages les plus lumineuses de l'histoire de tous les siècles permettent d'espérer que, grâce au concile œcuménique... et dès sa période préparatoire, les espaces de l'amour s'étendront, les pensées s'éclairciront, et le cœur manifestera sa véritable grandeur chez tous les évêques.

(Jean XXIII, 23 avril 1959)

25 janvier 1959 La première annonce du concile. En l'église Saint-Paul-hors-les-Murs, le dernier jour de l'habituelle octave de la prière mondiale pour la réunion de tous les chrétiens dans la foi, le pape Jean XXIII surprend les cardinaux présents par une nouvelle; il a l'intention de convoquer un concile. Auparavant, il n'avait fait cette communication qu'au secrétaire d'Etat. Plus tard, le pape dira à plusieurs reprises qu'il a suivi «une inspiration subite». Ainsi par exemple, dans un message au clergé de Venise, le 21 avril 1959. Voir également les premiers mots du «motu proprio» du 5 juin 1960.

La première phase de la préparation

17 mai 1959 (Pentecôte) Etablissement d'une commission antépréparatoire («Commissio antipraeparatoria») sous la direction du cardinal Tardini. Elle signifie un premier sondage des désirs et des attentes de tout le peuple de Dieu. Plus de trois cents circulaires sont envoyées à des autorités ecclésiastiques supérieures, à des Universités, à des savants et à d'importantes personnalités de la vie ecclésiastique catholique du monde entier. Dans le courant d'une année, plus de deux mille réponses arrivèrent, des seuls évêques; soixante Universités élaborent des rapports détaillés. Mgr Felici ordonne ces documents avec l'aide de quatre prêtres, ce qui donne un rapport synthétique qui doit être le fondement des travaux de préparation. Le travail est terminé le 5 juin 1960.

29 juin 1959 Encyclique AD PETRI CATHEDRAM. Le pape décrit le but du concile par ces mots: « Le but principal sera de favoriser la croissance de la foi catholique, de renouveler les usages du peuple chrétien et d'adapter les règles juridiques de l'Eglise aux besoins et à la pensée de notre temps. Un magnifique spectacle de vérité, d'unité et d'amour! Un spectacle qui, nous l'espérons, sera une douce invite également à ceux qui sont séparés du Siège apostolique, afin qu'ils cherchent et atteignent cette unité pour laquelle Jésus-Christ pria si instamment son Père céleste. »

30 août 1959 Au cours d'une audience, le pape déclare: «Si les frères séparés voulaient prendre part au concile ... on doit raisonnablement les accepter, car l'Eglise est en tout temps leur maison.» L'*Osservatore Romano* n'a jamais mentionné cette audience.

30 octobre 1959 Discours célèbre du cardinal Tardini à la presse mondiale sur le sens du concile et l'état des travaux de préparation. Répondant à la question, si le concile est à considérer comme la suite du premier Concile du Vatican (infaillibilité du pape), ou comme un nouveau concile, il déclare : « Le but principal de ce concile sera de renouveler la vie chrétienne et d'adapter l'ordre ecclésiastique aux exigences de notre temps. Les propositions qui ont été faites jusqu'à présent en ordre dispersé vont de l'exigeante définition dogmatique à la condamnation des erreurs principales du temps. Elles souhaitent une nouvelle ordonnance de la discipline ecclésiastique du clergé et du peuple chrétien, une réforme de la liturgie, etc. Mais cette providence se permit souvent de grandioses plaisanteries. Ainsi, dans le premier Concile du Vatican, l'infaillibilité du pape ne figurait pas au programme des cinquante schémas projetés, mais elle fut apportée du dehors, c'est-à-dire de France, comme contrepoint au gallicanisme. » Pour ce qui est des *chrétiens séparés*, Tardini remarque qu'il n'est pas exclu qu'ils prennent part au concile en tant qu'observateurs. Enfin, le cardinal communique que Pie XII avait déjà fait exécuter par des spécialistes les travaux préparatoires à un concile.

Un an après la première annonce – Réaction des chrétiens non catholiques :

Le Conseil œcuménique « L'initiative du pape a suscité un intérêt général auprès des soixante-douze Eglises protestantes, orthodoxes, anglicanes et vieilles-catholiques de quatre-vingt-trois pays ; cependant, un manque d'informations précises sur le concile ne permet pas encore une prise de position. »

Orthodoxes Mgr Siméon, premier secrétaire du Saint-Synode de Constantinople : « Le patriarcat salue le message de Sa Sainteté le pape et le considère comme un premier pas vers le rapprochement des deux Eglises, ainsi que comme une collaboration future qui sera d'une grande utilité pour tout le monde chrétien. »

Réformés Le pasteur Bœgner, qui est à la tête de l'Eglise réformée de France : « Le concile peut signifier un progrès essentiel si toutes les grandes confessions séparées de l'Eglise romaine sont invitées. »

Le luthérien évêque Lilje, président de l'Union luthérienne mondiale, considère comme improbable que les chrétiens séparés soient invités, puisque la compétence du concile ne s'étend qu'aux autorités soumises au Saint-Siège.

L'anglican Dr Joost de Blank, archevêque du Cap : « Tout ce qui peut aider à la réalisation de l'unité est le bienvenu. » Chanoine Waddam, ancien secrétaire de l'Eglise anglicane pour l'étranger : « Si des observateurs sont invités, nous devrions accepter l'invitation. »

25 janvier 1960 Le cardinal Tardini explique à la télévision qu'il croit que les membres d'autres confessions pourraient assister au concile, non pas en tant que participants, mais comme observateurs, « car nous n'avons rien à cacher ».

31 janvier 1960 A l'issue du synode romain, le pape annonce que le concile s'appellera « Deuxième Concile du Vatican » et qu'il ne faut donc pas le considérer comme la continuation du premier Concile du Vatican, bien que l'on n'ait jamais procédé à sa clôture.

30 mai 1960 Dans un consistoire public, le pape annonce aux cardinaux son intention de nommer pour la préparation du concile neuf commissions et un secrétariat spécial pour l'unité des chrétiens. Avant la séance, il chuchote au futur directeur du secrétariat, le cardinal Bea : « Je le nomme secrétariat et non commission, ainsi serons-nous plus maîtres de sa structure. »

La seconde phase de la préparation

5 juin 1960 (Pentecôte) Le pape constitue par un « motu proprio » SUPREMO DEI NUTU (sur un signe de Dieu) dix commissions préparatoires et deux secrétariats. Leur mission est d'élaborer des « schémas » d'après les suggestions des évêques et des Universités, ainsi que des conseils des congrégations romaines (ministères). Les « schémas » sont des projets sur un thème défini qui doivent être présentés au concile (par exemple sur la réforme de la liturgie). La plupart des commissions (commissions de travail) assument la tâche de « congrégations » mais doivent travailler indépendamment d'elles. A l'origine, et pour cette raison, le pape Jean avait l'intention de ne nommer aucun directeur des congrégations comme président des commissions. Talonné par la curie, il le fit néanmoins. Ainsi par exemple, le cardinal Ottaviani fut en même temps secrétaire du Saint-Office et président de la Commission préparatoire pour les questions de foi et mœurs. Cette union personnelle dans la direction des organes du concile et des fonctions d'administration dura pendant tout le concile. Bien des difficultés s'élevèrent pendant la durée du concile, à cause de cette « erreur de base ». La Commission préparatoire pour les questions laïques et le Secrétariat pour les communications de masse n'appartiennent à aucune autorité de la curie. Pendant les six jours allant du 30 mai au 5 juin, le pape se décida, sous la pression de certains milieux (Mgr Glorieux et autres), à joindre ces deux organes à ceux déjà mentionnés. La fondation du secrétariat est, pour l'unité des chrétiens, une nouvelle disposition qui fait époque et qui sera d'une importance décisive pour le déroulement du concile. Le secrétariat avait à l'origine le devoir d'informer les chrétiens non catholiques sur les travaux du concile. Cet organe fit également parvenir des invitations aux observateurs. Mais, dès le début du concile, le secrétariat fut un lieu de contact général entre le Saint-Siège et les Eglises chrétiennes.

Les commissions préparatoires comprennent chacune de trente à cinquante membres (évêques et prêtres) et un nombre environ égal de spécialistes fonctionnant comme « conseillers ». Ils sont, par principe, internationaux, mais leur manière de travailler dépend des présidents et secrétaires ; de ce fait, maints de ces membres et conseillers en dehors de Rome ne furent que peu ou pas du tout mis à contribution.

Une « commission centrale » doit coordonner le travail de ces douze commissions. Elle ne put accomplir sa tâche que très imparfaitement, par suite de manque de temps et de difficultés internes.

14 novembre 1960 Le pape ouvre solennellement les travaux des commissions préparatoires.

16 novembre 1960 Malgré la résistance du Saint-Office, le pape fait une allusion à une participation éventuelle des frères séparés au concile.

2 décembre 1960 Le Dr Fisher, archevêque de Cantorbéry, le plus haut prélat de l'Eglise anglicane, rend visite au pape ainsi qu'au cardinal Bea et à Mgr Willebrands, respectivement président et secrétaire du Secrétariat pour l'unité des chrétiens. A son retour, le Dr Fisher déclare, à l'aéroport de Londres: «Le but de ma visite consistait à préparer la voie pour un échange d'opinions entre nos deux Eglises. Il y a quelque temps déjà, il était possible de commencer cet échange d'opinions, mais il fallait néanmoins le faire secrètement. Maintenant, c'est possible ouvertement et publiquement. Ce rapprochement est la conséquence naturelle de l'enseignement de l'Evangile, et quiconque ne se déclare pas d'accord prouve qu'il a des idées périmées: il retourne aux temps d'avant le christianisme.»

3 décembre 1960 Conférence de presse de Mgr Felici, secrétaire général de la Commission centrale préparatoire. Il demande que les comptes rendus – abstraction faite de la rhétorique et de la présentation journalistique pas toujours nécessaires, mais à l'occasion vraiment utiles – soient essentiellement exacts en ce qui concerne les questions de la foi et des mœurs, et qu'ils soient absolument conformes à l'enseignement de l'Eglise. Les «trous» qu'on laisse passer dans la presse non catholique et la presse d'information sont inadmissibles dans la presse catholique. C'est pourquoi le contact avec les organes d'information officiels ou au moins officieux est exigé; avant de lancer une nouvelle sensationnelle, il faut d'abord qu'elle soit vraie... «Je désire que tous s'en tiennent à cette règle et qu'ils maîtrisent leurs désirs et le goût du surprenant et du sensationnel. Mieux vaut arriver une minute en retard avec une nouvelle véridique, qu'une minute plus tôt avec une nouvelle fausse...»
Mgr Felici communique qu'un bureau de presse du concile sera formé. «Il donnera de temps en temps d'utiles et véridiques informations, qui répondront si possible à vos besoins. Je vous rappelle, Messieurs, le proverbe latin «On ne demande de ses amis que de l'honorabilité» («honesta ab amicis petamus»). Ne pénétrez pas dans des choses qui vous sont cachées et défendues. Ce n'est qu'à cette condition que nous serons bons amis.»
Mgr Felici exhorte les journalistes à mener une vie personnelle et familiale intègre – ce qui est une condition essentielle pour rédiger des comptes rendus sur le concile. (Voir à ce propos cardinal König, 30 janvier 1961.)

16 janvier 1961 Au cours d'un consistoire, le pape nomme quatre nouveaux cardinaux, dont trois Américains. Le plus important d'entre eux est le cardinal Elmer Ritter, archevêque de Saint Louis. Le pape insiste énergiquement sur la signification spéciale du concile pour l'Amérique du Sud. Le déroulement du concile lui donnera raison.

30 janvier 1961 Le cardinal König (Vienne) met l'accent, devant des journalistes, sur l'importance de la presse et des communications de masse pour le concile. «De l'extérieur, le concile semble être l'affaire du pape et des évêques; en réalité, il est l'affaire de toute l'Eglise catholique, c'est-à-dire de tous les fidèles. C'est de vous, les journalistes catholiques, que dépend pour une bonne part qu'il en soit vraiment ainsi... Je pense ici avant tout aux journalistes qui n'écrivent pas dans la presse catholique... Le devoir des journalistes est d'être la conscience publique de leurs coreligionnaires. Si vous avez quelque chose à dire sur le concile, n'attendez pas un mot de l'évêque ni les nouvelles de Rome. Mettez en garde là où vous pensez que vous devez mettre en garde; allez tranquillement de l'avant là où vous pensez que vous devez aller de l'avant; informez aussi souvent que se présente une occasion d'informer le monde sur le concile. Si vous faites du concile votre affaire, le concile deviendra l'affaire de tous les chrétiens. Parlez également de tout ce que l'opinion publique et les fidèles attendent du concile.»

29 mars 1961 L'*Osservatore Romano* publie un long rapport sur les quinze volumes achevés de la première période de préparation du concile (*Acta et Documenta* du 25 janvier 1959 au 5 juin 1960). Ils se divisent en *quatre* groupes et comprennent au total 9520 pages.
Même après le concile, cette documentation devrait être de la plus haute valeur. Seul, le premier volume est accessible au public. Les deux autres sont néanmoins à la disposition des membres des commissions.

16 avril 1961 Le pape consacre, selon le rite grec, le moine de l'ordre de Saint-Basile Coussa (Syrie) de l'Eglise melchite et se promet de cet acte des «conséquences à haute portée pour le concile». Souvent, il montre de ces manifestations symboliques et, par là, il obtient que les Orientaux parlent une langue hardie au concile et que les «uniformistes» de l'Eglise occidentale soient remis à leur place.

7 mai 1961 Le pape exhorte toute l'Eglise, dans une lettre apostolique, à prier pour le concile lors de la fête de la Pentecôte. «Les travaux préparatoires du concile s'intensifient, et la nécessité de la prière se fait sentir de plus en plus.» Cette phrase fait allusion aux difficultés qui s'élèvent dans les commissions. Le cardinal König les décrit de la façon suivante: «Il peut y avoir des forces, il peut se manifester des influences qui détournent le cours des choses, qui le compriment dans des limites trop étroites. Peut-être que certaines commissions resserrent, par leurs méthodes de travail et d'organisation, l'activité du concile. Ce n'est que plus tard que cela deviendra évident.»

21 mai 1961 Conférence de presse de Mgr Felici: Le bureau de presse est organisé «d'après les besoins». «Le besoin est aujourd'hui limité, c'est pourquoi l'activité du bureau est également limitée. Le public et les journalistes doivent prendre patience. Et bien que le pape explique souvent qu'il est extrêmement souhaitable que les fidèles montrent un vif intérêt pour le concile, il ne faut cependant pas oublier que le concile est un acte du plus haut enseignement et du pouvoir gouvernemental des successeurs des apôtres, sous l'autorité du pape. Tous doivent lever les yeux vers eux dans un silence respectueux, et prier le

Saint-Esprit de les éclairer... Tous les membres des commissions sont tenus au secret absolu, qu'ils doivent soigneusement garder... »

La troisième phase de la préparation

12 juin 1961 La Commission centrale préparatoire tient sa première séance. A cette occasion, le pape demande, dans une allocution, de tenir bon. Les réunions de la Commission centrale auront lieu des 12 au 20 juin 1961, 7 au 17 novembre 1961, 15 au 25 janvier 1962, 26 mars au 3 avril 1962, 3 au 12 mai 1962, 12 au 21 juin 1962. D'après les nouvelles communiquées au public, on remarque qu'il y a manifestement une absence de plan; on traitait les projets achevés sans attendre que des projets analogues ou complémentaires soient terminés. Cinquante-neuf schémas furent en tout plus ou moins élaborés jusqu'en juin 1962. La question si les frères séparés doivent être invités est discutée. Le pape écrase les membres par la remarque qu'une participation est extrêmement souhaitable.

24 octobre 1961 La violente réaction de la presse catholique mondiale aux exposés de Mgr Felici, considérés comme étroits et manquant de compréhension pour l'opinion publique, incite le pape à tenir un grand discours à la presse étrangère en Italie. Il met l'accent sur sa parfaite compréhension des désirs des journalistes et de l'importance de l'opinion publique. Le bureau de presse doit continuer à se développer.

25 décembre 1961 Par la constitution apostolique HUMANAE SALUTIS, le concile est définitivement «annoncé et convoqué». Les suffragants doivent également y prendre part. Le pape déclare que des observateurs non catholiques assisteront au concile.

2 février 1962 «Motu proprio» *Concilium*. Le pape fixe la date de l'ouverture du concile au 11 octobre 1962.

6 juillet 1962 Les sept premiers schémas sont envoyés aux évêques. Ils concernent: 1. Les sources de la foi; 2. Le maintien de la pureté de la foi; 3. L'ordre moral; 4. La chasteté, le mariage, la famille, la virginité; 5. La liturgie; 6. Les moyens de diffusion de masse; 7. L'unité de l'Eglise (Eglise orientale). Les points 2 à 4 ne seront jamais discutés pendant le concile. Seul le projet sur la liturgie trouve l'agrément des pères.

Le concile, de la première à la quatrième session

11 octobre 1962 Ouverture solennelle. Le discours du pape montre la voie (voir page 12).

13 octobre 1962 Première assemblée plénière (congrégation générale). Les membres des commissions doivent être élus. Dix présidents désignés par le pape dirigeront les débats à tour de rôle. La séance se termine prématurément, deux des présidents, les cardinaux Liénart et Frings, ayant refusé les listes proposées pour l'élection des membres des commissions et demandé qu'il leur soit accordé un certain temps pour faire mutuellement connaissance. Le présidium tout entier approuve cette proposition.
Ainsi, le premier jour déjà, la supériorité des autorités romaines est brisée. L'exigence d'une discussion véritable a triomphé.

13 octobre 1962 Les observateurs des Eglises non catholiques sont reçus par le pape. Leur nombre est de trente, plus neuf hôtes qui ont été invités par le Secrétariat pour l'unité des chrétiens à titre privé. Les Eglises suivantes sont représentées. Orthodoxes: le patriarcat de Moscou, l'Eglise copte d'Egypte, l'Eglise orthodoxe syrienne, l'Eglise orthodoxe d'Ethiopie, l'Eglise orthodoxe arménienne, l'Eglise orthodoxe russe à l'étranger. Il manque cependant les importantes Eglises orthodoxes de Bulgarie, de Yougoslavie, de Grèce, etc., mais avant tout celle de Constantinople. Protestantes: Union anglicane d'Angleterre, des Etats-Unis et de l'Inde, l'Union mondiale luthérienne, les vieux-catholiques, les presbytériens, l'Eglise évangélique d'Allemagne, l'Union mondiale des Eglises du Christ, les congrégationalistes, les méthodistes, le Conseil mondial des Eglises, l'Association internationale pour un christianisme libéral.

16 octobre 1962 Election des 160 membres des commissions. De tout nouveaux visages apparaissent dans les commissions. Quarante-deux pays sont représentés: 39 membres de l'Europe centrale, 31 du sud de l'Europe, 27 de l'Amérique du Nord (Etats-Unis et Canada), 27 de l'Amérique latine, 15 d'Asie, 7 d'Afrique, 6 d'Europe orientale, 8 d'Angleterre et d'Océanie.

20 octobre 1962 La troisième congrégation générale apporte un message des pères du concile au monde, qui cause une surprise. Il est une réponse au discours liminaire du pape; il dit adieu à tout triomphalisme et parle de l'Eglise servante; la dignité de l'être humain est son affaire; il insiste en particulier sur la paix des peuples et sur la justice sociale. On peut avec raison désigner ce message comme un accord fondamental du concile. Sans lui, ni la déclaration sur la liberté religieuse, ni la constitution pastorale de l'Eglise dans le monde actuel n'auraient abouti.

22 octobre 1962 Le débat sur la liturgie commence. Il dure jusqu'au 13 novembre. Ce long débat démontre les carences du règlement.

Trois cent vingt-neuf pères du concile parlent; ils se répètent indéfiniment.
Mais personne ne sait combien d'évêques se tiennent derrière chaque orateur. Une grande fatigue et une certaine satiété se font sentir. On parle de tactique d'obstruction. Le cardinal Cushing quitte le concile. Les points principaux de la discussion sont la liturgie dans la langue maternelle et les pleins pouvoirs des conférences d'évêques.

4 novembre 1962 Le cardinal Montini célèbre une messe selon le rite ambrosien, à l'occasion du quatrième anniversaire du couronnement du pape Jean XXIII. Le pape renouvelle la diversification et la réforme de la liturgie.

14 novembre 1962 Premier grand jour du concile. Scrutin sur les idées directrices du projet sur la liturgie. Le brouillard se dissipe. Les idées directrices sont acceptées presque à l'unanimité. Le devoir de la commission est d'élaborer les thèses des évêques de telle sorte que le texte amélioré puisse compter sur l'assentiment des pères. Le même jour débute le débat sur le second projet: sources de la Révélation. L'opposition des tendances atteint son point culminant dans les congrégations générales suivantes. Le thème est de la plus grande importance œcuménique. Bien des observateurs assurent que si le projet est accepté par le concile, la discussion avec l'Eglise catholique prendra prématurément fin. Aussi, le second objectif que le concile s'est fixé (en aucune façon subalterne) est-il en jeu. Plusieurs pères demandent le retrait complet du texte proposé, nombre d'entre eux requièrent son total remaniement; d'autres, toutefois, le défendent opiniâtrement. Le cardinal Siri, président de la Conférence italienne des évêques, exhorte les Italiens à «défendre la foi». Des brochures contenant de fortes attaques contre l'Institut biblique pontifical, qui n'est pas favorable au projet, sont distribuées dans l'aula du concile.

20 novembre 1962 Les présidents du concile votent pour savoir si les débats concernant le projet doivent être interrompus. Résultat: 1368 oui contre 822 non. Il manque 92 voix pour atteindre la majorité des deux tiers.

21 novembre 1962 Le pape intervient dans cette situation désespérée. Il rompt les débats et confie un nouveau remaniement du projet à une commission mixte composée de membres de la Commission théologique et du Secrétariat pour l'unité des chrétiens, sous la direction des cardinaux Ottaviani et Bea.

23 au 27 novembre 1962 Débats sur le projet sur les moyens audiovisuels de diffusion (presse, film, radio, télévision). Les pères sont fatigués et la discussion est languissante. Le 27 du mois, les lignes de base du schéma sont acceptées presque à l'unanimité. Mais la commission doit abréger et résumer le texte beaucoup trop long et se perd dans des détails de directives de courte durée.

27 au 30 novembre 1962 Le schéma sur l'union avec les Eglises d'Orient est mis à l'étude. Avant toute chose, la première partie semble, à plusieurs participants, être peu œcuménique de langage et de tendance. De nouveau, la discussion s'engage: qu'est-ce qui est œcuménique? En outre, le cardinal Bea mentionne qu'il y a encore, sur l'œcuménisme, un autre projet du Secrétariat pour l'unité des chrétiens, ainsi que le onzième chapitre du schéma *De l'Eglise*, rédigé par la Commission théologique. L'insuffisance de la Commission centrale se fait sentir: trois commissions ont étudié le même sujet, absolument indépendamment l'une de l'autre. Le 1er décembre, le schéma est renvoyé à une commission mixte pour qu'elle tire un seul schéma des deux textes œcuméniques.

28 novembre 1962 Le cardinal Ottaviani propose, contre la volonté de la majorité, d'employer les jours restants à un débat sur le schéma *Marie*. Il espère ainsi terminer la session d'une façon paisible et harmonieuse. La présidence rejette la proposition et met le schéma sur l'Eglise à l'ordre du jour.

1er au 7 décembre 1962 Débats sur le schéma *Eglise*. Une fois encore, la question est posée si les pères veulent refuser franchement un projet. Les causes en sont à nouveau le manque d'une base œcuménique, pastorale et conforme à l'Ecriture. Mais on se contente d'une sévère critique. On ne vote pas sur le fond. Néanmoins, les cardinaux Suenens, Montini et Lercaro développent un programme général du concile, d'après lequel tout devrait se grouper autour du thème *Eglise*.
Et effectivement, les soixante-douze schémas sont ramenés, le 5 décembre, à environ une vingtaine. Le pape constitue une Commission de coordination se composant de six cardinaux, sous la direction du cardinal Cicognani, qui doit mener cette tâche à bien (en quelque sorte comme commission centrale). On a considéré qu'aucun des schémas présentés n'est, dans sa forme actuelle, conforme à l'esprit de ce concile.

7 décembre 1962 Le quatrième chapitre amélioré du schéma sur la liturgie est approuvé par 1922 oui contre 11 non, avec 180 voix avec réserve et 5 voix nulles. Les 180 voix sous réserve peuvent être prises en considération par la commission, sans toutefois que ce soit une obligation. La commission ne doit considérer les voix «avec réserve» que si celles-ci forment le tiers des suffrages. Lors des scrutins suivants, on ne pourra voter que par oui ou par non. Par ce scrutin, on s'assure de tout le schéma sur la liturgie, puisque le premier chapitre comprend les questions controversées. Le reste est davantage question de forme.

8 décembre 1962 Cérémonie de clôture de la première session. Le pape – déjà gravement malade – n'apparaît que pour une courte allocution d'encouragement.

Entre la première et la seconde session

12 décembre 1962 Le pape exprime l'espoir, au cours d'une audience générale, que le concile se terminera à la Noël 1963.

19, 23 décembre 1962; 21 et 23 janvier 1963 Lors des audiences générales ordinaires et dans des allocutions à des groupes particuliers, Jean XXIII insiste toujours sur le fait que le concile ne doit pas s'occuper uniquement des affaires intérieures de l'Eglise. Il devrait être un concile pour tous les hommes.

6 janvier 1963 Lettre du pape (MIRABILIS ILLE) à tous les pères conciliaires et «à chacun en particulier», sur les travaux de la période intermédiaire. Sur le plan de l'organisation, il rappelle l'institution de la Commission de coordination qui, annoncée le 6 décembre 1962, fut constituée le 17 de ce même mois. A sa tête se trouve le cardinal secrétaire d'Etat Cicognani (encore une fois une union personnelle de la Curie romaine et d'un fonctionnaire supérieur président du concile!). Les autres membres sont de nationalités diverses. Ce sont les cardinaux Liénart (France), Spellman (E.-U.), Lercaro (Italie), Urbani (Italie), Confalonieri (Italie), Döpfner (Allemagne), Suenens (Belgique), Agagianian (Syrie) et Roberto (Italie). La tendance était de réunir des personnes «faciles à atteindre» dans leur majorité. Le pape se prononce contre l'introduction de «nouvelles formules de prières» (méditations). Il demande à tous les pères conciliaires de rester en contact avec la Commission de coordination, par un intensif échange de lettres; il les prie également de discuter du concile avec des personnes particulièrement qualifiées, au sein de leurs propres diocèses. Il voit, dans l'intérêt croissant manifesté par le monde, germer une espérance pour l'unité des chrétiens. Il continue en disant que l'accent doit être mis sur la conversation avec les autres chrétiens et le monde. Il accumule les passages de l'Ecriture proclamant le Christ comme Rédempteur de l'«Univers», «de chaque être humain», «de toute chair», «sans considération de personne», «de tous les humains».

20 mai 1963 Dernière lettre du pape aux évêques du monde, pour la préparation de la Pentecôte. Encore une fois, Jean XXIII insiste sur le «but essentiellement pastoral du concile». Ce devait être son testament.

3 juin 1963 (lundi de Pentecôte) Mort du pape Jean XXIII. Le concile est ainsi interrompu de droit («ipso jure»). Il dépendra de la volonté du successeur du pape défunt de reconvoquer le concile.

Le 3 juin 1963 – c'était le lundi de Pentecôte – le pape Jean XXIII mourut. A la fin de la première session, déjà, il était visiblement marqué par la maladie. Aux évêques français qui venaient prendre congé, il dit: «Je sais quel rôle j'ai à jouer dans ce concile.» Personne ne peut mesurer le sacrifice que, dans ces circonstances, la perte de la vie représentait pour lui, car, en décembre 1962, il faisait encore cette remarque: «Beaucoup ne m'ont pas encore compris. On parle trop de «en soi», pas assez de «pour les hommes.» Toujours est-il qu'il avait ouvert le concile, ce que son successeur n'aurait guère osé faire. A sa manière intuitive, il avait également montré la voie à ce successeur, éveillé des espoirs qui créaient des obligations. De sa langue imagée comme celle de la Bible, il restera deux paroles: «Il faut secouer la poussière qui s'est accumulée sur le trône de Pierre depuis Constantin», et: «En chaque homme, il faut voir d'abord le bien.»

Cette photo a été prise dans le dôme de Saint-Pierre à minuit, entre le 4 et le 5 juin. C'était la nuit précédant les funérailles du « Père commun », ainsi que l'on avait surnommé le pape Jean. C'est là que l'on commença de voir à quel point son court pontificat d'à peine cinq ans s'était inscrit dans le cœur des hommes. Pas uniquement chez les catholiques : dans une ville française, des écoliers juifs se précipitèrent en classe vers la maîtresse pour qu'elle leur parle du bon rabbi, et les pasteurs Charles Westphal et Georges Casalis ont dit : « Pour la première fois dans l'Histoire, les protestants pleurent la mort d'un pape. »

Pleine d'espoir, la foule cherche à voir la fumée qui s'élève deux fois par jour du conclave, où tous les cardinaux se sont rassemblés pour élire un nouveau pape. A scrutin sans résultat, fumée noire; si la fumée est blanche, le doyen des cardinaux-diacres Ottaviani ne tardera pas à venir annoncer du haut de la loggia: «Nous avons un pape.» On a déjà vu des conclaves durer des semaines, des mois. Celui-ci fut court, et, quoique des milieux «bien informés» prétendissent que l'élu ne serait assurément pas le cardinal Montini, c'est pourtant sur l'archevêque de Milan – le candidat du pape disparu – que le choix se porta.

Le pape Paul VI en chemin vers la cérémonie du couronnement. Des nonnes et de pieuses femmes accouraient. Critique, le peuple de Rome se réservait. La Curie romaine éprouvait des craintes. Trente années durant, sous Pie XI et Pie XII, Montini avait exercé son activité au Secrétariat d'Etat (1924-1954). Il connaissait les bureaux pontificaux. Le bruit courait qu'il avait dit, avant de les quitter: «Je reviendrai avec un balai.» En tout cas, personne n'ignorait qu'il avait depuis longtemps des plans pour la réforme de la Curie romaine, son internationalisation, une participation plus importante des évêques non romains.

Page suivante:
C'est le doyen des cardinaux-diacres Otraviani qui, sur la place Saint-Pierre, procède au couronnement. Pendant la première session encore, Montini avait critiqué avec véhémence, dans ses lettres, la préparation du concile: «Un matériel immense – mais hétérogène. Il aurait eu besoin d'une courageuse réduction pour prendre toute sa valeur. Mais il manquait une idée centrale, architectonique, pour polariser le travail.» Pensait-il à la collégialité épiscopale? Ou au dialogue avec les hommes? Jean avait dit: «Le communisme est ennemi de l'Eglise, mais l'Eglise n'a pas d'ennemis.» Du nouveau pape, beaucoup attendaient une autre «politique». Cependant, Montini a pris le nom de Paul. Paul fut l'apôtre des gentils.

21 juin 1963 Le cardinal de Milan, Jean Montini, est élu pape au sixième tour de scrutin. Il prend le nom de Paul VI.

22 juin 1963 De la Chapelle Sixtine, le pape adresse au monde, en présence de soixante-dix-neuf cardinaux, un message radiophonique. «Nous consacrerons toutes nos forces à la continuation du second Concile du Vatican... Telle doit être la première pensée de notre pontificat afin d'annoncer toujours plus clairement au monde que le salut attendu et ardemment désiré ne peut être trouvé que dans la bonne nouvelle de Jésus. C'est à cela que tendent la révision du droit canon, la continuation des grandes encycliques sociales pour le raffermissement de la justice dans la vie civique, sociale et internationale, dans la vérité, dans la liberté et dans la reconnaissance des droits et des devoirs mutuels... Il faut faire quelque chose en faveur des pays en voie de développement dont le niveau est souvent indigne de l'homme... La nouvelle époque, qui a ouvert à l'humanité l'exploration de l'espace, sera considérée comme une bénédiction spéciale du Seigneur, lorsque les hommes auront compris que l'amour fraternel est plus important que la concurrence.» Le pape parle ensuite de la paix entre les peuples. Il exhorte les hommes à rassembler toutes leurs forces pour le salut de l'humanité, pour le développement pacifique des droits que Dieu lui a donnés. «Les signes d'encouragement n'ont pas manqué ces derniers temps, donnés par des hommes de bonne volonté. Nous en remercions le Seigneur et nous offrons à tous notre coopération honnête et résolue pour le maintien de la paix dans le monde.» Le pape passe ensuite au thème de l'unité entre les chrétiens: «Nous ouvrons nos bras à tous ceux qui glorifient le nom du Christ, et les appelons frères. Ils trouveront toujours auprès de nous compréhension et bienveillance; ils trouveront dans l'Eglise romaine la maison paternelle qui met en valeur, avec un nouvel éclat, les trésors de son histoire, son héritage culturel et son patrimoine spirituel.» Enfin, le premier message du pape envoie aussi un salut particulier à l'Eglise du silence.

27 juin 1963 Le début de la nouvelle session est fixé par le pape au 29 septembre 1963.

30 juin 1963 Couronnement solennel du pape Paul VI. Le pape s'exprime en plusieurs langues. D'abord en latin: Dieu lui a confié l'Eglise, afin qu'«elle vienne de plus en plus aux hommes». Puis en italien: le concile doit accroître les forces morales de l'Eglise, rajeunir ses formules et s'adapter aux exigences du temps présent; elle doit aussi présenter l'Eglise aux frères séparés de telle sorte qu'«une réunion sincère dans l'amour pour le corps mystique de l'Eglise une et universelle leur devienne attirante, facile, et soit pour eux une joie». Le pape s'adresse en français aux Eglises orientales: elles s'ornent d'un double titre de gloire; la plus haute fidélité aux origines et l'attachement au successeur de Pierre comme centre de la vie de l'apostolat du corps mystique du Christ. En français également, un mot aux chrétiens séparés: «Nous ne nous faisons aucune illusion sur l'étendue des problèmes et sur les obstacles qui seront à surmonter. Mais nous voulons poursuivre le dialogue commencé et, autant que cela sera en notre pouvoir, continuer l'œuvre entreprise, en nous appuyant uniquement sur les armes de la vérité et de l'amour.» Paul VI dit encore quelques phrases sur le dialogue avec le monde moderne. Il le continuera afin de répondre «aux grands efforts du monde actuel vers la justice, le progrès humain, la confiance réciproque et la paix». Le monde témoigne, dans cette poursuite, de forces étonnantes et de courage, d'esprit d'entreprise et de dévouement, de sens du sacrifice. Nous disons sans hésiter: «Nous sommes d'accord avec tout cela.» Puis il ajouta: «Nous entendrons cet appel du monde! Continuellement, à l'exemple de notre prédécesseur, nous offrirons à l'humanité actuelle le remède à ses faiblesses, la réponse à ses appels: les richesses insondables du Christ. Mais notre voix sera-t-elle entendue?» En anglais, le pape fait l'éloge de la langue anglaise «qui a contribué d'une manière appréciable, sur tous les continents et tous les points de la terre, à une plus grande compréhension et à une plus grande unité des peuples et des races». Il met encore une fois l'accent sur la paix du monde.

12 septembre 1963 Lettre du pape au cardinal Tisserant, doyen du sacré collège. Dans cette lettre, le pape annonce:
1. Qu'il a dissous le Secrétariat pour les affaires extraordinaires; 2. Qu'une partie de ses membres (trois) s'ajoute au nombre des présidents. Ce sont les cardinaux Wyszinski (Varsovie), Siri (Gênes) et Meyer (Chicago). Le présidium doit veiller à l'observation du règlement et résoudre les difficultés et doutes éventuels; 3. Les quatre cardinaux restants du secrétariat dissous seront nommés modérateurs du concile. Ils doivent également régler les débats du concile à tour de rôle; 4. Entre-temps, les projets soumis au concile ont été réduits à dix-sept; 5. Un Comité de presse formé d'évêques sera organisé sous la direction de l'Américain Mgr Martin O'Connor, sur le modèle de la Conférence mondiale des Eglises, afin de faciliter le travail des journalistes. Le secrétaire en sera Mgr Vallaine, jusqu'ici directeur du bureau de presse, un Italien; 6. Des auditeurs laïcs doivent être admis aux assemblées générales, comme représentants des organisations catholiques internationales de droit canon; 7. «En son temps», un secrétariat particulier pour les religions non chrétiennes sera constitué.

14 septembre 1963 Le pape envoie deux lettres à tous les évêques du monde. Dans l'une d'elles, «Horum Temporum», il déclare la seconde session définitivement fixée au 29 septembre 1963; dans l'autre, «Cum Proximus», il les exhorte tous à la pénitence et à la prière, en préparation au concile.

21 septembre 1963 En présence de toute la Curie romaine, le pape annonce sa réforme. Il insiste sur sa nécessité et se déclare en partie d'accord et d'autre part opposé à la critique de cette réforme. La curie doit être simplifiée et décentralisée en même temps qu'augmentée par des évêques résidents, et rendue capable d'assumer de plus amples devoirs. Il fait allusion à la possibilité d'un conseil d'évêques qui se tiendrait au-dessus de la Curie romaine.
Il demande à la Curie romaine d'être un exemple et non une corporation anonyme et un appareil bureaucratique.

La deuxième session du concile

29 septembre 1963 Ouverture de la deuxième session du concile. L'allocution du pape insiste avant tout sur l'orientation exclusive du concile vers le Christ. «Aucune lumière ne doit briller sur cette assemblée, si ce n'est celle du Christ, la lumière du monde; aucune vérité ne doit intéresser notre esprit si ce n'est la Parole du Seigneur, notre unique Maître; aucune tendance ne doit nous diriger, si ce n'est le désir de lui être absolument fidèle; aucune assurance ne doit être la nôtre si ce n'est sa Parole qui nous rend forts: «Voyez, je suis avec vous jusqu'à la fin du monde...» C'est Toi seul, Christ, que nous connaissons...» Ce programme réjouit les chrétiens séparés, mais il effraie maints catholiques qui trouvent le «Toi seul, Christ», trop fort. «Nous prions humblement Dieu de nous pardonner si nous avons une responsabilité dans la séparation, et nous demandons également pardon à nos frères s'ils devaient se sentir blessés par nous.»

30 septembre 1963 La première congrégation générale débute par les débats sur le schéma entre-temps complètement remanié *Sur l'Eglise*. Onze laïcs assistent pour la première fois au concile en tant qu'auditeurs («auditores»). L'archevêque Morcillo, de Saragosse, l'un des sous-secrétaires du concile, propose d'inviter aussi comme observateurs des représentants des religions non chrétiennes. A plusieurs reprises, l'insertion du schéma sur Marie est souhaitée comme dernier chapitre du schéma sur l'Eglise, afin de donner à Marie une place *dans* l'Eglise.

1er octobre 1963 Le schéma sur l'Eglise est accepté par toute l'assemblée comme base de discussion. La discussion sur l'introduction et le premier chapitre (L'Eglise en tant que mystère) débute. L'archiabbé (Erzabt) Christopher Butler différencie rigoureusement l'Eglise du Royaume de Dieu. On prend note de la différence de la représentation de l'Eglise, ici, et dans le schéma sur la liturgie.

4 au 14 octobre 1963 Discussion sur le deuxième chapitre (Structure de l'Eglise). Une violente dispute s'enflamme à propos de la constitution, par le Christ, d'un collège des apôtres et sa succession par un collège d'évêques. La question de l'ordination des évêques, en tant que sacrement de l'Eglise, semble être moins contestée. Le diaconat d'Etat est rejeté par le cardinal Spellman comme «romantisme des liturgistes». Mais le cardinal Meyer, ainsi que beaucoup d'autres, le contredisent. Le diaconat des hommes mariés rencontre une vive résistance. En marge de la discussion, les votes pour l'amélioration du schéma sur la liturgie commencent.

15 octobre 1963 Afin d'avoir une vue d'ensemble sur les textes qui obtiennent la majorité, les modérateurs annoncent cinq questions dont lecture sera donnée le 17 octobre. Le deuxième chapitre du schéma sur la liturgie n'atteint pas les deux tiers exigés pour approbation. Il est retourné à la commission pour subir une nouvelle amélioration.

16 octobre 1963 Le cardinal Agagianian communique que les cinq «questions directives» sont renvoyées. Des bruits se répandent. La majorité des évêques, ainsi que le public mondial, s'inquiètent et se découragent.

16 au 25 octobre 1963 Discussion sur le troisième chapitre du schéma sur l'Eglise: «Le peuple de Dieu et les laïcs en particulier.» Le débat est dispersé et languissant, les cinq questions des modérateurs n'ayant pas été posées pendant la période et les bruits devenant de plus en plus insistants. C'est important pour la nouvelle prise de conscience de l'Eglise.

18 octobre 1963 Le Secrétariat pour l'unité des chrétiens annonce un chapitre sur les juifs, qui doit être inclus dans le schéma œcuménique. Le troisième chapitre du schéma sur la liturgie n'atteint pas non plus la majorité des deux tiers lors du scrutin. L'ambiance est presque insoutenable. Les cinq questions sont retravaillées mais ne sont pas posées.

23 octobre 1963 Les «trois têtes» du concile, ainsi que l'on nomme brièvement les commissions directrices (Commission de coordination, présidence et modérateurs), se rassemblent en présence des secrétaires du concile, qui n'ont pas voix au chapitre, pour mettre fin au conflit de compétence sur les cinq questions – car c'est de cela qu'il s'agit formellement. Le 17 octobre déjà, le cardinal Ottaviani et ensuite les modérateurs ont rendu visite au pape; le 21, le cardinal Suenens va trouver le pape. Mais toutes ces démarches demeurent sans résultat. Toutefois, il s'avère que de nombreux évêques souhaitent un chapitre spécial sur le peuple de Dieu, qui englobe les laïcs et les prêtres.

24 octobre 1963 Le modérateur cardinal Döpfner communique que «l'on s'est mis d'accord pour procéder au vote afin de savoir si le schéma sur Marie doit être incorporé au schéma sur l'Eglise, ou non». Deux cardinaux présenteraient les raisons pour et contre, afin de clarifier la situation. Le cardinal Santos (Manille) est contre, le cardinal König (Vienne) est pour. Le scrutin doit avoir lieu le 28 octobre. Le quatrième chapitre du schéma sur la liturgie est accepté avec 552 réserves.

25 au 31 octobre 1963 Débats sur le quatrième chapitre du schéma sur l'Eglise: «De la vocation de la sainteté, en particulier chez les membres du clergé.» En somme, il aurait dû se développer ici un débat semblable à celui du troisième chapitre. Il n'y a que de faibles réactions, les évêques étant épuisés de fatigue.

26 octobre 1963 Les modérateurs tiennent leur assemblée hebdomadaire avec le pape. Paul VI semble approuver formellement leur point de vue dans les cinq questions, mais se ranger pour le fond à l'opinion d'Ottaviani. Le vote à propos de Marie est reporté d'un jour.

27 octobre 1963 Fête commémorative en l'honneur du pape Jean XXIII. Grand discours du cardinal Suenens, qui redonne quelque essor au concile. Quelques allusions à la crise latente suscitent de vifs applaudissements. Le cardinal est reçu par le pape.

29 octobre 1963 Les cinq questions pour l'éclaircissement du deuxième chapitre du schéma sur l'Eglise sont enfin posées. On vote sur la question de Marie. Une faible majorité se déclare pour l'intégration du schéma sur Marie dans le schéma sur l'Eglise. Une confusion s'ensuit! Si la proportion des voix est la même pour les cinq questions, il est probable que tout le texte tombera. Le cinquième chapitre du schéma sur la liturgie est accepté avec seize réserves.

30 octobre 1963 Le scrutin pour les phrases d'orientation a lieu. 1. Les évêques; plénitude du sacrement de l'ordre: 2123 oui, 34 non; 2. Chaque évêque légalement consacré est membre du corps des évêques: 2049 oui, 104 non; 3. Le collège des évêques est le successeur du collège des apôtres avec les plus hauts pouvoirs pour l'ensemble de l'Eglise: 1808 oui, 336 non; 4. Pleins pouvoirs du collège des évêques en vertu du droit divin (établis par le Christ): 1717 oui, 408 non; 5. Diaconat comme état permanent: 1588 oui, 525 non. Ce résultat est remis à la commission, afin qu'elle en tienne compte pour améliorer le texte. Le sixième chapitre du schéma sur la liturgie est approuvé avec neuf réserves seulement; la péripétie subie par l'humeur des évêques est terminée.

1er au 4 novembre 1963 Le concile se repose.

5 au 18 novembre 1963 Discussion sur le schéma *Des évêques et du gouvernement des diocèses*. Malgré la sévère critique au sujet de la considération insuffisante du texte (sans doute inachevé) sur l'Eglise, le schéma est accepté, après deux jours, comme discussion de base, avec 477 voix contraires.

6 novembre 1963 Au début du débat sur le premier chapitre (Relations entre les évêques et la Curie romaine), le patriarche Maximos IV Saigh fait en langue française un grand discours sur la structure de l'Eglise.

7 novembre 1963 Dix-sept pères n'ont pu parler par suite de la hâte à passer aux débats sur le quatrième chapitre du schéma sur l'Eglise. Ils sont divisés en deux groupes, et l'opinion de chaque groupe au sujet de la sainteté et de la vie sacerdotale est présentée au concile par le cardinal Döpfner. Les pères trouvent que leur opinion n'est pas répétée avec exactitude.

8 novembre 1963 Le texte du chapitre sur les juifs est distribué. Le cardinal Frings attaque vivement les méthodes de la Curie romaine, en particulier celles du Saint-Office. Le cardinal Ottaviani perd son calme. Le cardinal Lercaro démontre les défauts objectifs de structure de la Curie romaine. Le débat sur le second chapitre du schéma sur les évêques (évêques auxiliaires et coadjuteurs) commence. Le cardinal Browne (Irlande) conteste la validité des cinq questions des modérateurs.

11 novembre 1963 Le cardinal Döpfner (modérateur) défend la validité des cinq questions.

12 novembre 1963 Le cardinal Suenens (modérateur) parle en faveur d'une limite d'âge pour les évêques. On aborde le troisième chapitre sur les conférences épiscopales. Par vote, le cinquième chapitre du schéma sur les évêques est retranché et remis à la Commission pour la rénovation du droit canon. Il traite de la création et de la délimitation des paroisses.

13 novembre 1963 L'évêque Carli de Segni (Italie) conteste toute valeur au scrutin pour les cinq questions. Après cette intervention, les objections de la minorité cessent de se manifester sur ce point.

14 novembre 1963 On vote en deux parties au sujet du schéma *Communications de masse*. Il obtient une grande majorité de oui. Le débat sur le quatrième chapitre du schéma sur les évêques débute dans une atmosphère apaisée.

15 novembre 1963 Les «trois têtes» du concile se réunissent à nouveau chez le pape. Le cardinal Lercaro donne un aperçu important sur les travaux accomplis jusqu'ici par le concile.

18 novembre 1963 Le cardinal Lercaro présente au concile la méthode de travail très heureuse et efficace de la Commission liturgique, dans l'intention évidente de stimuler d'autres commissions. Le premier chapitre corrigé du schéma sur la liturgie est approuvé (on compte vingt non seulement). La discussion du schéma *Sur l'œcuménisme* commence, bien que la Commission théologique retienne encore le dernier chapitre (Sur la liberté religieuse). Les évêques, ainsi que la presse et, en particulier, les Américains des Etats-Unis, sont ulcérés par ce procédé.

19 novembre 1963 Les pères reçoivent enfin le cinquième chapitre du schéma *Sur l'œcuménisme*.

19 novembre au 2 décembre 1963 La discussion sur le schéma Œcuménisme se déroule dans une atmosphère de nouveau légèrement tendue. Le cardinal Cicognani prononce, le 19 novembre, un discours d'introduction dans lequel il essaie d'expliquer pourquoi le chapitre sur les juifs a été inclus à cette place; pour cela, il utilise comme transition une phrase sur les religions non chrétiennes, qui se développera ensuite presque comme un schéma entier. Le chapitre sur les juifs, et spécialement le traitement de la question en cet endroit se heurtent à une vive résistance, surtout de la part des Orientaux. Des bruits courent sur l'ingérence d'Etats arabes. D'autre part, beaucoup d'Italiens et d'Espagnols ouvrent un tir de barrage contre le chapitre sur la liberté religieuse. Là aussi, certaines considérations politiques jouent un rôle. Cela incite les modérateurs à ouvrir un scrutin, le 21 novembre, sur les trois premiers chapitres seulement, afin de savoir si l'on veut les accepter comme base de discussion. Fait surprenant, cette proposition est acceptée presque à l'unanimité. Dans les débats, l'influence des observateurs est manifeste en ce qui concerne chacun des trois chapitres.

21 novembre 1963 A la demande, faite par de nombreuses conférences d'évêques, d'élire de nouvelles commissions, de leur donner de nouveaux présidents et de nommer les secrétaires respectifs d'après le vote des évêques, le pape répond par un demi-assentiment. Et réellement, il se révélera plus tard que ce changement aura suffi pour aider la grande majorité des pères conciliaires à obtenir une petite majorité dans les commissions (même dans la Commission théologique).

22 novembre 1963 Aujourd'hui, soixantième anniversaire du «motu proprio» de Pie X marquant l'ouverture du début du renouvellement de la liturgie dans le monde, dernier scrutin sur l'ensemble du schéma sur la liturgie après que, le 20 novembre, le second chapitre eut été approuvé, le 21 le troisième et le reste aujourd'hui. Sur un total de 2178 voix, 2158 pères votent en faveur de la proposition. Le cardinal Tisserant recommande aux commissions de suivre l'exemple de la Commission liturgique.

25 novembre 1963 Dernier scrutin sur le schéma *Moyens de communications sociales.* Trois évêques reconnaissent trop tard l'imperfection de ce texte. La peur de se désavouer soi-même est trop grande. Le jour même du scrutin, les évêques essaient d'empêcher, par la distribution de tracts, que les pères approuvent le schéma sans réflexion suffisante. Le cardinal Tisserant blâme à tort ce procédé, et Mgr Felici empêche cette action par la force. Plus tard, le tribunal déclarera coupables le cardinal et le secrétaire général. Toujours est-il que le nombre des non monte à 514, ce qui est le chiffre le plus élevé de tout le concile.

28 novembre 1963 Le cardinal Frings parle des mariages mixtes. Auparavant, quatre évêques avaient déjà abordé ce thème. Après lui, trois évêques en feront autant.

29 novembre 1963 Un message aux prêtres est distribué. Les évêques le trouvent théologiquement insuffisant, la situation réelle des prêtres est à peine prise en considération, et la langue est par trop paternaliste. Pour cette raison, le message est retiré avant d'avoir été discuté.

3 décembre 1963 Par un «motu proprio» *Pastorale Munus,* quelques pleins pouvoirs sont accordés aux évêques, qui étaient jusqu'ici réservés au Saint-Siège.

4 décembre 1963 Cérémonie de clôture. La constitution liturgique et le décret sur les moyens de communication sociaux sont approuvés par le pape et par les évêques. Le pape fait usage d'une nouvelle formule qui tient mieux compte de la discussion sur la collégialité. Le discours final du pape annonce son voyage en Terre sainte.

Entre la deuxième et la troisième session

23 décembre 1963 Message de Noël radiophonique au monde entier. Le pape est préoccupé par les problèmes du schéma du concile *Eglise dans le monde actuel:* la faim, le contrôle des naissances, les pays en voie de développement, les tâches missionnaires, la paix. Au sujet de la régulation des naissances, il déclare: «Au lieu de mettre davantage de pain sur la table des affamés, ainsi que le développement de la production le rendrait possible, il y a des gens qui pensent à des méthodes contraires à l'honorabilité, afin de diminuer le nombre des êtres humains. Cela n'est pas digne de la civilisation.»

25 décembre 1963 Assemblée de la Commission de coordination. On se propose: 1. D'abréger les textes du concile; 2. De concentrer les discussions, afin de pouvoir clore le concile avec la troisième session.

4 au 6 janvier 1964 Pèlerinage du pape en Terre sainte. Il envoie des messages de salutations aux pays qu'il survole: la Grèce, Chypre, le Liban et la Syrie; il est salué par le roi Hussein de Jordanie et le président de l'Etat d'Israël, Shazar, parmi les populations musulmane et juive en allégresse. Le voyage tout entier est placé sous le seul plan religieux: l'Eglise cherche à se rénover en remontant à ses origines. La visite se fait aux lieux saints parcourus par le Christ. Tout ce voyage est un acte symbolique se rapportant aux paroles de Paul VI lors de son discours d'ouverture de la deuxième session, le 29 septembre 1963, présenté comme programme au concile. «C'est Toi seul, Christ, que nous connaissons.» Ici, c'est de ce point de vue qu'il faut considérer le dialogue avec tous les hommes et toutes les religions, et aussi les efforts pour la réunion de tous les chrétiens. Pour cette raison, la rencontre du pape avec le patriarche Athénagoras, le 5 janvier, est le point culminant de cette visite.

13 janvier 1964 Les experts pour l'*Eglise dans le monde actuel* élaborent des propositions sur le schéma 13. Des laïcs sont également conviés.

25 janvier 1964 «Motu proprio» *Sacram Liturgiam.* Par ce décret, quelques dispositions sur la liturgie entrent en vigueur; elles modifient la messe et l'administration des sacrements, conformément à la nouvelle constitution sur la liturgie.

27 janvier au 4 février 1964 La Commission des religieux se réunit au sujet du schéma *Adaptation des religieux au temps présent.* Elle travaille avec six sous-commissions.

1er au 4 février 1964 Une commission mixte se réunit à Zurich au sujet du schéma 13 *(Eglise dans le temps présent).*

14 février 1964 La Commission de coordination tient une nouvelle réunion. Le plan inexactement dénommé «Plan Döpfner» est établi. Selon ce projet, à part les six grands décrets et constitutions (Révélation, Eglise, fonction pastorale, œcuménisme, laïcs, Eglise dans le temps présent), sept courts textes doivent être élaborés comme «directives» sur les Eglises orientales, les missions, les religieux, les prêtres, la formation des prêtres, les écoles catholiques et le sacrement du mariage. La liberté religieuse et le texte sur les juifs ne sont pas encore prévus comme déclarations autonomes.

24 février au 7 mars 1964 Après les nombreuses séances d'experts, du 3 au 23 février, le Secrétariat pour l'unité des chrétiens se réunit au complet, afin d'améliorer le schéma œcuménisme (en même temps que les déclarations sur la liberté religieuse et sur les juifs).

2 au 8 mars 1964 La Commission des sacrements transforme le *schéma* sur le mariage en *directives*.

2 au 10 mars 1964 La Commission pour la foi et les mœurs siège. Elle a encore deux chapitres du schéma sur l'Eglise à rédiger (Eschatologie et Marie), le schéma sur la Révélation à terminer, en commission mixte, la liberté religieuse et le texte sur les juifs à examiner – et à se rencontrer en commission mixte avec la Commission de l'apostolat des laïcs au sujet du texte sur l'apostolat laïc. Elle prend part quatre fois, en commission mixte, à des délibérations sur le schéma 13.

2 au 10 mars 1964 La Commission pour les devoirs des évêques se réunit au sujet du schéma *Fonctions pastorales des évêques*. On délibère sur l'insertion des parties les plus importantes du schéma *Charge d'âmes*, que la Commission pour le clergé et le peuple, qui siège également du 3 au 6 mars, a élaboré.

3 au 10 mars 1964 La Commission des séminaires se réunit afin de transformer ses schémas sur l'instruction des prêtres et des écoles catholiques en «directives».

4 au 9 mars 1964 La Commission des religieux se décide en faveur des «directives».

10 au 16 mars 1964 La Commission des Eglises orientales délibère sur un schéma de «directives».

11 mars 1964 Première assemblée du nouveau Conseil de liturgie sous la présidence du cardinal Lercaro. Il ne s'agit pas d'une commission de la Curie romaine, mais d'un bureau de planification, de réforme et de réorganisation, placé au-dessus de la Commission des rites, et formé de membres de tous les continents. Cela est le premier pas vers une participation de l'épiscopat mondial au gouvernement de l'Eglise dans son ensemble. L'assemblée décide de mettre sur pied quinze groupes spécialisés d'experts qui, répartis selon les matières, devront exécuter les travaux préparatoires. En somme, ce conseil de liturgie représente déjà une organisation postconciliaire. Le secrétaire en est Mgr Bugnini.

26 mars 1964 Le jeudi de la semaine avant Pâques (Semaine sainte), le pape envoie un salut au monde entier, en souvenir de l'institution de la sainte cène. Le pape déclare qu'il est, dans le collège des évêques, le «président de la communauté de l'amour». Il salue également les frères séparés. Le chemin du rapprochement mutuel sera long, «mais *dès à présent* nous cherchons à nous estimer réciproquement et, par cette haute considération mutuelle, à diminuer l'écart entre nous et à laisser agir l'amour qui – ainsi que nous l'espérons – remportera un jour la victoire». Toute la réorganisation de l'Eglise catholique, que le concile a réalisée, est l'expression de ce discours maintes fois cité.

2 avril 1964 «Motu proprio» *In Fructibus Multis* (fruits multiples), par lequel une Commission pontificale des moyens de communication sociaux est constituée (presse, radio, film, télévision).

14 avril 1964 Allocution du pape pour l'épiscopat italien. Paul VI exhorte les évêques italiens à prendre une position «absolument positive» envers le concile, «à entamer un dialogue intelligent et fraternel avec les groupes d'évêques des autres pays».

16/17 avril 1964 La Commission de coordination siège à nouveau. Elle vérifie si les différentes commissions ont satisfait aux dispositions qu'elles ont prises.

17/18 avril 1964 Assemblée plénière du Conseil de liturgie. Il compare les travaux entrepris jusqu'ici.

18 avril 1964 Lettre du pape au patriarche œcuménique Athénagoras.

21 avril 1964 La Commission biblique pontificale donne une instruction sur la vérité historique des Evangiles, qui doit aplanir le chemin de la constitution du concile sur la Révélation.

25 avril 1964 La Congrégation romaine des rites (qui n'est à proprement parler qu'un organe d'exécution) entre en «compétition» avec le Conseil de liturgie (dirigé par le cardinal Lercaro), en ce sens qu'elle modifie de son propre chef le rite de la distribution de la communion.

26 avril 1964 Le pape nomme soixante-dix conseillers pour la Commission de droit canon qui, après le concile, devra modifier le droit canon selon les décisions prises par le concile.

27 avril 1964 Le pape souhaite la bénédiction de Dieu au patriarche de Moscou, à l'occasion de la fête de Pâques (orthodoxe). Le patriarche Alexis répond cordialement le 13 mai.

20 avril 1964 Lettre apostolique *Spiritus Paraclitus* de Paul VI à tous les évêques du monde, en préparation de la Pentecôte. A nouveau, il met l'accent sur la préparation meilleure et plus concentrée de la troisième session, et il accorde de grands éloges aux *théologiens du concile*.

4 au 13 mai 1964 La Commission des missions ne put imposer ses vues à la Commission de coordination. Elle voulait présenter au concile un grand schéma, en quelque sorte une grande charte des missions. De nombreux travaux préparatoires avaient déjà été effectués dans des commissions spéciales. Elle cède maintenant à contrecœur et se décide pour des «directives».

7 mai 1964 Déclaration de l'archevêque Heenans (Westminster), au nom de l'épiscopat anglais, au sujet du schéma *Eglise dans le monde actuel*. Le concile doit s'exprimer dans la question de la guerre et de la paix, mais il ne devrait en aucun cas approuver les moyens anticonceptionnels, car ils sont en contradiction avec la loi de Dieu. Comme preuve, on cite Pie XI et Pie XII. «Qu'on se méfie des aveugles qui dirigent des aveugles.»

17 mai 1964 (Pentecôte) Paul VI annonce qu'il va constituer un secrétariat pour le dialogue avec les religions non chrétiennes; son président sera le cardinal Marella.

6 juin 1964 Le patriarche de Moscou, Alexis, écrit au pape une lettre en mémoire de Jean XXIII, dont c'est le premier anniversaire de sa mort. Le pape répond le 9 juin.

Début à mi-juin 1964 Les différentes commissions conciliaires siègent à nouveau et terminent pour la plupart leur travail pendant ce laps de temps.

23 juin 1964 Allocution de Paul VI, à l'occasion de la Saint-Jean-Baptiste, dont il porte le nom. Le pape fait savoir que la tête de l'apôtre André, qui se trouve à Saint-Pierre, sera envoyée à Patras, au début de la troisième session, en signe de réconciliation. Au sujet de la régulation des naissances, il annonce que cette question sera étudiée par une commission établie par lui-même. Il espère que cette étude, avec la collaboration de nombreux savants éminents, pourra bientôt être terminée. «Mais nous disons ouvertement que jusqu'à présent nous ne voyons pas de raisons suffisantes pour considérer les normes de Pie XII comme dépassées et non obligatoires.»

26 juin 1964 La Commission de coordination vérifie les schémas terminés.

8 août 1964 Première encyclique de Paul VI. Elle résume le concile dans un seul mot: «Dialogue.»

1er septembre 1964 Lettre du pape au cardinal Tisserant, le plus âgé des présidents conciliaires et le doyen du collège des cardinaux. Elle convoque définitivement le concile pour le 14 septembre.

La troisième session

14 septembre 1964 Le pape fait un discours d'ouverture qui se rapporte presque exclusivement à la position des évêques dans l'Eglise et à leurs rapports avec le pape. Il convient de compléter le premier Concile du Vatican. Par là, le poids principal de la troisième session se place sur les votes concernant le schéma *Eglise*. Le côté pastoral semble passer au second plan.

15 au 18 septembre 1964 Les deux chapitres du schéma sur l'Eglise, non encore traités, sur l'eschatologie et sur Marie, sont discutés. La discussion révèle deux conceptions de l'eschatologie: «Les choses dernières» (mort, jugement, purgatoire, ciel, enfer), et celles de tout le présent inhérent à l'orientation vers le but final, et qui agit maintenant déjà. Mais la discussion trahit également un certain accord des points de vue. Sur le titre «Mère de l'Eglise» seulement subsistent encore de grandes divergences d'opinion. Dans les votes pour le premier chapitre (Mystère de l'Eglise), neuf voix avec réserve seulement sont déposées. Dans le second chapitre (Du peuple de Dieu), la hiérarchie est considérée comme service; une théologie de l'attitude œcuménique et une théologie des missions sont supprimées. Il y a 9 non et 553 réserves. Le premier et le second chapitres sont ainsi acceptés. La commission prendra les réserves en considération, puis on devra voter encore une fois (seulement par oui ou par non) pour les améliorations.
De nouveau, des *auditeurs laïcs* assistent aux congrégations générales et, après quelques jours (dès le 23 septembre), des *auditrices laïques* sont également présentes, pour la première fois. Leur nombre atteint au début vingt et un auditeurs et quinze auditrices. Ils ont été empruntés aux organisations catholiques internationales. Soixante et onze noms figurent maintenant sur la liste des observateurs. Parmi eux, il y a plusieurs suppléants. Mais tous ne peuvent pas interrompre leur activité dans leur patrie pour toute la durée du concile. En fait, il n'y a que rarement plus de cinquante observateurs présents.

18 au 23 septembre 1964 Débat sur les paragraphes nouvellement insérés dans le schéma *Fonctions pastorales des évêques*. La relation théologique avec le schéma sur l'Eglise (troisième chapitre) est devenue meilleure, quoique plus courte; en revanche, les devoirs pastoraux sont traités en détail. En dernière heure encore, la commission a inséré dans le second chapitre deux paragraphes sur l'indépendance de l'Eglise à l'égard de l'Etat (pour les nominations des évêques également). Le débat est tranquille et plein de mesure. Le schéma apparaît aux orateurs trop juridique, et ne considérant que trop peu l'homme d'aujourd'hui. Une amélioration des relations entre les évêques, les prêtres et les laïcs est aussi demandée. Les curies épiscopales sont à réformer. Un conseil de laïcs auprès de l'évêque et dans chaque paroisse est désiré. Enfin, la description des rapports entre les clergés séculier et régulier ne satisfait pas toutes les parties.
En même temps, les votes sur le troisième chapitre du schéma *Eglise* (La structure hiérarchique de l'Eglise) commencent dès le 21 septembre. A cause de son importance dogmatique, il est divisé en trente-neuf textes séparés.
Le 21 septembre déjà, on donne lecture de quatre «rapports»; l'un d'eux est du cardinal König, sur les textes 1 à 7 qui se rapportent avant tout à l'institution du collège des apôtres et au caractère sacramentel de l'ordination des évêques; un second, de l'archevêque Parente, l'assesseur du Saint-Office, sur les questions du collège des évêques, où il défend le texte présent; un troisième du suffragant Jimenes (Venezuela), qui traite les paragraphes sur les prêtres et sur le rétablissement de l'état de diacre (diacres mariés, également); enfin, un quatrième de l'évêque Franic (Yougoslavie), qui apporte les objections contre les trois parties du chapitre. Franic soutient ainsi l'opinion de la minorité; c'est pourquoi il lit son rapport le premier.
Aucun des sept premiers scrutins ne va jusqu'à réunir 200 non. Les 22 et 23 septembre cependant, les non remontent rapidement pour les textes 8 à 14; ils tournent tous autour des 300. Cela ne suffit pas, de loin, pour le tiers (environ 749) qui aurait fait tomber le texte. Mais enfin, ils révèlent la force de la minorité dans cette question.

23 au 25 septembre 1964 Débat sur la déclaration de la liberté religieuse. L'évêque de Smedt (Bruges) lit le rapport. Il explique pourquoi on a maintenu un exposé des motifs de la liberté religieuse. La discussion est assez rude. Elle tourne avant tout autour du point suivant: pourquoi veut-on dépasser la déclaration de tolérance (acceptation) de Pie XII? Cela n'est-il pas en contradiction avec l'unique vérité de l'enseignement catholique, ainsi qu'avec les précédentes déclarations des papes? Le cardinal Ritter (E.-U.) s'assouplit et se déclarerait satisfait, le cas échéant, d'une déclaration sans exposé des motifs. L'archevêque Parente ainsi que d'autres Méridionaux enfoncent le même clou. Mais pour finir, c'est Colombo, le «théologien du pape», comme on l'appelle, qui sauve la situation par un discours de conclusion bien pesé, certainement inspiré par le pape.

26 septembre 1964 A Patras, le Père Duprey lit un bref de Paul VI décrétant la restitution d'une relique: la tête de l'apôtre André, qui se trouvait à Rome depuis 1462. A Rome, le cardinal König avait fait un discours à cette occasion. A Patras, c'est le cardinal Bea qui parle devant le métropolite Constantin, la princesse de Grèce Irène, le président du Conseil Papandreou et une grande foule de fidèles orthodoxes. Cette journée est déclarée fête religieuse pour toute la Grèce.

26 septembre 1964 On publie une instruction sur la liturgie, signée par les cardinaux Lercaro (président du Conseil liturgique) et Larraona (président de la Congrégation des rites). Elle apporte un changement considérable, dans le sens de la constitution sur la liturgie, en ce qui concerne l'emploi de la langue maternelle, le déroulement de la messe, la distribution des sacrements et l'instruction liturgique des prêtres et des laïcs.
Elle doit entrer en vigueur dès le 7 mars 1965.

28/29 septembre 1964 Débat sur la déclaration concernant les juifs. Le rapport fut lu par le cardinal Bea au cours de la dernière congrégation générale, le vendredi 25 septembre. Il est souligné dans ce rapport que le désir de quelques pères de voir cette déclaration supprimée du programme du concile ne pourra pas être pris en considération, l'écrasante majorité souhaitant cette déclaration, ainsi que l'opinion publique qui attend que le concile s'exprime à ce sujet. Le cardinal plaide en faveur des juifs, afin que la faute de déicide ne pèse pas sur eux. Et, en fait, ce passage est radié du schéma, de sorte que le rapport reçoit sa forme actuelle par un premier vote. Le débat est rude, mais il apporte un approfondissement considérable de la question de la part des cardinaux Cushing, Liénard, Frings et, avant tout, Lercaro.
En même temps, les votes séparés sur le troisième chapitre du schéma sur l'Eglise atteignent une fois encore un point culminant pour les textes 37 à 39, qui traitent la question du diaconat. A la question de savoir si les conférences d'évêques peuvent introduire le diaconat comme état permanent, 702 pères répondent par la négative. On est donc ici très près d'un rejet. L'autorité supérieure (le pape ou le collège des évêques avec le pape) doit-elle permettre la consécration comme diacres d'hommes mûrs, mariés? Ici, le résultat est quelque peu plus favorable. Six cent vingt-neuf votent non. Enfin, l'autorité supérieure doit-elle également consacrer diacres de jeunes hommes mariés? Plus de la moitié des pères (1364) est contre. Ce paragraphe est donc radié du schéma.

30 septembre au 6 octobre 1964 Débat sur le schéma *La Révélation divine.* La violente dispute au sujet des deux sources en quelque sorte séparées, sainte Ecriture et Révélation, ayant chacune un bien propre ne se trouvant pas dans l'autre «source», est mise de côté. Mais on note l'étroite relation existant entre l'Ecriture et la tradition. L'Ecriture sainte en tant que livre ne pouvant pas être «remplacé» par un bon catéchisme, mais devant être lu avec ferveur par chaque chrétien, subit une revalorisation pratique mais profonde. Les méthodes scientifiques d'examen de l'Ecriture sainte sont autorisées là où elles sont appliquées avec pleine responsabilité. La discussion est tranquille et d'un niveau élevé.
En même temps, les votes pour le schéma sur l'Eglise se poursuivent. Le 30 septembre est d'abord attendu avec la plus grande tension; c'est à cette date que doit avoir lieu le vote d'ensemble relatif au troisième chapitre. Sur proposition de la commission, il se fait en deux parties, malgré une violente protestation de la minorité. La première partie, se rapportant au collège des apôtres et des évêques, recueille 1624 oui, et 572 avec réserve. Il semble que la glace soit rompue. La seconde partie, concernant les prêtres et la réintroduction du diaconat, est approuvée par 1704 oui et 491 réserves. Les non (42 et 53) ne font pas le poids. Le même jour (30 septembre), les chapitres 4, 5 et 6 (laïcs, sainteté, religieux) parviennent au scrutin avec chacun une interrogation. Le nombre des voix avec réserve s'élève à 76, 302 et 438. Cela est tout à fait conforme à la valeur des déclarations faites dans ces chapitres: elle diminue à vue d'œil.
Les votes se poursuivent le 5 octobre seulement, sur le schéma considérablement amélioré de l'œcuménisme. Le premier chapitre ne s'intitule plus «Principes de l'œcuménisme», car il n'y a pas plusieurs mais *un* seul œcuménisme. Plus loin, on insiste sur le fait que l'œcuménisme est un mouvement qui progresse continuellement et qui, par là, ne peut pas recevoir de règles de comportement fixes. Aux votes partiels, on n'atteint jamais 60 non, le chapitre complet est voté avec 209 réserves.

7 au 12 octobre 1964 Débat sur le schéma *Apostolat des laïcs.* Les évêques se montrent plutôt déçus. Il lui manque la profondeur, il semble trop clérical, né du péché originel de cléricalisme.
Il est tout de même reconnu qu'il présente aussi des avantages dans ce sens qu'il ne parle pas seulement de l'apostolat proprement dit, dans le sens étroit du mot, mais qu'il apporte aussi son témoignage sur la famille, la profession et la vie publique. Sa structure est claire.
Dans les votes, le schéma *Œcuménisme* est complété et accepté. Il faudra voter encore une fois pour l'étude des propositions d'amélioration.

9 au 24 octobre 1964 Au milieu de cette paisible évolution arrivent deux lettres du secrétaire général Felici au Secrétariat pour l'unité des chrétiens, qui mettent en danger les deux déclarations sur la liberté religieuse et sur les juifs, sur «ordre d'une autorité supérieure». Tout le concile s'émeut visiblement de cette affaire. Le 13 octobre, le cardinal Frings et seize autres cardinaux écrivent une lettre au pape. La presse publie cette lettre le 17 octobre. L'opinion publique sur le concile se détériore depuis ce pénible incident.

12 au 15 octobre 1964 Discussion sur le schéma *Vie des prêtres* (directives). Ces directives ne devaient pas, en soi, faire l'objet d'un débat, mais les évêques en font la demande. Le plan nommé «Plan Döpfner» a échoué. Le schéma *Vie des prêtres* déplaît beaucoup aux pères. Il ne prend que peu en considération la véritable situation des prêtres, et il est rédigé dans un style extrêmement paternaliste. Pour cette raison, les directives sont repoussées par 1199 voix contre 930, et doivent être retravaillées.

15 au 19 octobre 1964 Un second schéma est à l'examen: *Les Eglises catholiques orientales* (directives). Au cours du débat, les cardinaux König, Lercaro et l'abbé de Scheuern, Höck, cherchent à briser toute la structure uniforme de l'Eglise latine d'après l'exemple des Eglises orientales. Pour cette raison, ils rejettent le schéma dans la forme présentée. Cependant, les Orientaux se déclarent satisfaits par l'amélioration de leur situation, apportée par le schéma, qui est ainsi accepté par la majorité; un seul point, sur les Eglises particularistes, tombe avec 719 réserves.

20 au 23 octobre 1964 Débat général sur le schéma *Eglise dans le monde actuel.* Il est d'un niveau élevé. Trois orateurs seulement refusent absolument le schéma. Mais tous trouvent qu'il doit être profondément modifié. La tentative de surmonter le «dualisme» du naturel et du surnaturel plaît, mais il semble à plusieurs d'entre eux que le surnaturel est trop peu traité. Le cardinal Meyer (Chicago) montre une voie biblique pour surmonter ce dualisme. Résultat du vote: par 1579 voix contre 296, le schéma est accepté comme base de discussion. Par là, la nécessité d'une quatrième session s'impose.
Pendant ce temps, quatre scrutins ont de nouveau lieu. Le 19 octobre déjà, le septième chapitre du schéma sur l'Eglise (Eschatologie), que l'on avait discuté au début de cette session, est prêt à être présenté. Le 20 octobre, tout le chapitre est accepté, avec 238 voix de réserve. Le lendemain commencent les scrutins sur les directives concernant les Eglises orientales. Le texte 2 seulement est supprimé avec 719 réserves.

23 au 27 octobre 1964 Débat sur les trois premiers chapitres du schéma *Eglise dans le monde actuel.* Ils exposent la partie théologique du schéma et traitent de la vocation intégrale de l'homme, de l'Eglise au service de Dieu et des hommes, de l'attitude des chrétiens dans le monde où ils vivent. Les pères trouvent confus l'exposé du texte. Ils déplorent l'absence d'une analyse claire du «monde actuel» et désirent une définition du concept «monde» inspirée de l'Ecriture sainte; ils demandent une anthropologie, c'est-à-dire une description de l'être de l'homme.

Le problème de l'athéisme reparaît aussi toujours.

29 octobre 1964 A l'occasion de la troisième conférence panorthodoxe de Rhodes (1er au 12 novembre), le pape Paul VI envoie un message à son président, le métropolite Mgr Meliton.

28 octobre au 5 novembre 1964 Débat sur les quatre premiers thèmes du quatrième chapitre du schéma *Eglise dans le monde actuel.* Ils concernent les problèmes particuliers à l'époque actuelle. Au cours de ce débat sur la dignité de la personne humaine, la question de la discrimination des races est abordée, et quelques personnes parlent de la situation changée de la femme. La discussion sur le mariage est plus vive. Tandis que les cardinaux Ruffini et Browne «s'épouvantent» de ce que l'on n'ait pas simplement répété les circulaires des derniers papes pour traiter ce point, Maximos IV Saigh, Léger et Suenens demandent énergiquement que la morale matrimoniale ayant existé jusqu'à présent soit approfondie conformément aux connaissances actuelles, et qu'elle soit purgée des éléments venus de philosophes non chrétiens des Temps anciens. Au sujet du troisième problème «encouragement de la culture», on ne peut mentionner que deux allocutions d'importance: le discours du cardinal Lercaro, qui sera toujours, plus tard, désigné comme la meilleure intervention du concile, et les développements du coadjuteur strasbourgeois Elchinger.
Scrutins pendant ces journées: 1. Un vote sur le chapitre Marie, seulement discuté jusqu'à présent, et qui termine le schéma *Eglise* (521 voix de réserve, 10 refus); 2. La seconde série de votes sur le schéma *Eglise* commence (seuls les oui et les nons sont admis); le premier et le second chapitres ne recueillent que 17 et 19 non; 3. Sur les parties du schéma *Fonctions pastorales des évêques*, discutées pendant cette session seulement: *a)* devoirs des évêques; *b)* indépendance à l'égard de l'Etat; *c)* renonciation aux fonctions; *d)* délimitation des diocèses; *e)* les évêques auxiliaires et les coadjuteurs; *f)* la curie des évêques; *g)* devoirs des prêtres; *h)* les religieux comme auxiliaires dans l'œuvre des diocèses, les non sont respectivement au nombre de 22, 8, 57, 12, 22, 25, 14 et 172. Quelques religieux sont mécontents de ce texte, ainsi qu'un petit nombre d'évêques qui ne veulent pas renoncer à leurs fonctions.

6 au 9 novembre 1964 Tout à fait inopinément, et sans qu'on en ait donné de raisons, le débat, presque terminé, est interrompu. Le pape vient à la congrégation générale et mène la discussion sur le schéma *Missions* (directives). Il recommande son acceptation, bien qu'il reconnaisse lui-même les faiblesses du texte. Le débat dure trois jours pleins. Au début, il tourne autour du Conseil de planification scientifique recommandé dans le schéma, et qui doit être adjoint à la congrégation «De propaganda fide» comme conseil consultatif. De nombreux orateurs veulent que ce conseil ne soit pas «adjoint», mais mis «au-dessus». Alors, le cardinal Frings se lève et propose de rejeter les directives et de demander un décret qui se prononce sur les véritables besoins et problèmes des missions. Résultat: 1601 pères demandent un nouveau schéma; 311 seulement veulent se satisfaire d'une amélioration de l'ancien. Le pape se voit déçu. Il pleure.

Le 6 novembre seulement ont lieu les votes pour le second chapitre du schéma *Fonctions pastorales des évêques.* Malgré 19 refus seulement, il y a quand même 889 voix avec réserve. C'est plus qu'un tiers, et la commission doit prendre les propositions d'amélioration en considération. On vote également pour le troisième chapitre de ce même schéma: «La collaboration des évêques dans l'intérêt général de plusieurs

Eglises.» Tout le chapitre recueille 469 voix avec réserve. Le 9 novembre, les pères reçoivent le schéma amélioré sur l'œcuménisme.

9/10 novembre 1964 Le débat interrompu sur le schéma *Eglise dans le monde actuel* trouve une conclusion peu satisfaisante. Il en ressort que les pères désirent que le problème de la faim soit traité plus à fond et qu'ils demandent, dans la condamnation de la guerre atomique, une prise de position claire et ferme. Toutefois, d'autres (surtout des Anglais et des Américains) ne veulent pas voir mis en cause le droit de se défendre (avec des armes atomiques également).
Les votes (deuxième série) commencent pour les trois chapitres du schéma *Œcuménisme*. Le premier recueille 147 voix contre et 2064 voix pour.

10 novembre au 12 novembre 1964 Il faut encore faire passer trois courts schémas au premier tour de vote. Apparaissent en premier devant le concile les directives «pour le renouvellement de la vie des religieux dans l'esprit du temps actuel». Les cardinaux Döpfner et Suenens demandent un changement profond, un retour aux sources, une libération du moralisme du XIXe siècle, une vue nouvelle des vœux de pauvreté et d'obéissance, une prise au sérieux des exigences du temps actuel. On croit déjà que le schéma va tomber comme celui sur les prêtres, mais il y a beaucoup de religieux parmi les pères, de sorte que malgré 882 voix contre (plus du tiers), on décide de procéder aux votes particuliers (ici, c'est la simple majorité qui décide). Durant ces journées, on vote pour les deuxième et troisième (dernier) chapitres du schéma *Œcuménisme* par oui et non.

13 novembre 1964 Au lieu d'une congrégation générale, le patriarche Maximos IV Saigh et différents évêques et archimandrites célèbrent selon le rite byzantin. Le pape porte solennellement sa tiare à travers l'église et la pose sur l'autel, en don pour les pauvres.

14 au 17 novembre 1964 Débats sur l'*Instruction des prêtres*. Malgré les grandes nouveautés contenues dans le schéma, il plaît extrêmement à la plupart des évêques; ils lui apportent de nouvelles améliorations. L'instruction des séminaires doit devenir plus unitaire, former l'être entier et le préparer à la vie dans le monde. Seules la signification de la «Philisophia perennis» et l'importance de saint Thomas donnent lieu à une controverse assez sérieuse. Mais tous s'accordent à dire que les saintes Ecritures doivent être à la première place de l'enseignement. On se réjouit en général du fait que les évêques bénéficieront d'une liberté beaucoup plus grande dans l'organisation des séminaires.
Le second tour de vote pour le troisième chapitre du schéma sur l'Eglise (Collégialité des évêques) apporte la confusion. Le 16, le secrétaire général Felici lit une «Nota explicativa» (note explicative) sur ce chapitre qui interprète les déclarations sur la collégialité d'une manière qui apparaît à plusieurs comme une restriction. Cette note fut établie sur l'insistance de «quelques pères», auprès de l'«Autorité supérieure». Celle-ci aurait décidé qu'on voterait dans ce sens sur le troisième chapitre, explique Mgr Felici. Les évêques sont irrités par ce procédé. Néanmoins, vingt-six seulement s'opposent au chapitre. Le même jour, on vote sur le quatrième chapitre (Laïcs), ainsi que sur le cinquième (Sainteté). Les rejets ne comprennent que huit et quatre voix.

17 au 19 novembre 1964 Débat sur la *Déclaration concernant l'éducation chrétienne*. Maintenant, tout va très vite, voire hâtivement. Mais cela ne gêne que peu les évêques, car la quatrième session est assurée. Le projet ne plaît manifestement pas aux évêques. C'est pour cette raison que l'appel à une commission postconciliaire se fait plus fort; cette commission devra étudier toutes les questions à fond. On obtient pour des votes partiels une approbation de 1457 contre 419. Dans les votes séparés, les réserves atteignent une fois seulement le nombre de 280.
L'effort principal est toujours mis sur les votes. A côté des quatorze votes déjà cités pour les séminaires et l'éducation, la rédaction des «modi» (améliorations) des chapitres 6, 7 et 8 sur l'Eglise est présentée au vote. Il n'y a que 12, 4 et 23 non. Enfin, on vote sur l'ensemble du schéma *Eglise*; il est accepté par l'aula du concile par 2130 oui contre 10 non. Il ne manque plus que la confirmation solennelle des évêques *en commun avec le pape*, par laquelle seule le schéma obtiendra sa validité. Mais le 17 novembre, le texte amélioré de la *Déclaration sur la liberté religieuse* est distribué. Il est fortement remanié. Le 18 novembre, Mgr Felici communique que «de nombreux» pères demandent un nouveau débat sur ce texte remanié ou, tout au moins, un assez long temps de réflexion. (Il y en avait environ cent trente.) Pour cette raison aura lieu «demain», 19 novembre, un avant-vote, afin d'établir si les pères autorisent cette proposition. Le 19 novembre, le cardinal Tisserant communique, en tant que président du présidium, que cet avant-vote n'aura *pas* lieu. Seul, le «rapport» de l'évêque de Smedt sera lu. En vérité, il s'agit là d'une décision du tribunal; mais le cardinal Tisserant n'en dit rien. L'agitation est prodigieuse. Des présidents eux-mêmes quittent leur place. La voix des orateurs (sur l'éducation chrétienne) est complètement étouffée par le bruit! Il est 21 heures, l'heure à laquelle ouvre le bar. Pendant un quart d'heure exactement, 441 protestations sont rassemblées; elles sont apportées au pape, contre tout règlement pendant la séance encore, par les cardinaux Meyer, Ritter et Léger (tous les trois sont Nord-Américains). Mais le pape ne change pas la décision du présidium. Il mentionnera lui-même plus tard la décision du tribunal. Mais cela ne suffit pas: dans le schéma sur l'œcuménisme, qui est terminé depuis le 14 novembre, dix-neuf améliorations sont insérées sur désir de l'«autorité supérieure». Par là, le 19 novembre 1964 fut le jour le plus noir de tout le concile, car quelques-unes de ces «améliorations» affaiblissent nettement le climat œcuménique de tout le texte.

19/20 novembre 1964 Toujours pendant le «jour noir» fatal commence l'examen du vœu du mariage qui contient un passage très significatif sur les mariages mixtes. Le point principal de la dispute est la possibilité prévue d'une dispense de mariage dans la forme ecclésiastique – pour prendre en considération le partenaire non catholique. Bien que le cardinal Ritter se prononce pour le projet même sur ce point, un suffragant de New York proteste au nom du cardinal Spellman et de cent autres évêques des Etats-Unis contre ce changement.

Il est donc soumis au pape, par 1521 voix contre 421, afin de lui permettre, par un «motu proprio», d'éclaircir l'affaire conformément au texte et aux suggestions du débat.
Le 20 novembre ont lieu aussi des scrutins en masse. Le schéma sur l'œcuménisme, dans le vote sur l'ensemble, obtient des pères une approbation de 1054 oui contre 64 non. Sur le texte concernant les *juifs et les religions non chrétiennes*, on vote d'abord par oui ou non en deux parties (non: 136 et 247), ensuite sur l'ensemble avec acceptation des «modi» (242). Puis il y a trois scrutins sur les Eglises orientales. Au scrutin final ne restent que 150 non.

21 novembre 1964 Cérémonie de clôture de la troisième session. La grande constitution sur l'Eglise, le décret sur l'œcuménisme et un second sur les Eglises catholiques orientales en sont le résultat tangible. Le vote de promulgation améliore encore un peu la proportion des voix; l'Eglise du Christ: 2151 oui – 5 non; œcuménisme: 2137 oui – 11 non; les Eglises catholiques orientales: 2110 oui – 14 non. Enchanté, le pape fait son allocution de clôture qui est troublée, pour beaucoup, dans sa seconde partie, par l'attribution solennelle à Marie du titre de «Mère de l'Eglise»; cela leur semble être une «correction» tardive du chapitre *Marie*, qui avait intentionnellement radié ce titre.

Entre la troisième et la quatrième session

2 au 5 décembre 1964 Voyage en Inde du pape, pour le Congrès eucharistique de Bombay. Il ne peut pas venir, comme prévu précédemment, comme «missionnaire», mais il vient tout à fait dans l'esprit de la nouvelle constitution de l'Eglise. C'est dans ce sens que Paul VI salue les représentants des religions non chrétiennes de l'Inde. Il fait l'éloge de Gandhi et de Nehru en présence du président de la République, Radakrishnan; mais il dit également que «le Christ est respecté dans ce pays non seulement par les chrétiens, qui représentent une minorité, mais par les millions qui sont venus afin d'apprendre à le connaître comme exemple d'amour et de résignation, et à l'aimer». C'est une toute nouvelle manière de rencontrer les religions non chrétiennes! Elle trouvera sa confirmation dans le décret sur les missions de la quatrième session.

18 décembre 1964 Lettre «Ad vos imprimis» du pape à tous les évêques du monde, sur l'unité des évêques. Sur la base de la constitution de l'Eglise, dont le «clair enseignement» sur la collégialité est rappelé par le pape, elle demande que chacun médite sur la responsabilité qu'il porte à l'égard de tous. «Il nous semble que l'enseignement sur la collégialité des évêques qui, maintenant, est précisément l'objet d'une déclaration qui fait autorité, n'est pas sans rapport avec un mystérieux plan de Dieu: notre temps... a besoin d'un exemple de véritable et complète harmonie spirituelle...»

12 au 21 janvier 1965 Le Comité central du Conseil œcuménique des Eglises tient une séance à Enugu (Nigeria). Le premier jour déjà, le secrétaire général M. Visser't Hooft déclare: «L'acceptation du décret *Sur l'œcuménisme* crée une nouvelle situation. L'Eglise catholique romaine ne se tient plus à l'écart.» Le dernier jour de la séance, la perspective d'un «groupe de travail» commun avec l'Eglise catholique est envisagée; ce groupe devra étudier les principes et les méthodes d'une collaboration.

13 janvier 1965 Le Conseil de liturgie publie des directives pratiques pour la «prière des fidèles» («Oratio fidelium») pendant la messe et en dehors de la messe.

20 janvier 1965 Au cours d'une audience générale, Paul VI donne des directives pour un dialogue œcuménique *honnête*: seul un homme superficiel peut croire qu'une réunion peut se réaliser vite et facilement. La tentative de supprimer les difficultés de l'enseignement, en le vidant de son sens, ou en «bagatellisant» des déclarations définitives de ceux qui exercent la fonction enseignante, ou en les passant sous silence, ne sont pas un bon service à rendre dans la question de la réunification.

25 au 30 janvier 1965 La Commission conciliaire pour l'apostolat des laïcs se réunit afin de délibérer sur le schéma 13 *(Eglise dans le temps présent)*. Une commission spéciale est nommée.

1er au 13 février 1965 La sous-commission chargée de la rédaction du schéma 13 siège. Son président est l'évêque Guano, son vice-président l'évêque Ancel. Vingt-neuf experts ecclésiastiques et six experts laïcs, dont quatre femmes, sont convoqués. La rédaction proprement dite doit être assumée par le chanoine Haubtmann, le P. Riedmatten O.P., Mgr Philipps, Moeller, le P. Tucci S.J. et le P. Hirschmann S.J.

15 février 1965 Par ordre du patriarche œcuménique de Constantinople, Athénagoras Ier, une délégation (les métropolites Meliton d'Héliopolis et Chrysostome de Myre) apporte au pape les résultats de la troisième conférence panorthodoxe de Rhodes (novembre 1964).

18 février 1965 Le cardinal Bea remet au Conseil œcuménique des Eglises, à Genève, l'approbation du pape pour le «comité mixte». Le comité ne doit pas prendre de décisions, mais «sonder» le chemin pour un vrai dialogue et les possibilités de collaboration. M. Visser't Hooft répond qu'il a admiré combien souvent, dans le décret œcuménique, apparaissent les expressions «il n'en est pas moins vrai que» ou «et pourtant». Il trouve cela juste, car l'œcuménisme implique une attitude que ces expressions caractérisent.

22 février 1965 Le pape nomme vingt-sept nouveaux cardinaux. Lui-même donne comme critère à son choix les raisons suivantes: 1. Les pays les plus divers et les plus éloignés ont été pris en considération; 2. Quelques patriarches des Eglises orientales ont également été élus, afin de rendre perceptible leur différence dans la conduite de l'Eglise; 3. Les représentants de l'Eglise souffrante, celle des pays totalitaires communistes, doivent particulièrement être honorés; 4. Des diocèses extrêmement importants devraient être mis en évidence, afin de souligner le caractère pastoral du collège des cardinaux; 5. La fidélité de la Curie romaine devrait être reconnue; 6. L'expérience d'hommes de grand mérite dans la théologie, ou la charge d'âmes, devrait être mise à la disposition du collège. Tout bien considéré, c'est de cette manière que s'exprimera représentativement l'universalité de l'Eglise. Doit-on trouver là un appui pour le «conseil» auprès du pape, désiré par de nombreux évêques?

7 mars 1965 La réforme de la liturgie, que le nouveau Conseil de liturgie a fait paraître sous forme d'une «instruction» le 26 septembre 1964, entre en vigueur.

12 mars 1965 Le *Catholic Herald* publie une lettre de Mgr Vagnozzi (délégué apostolique aux Etats-Unis), dans laquelle il blâme «certains excès» se produisant lors de réunions religieuses auxquelles des catholiques et des non-catholiques prennent part. On devrait attendre que la Commission conciliaire fasse paraître ses règles propres et définitives pour la «Communicatio in sacris».
Pendant le même temps, les évêques de Nouvelle-Zélande règlent eux-mêmes cette affaire.

17 au 22 mars 1965 Congrès mariologique (scientifique) et congrès marianique (public) à Saint-Domingue. L'effort tend à faire ressortir la position de Marie dans la Bible, et à rendre fructueux le chapitre *Marie* de la constitution de l'Eglise du concile (Marie dans l'Eglise).

19 mars 1965 Au sujet des frontières du dialogue avec les marxistes, le pape parle aux ouvriers: «Le dialogue ne doit pas être une manœuvre tactique – un piège; pour les catholiques, il ne peut pas reposer sur des concessions aux dépens de leurs principes...»

27 mars 1965 Le pape prononce une allocution devant la Commission spéciale pontificale pour l'étude du problème des naissances, à l'occasion de l'ouverture de sa quatrième session. Les assemblées plénières de la commission sont dirigées par l'archevêque Binz (E.-U.); le P. Riedmatten O.P. assume les fonctions de secrétaire général. Les laïcs sont en majorité. Trois couples mariés se trouvent également parmi eux. Quelques noms sont connus: le rédemptoriste Häring, le jésuite Fuchs (Gregoriana), les professeurs Janssens (Löwen), Nalesso (Milan), Mgr Lambruschini (Latran), les psychiatres Ibar (Espagne), Canavagh et Ayd (E.-U.), le gynécologue Helligers (E.-U.).

28 mars au 1er avril 1965 Conférence consultative non officielle, formée de théologiens et sociologues de l'Eglise catholique romaine et du Conseil œcuménique des Eglises, qui échangent leurs points de vue sur les problèmes du schéma *Eglise dans le temps présent*. En tout environ vingt-cinq personnes.

29 mars au 8 avril 1965 Les sous-commissions conciliaires siègent à nouveau pour le schéma 13. Le plan du chanoine Haubtmann est définitivement adopté. Un projet complet des Polonais, présenté par l'évêque Wojtyla, n'a pas l'approbation de la majorité. En même temps, les commissions conciliaires pour les *Missions* et pour *Clergé et peuple* se réunissent également. La première étudie maintenant un nouveau grand schéma, la seconde délibère sur les paragraphes à insérer dans le schéma par les évêques. Le reste de leur travail est remis à la Commission pour la mise à jour du droit canon.

3 avril 1965 Une délégation du pape rend au patriarche Athénagoras Ier sa visite du 15 février.

8 avril 1965 Le «Secrétariat pour les incroyants» est créé par le pape. Le dialogue doit s'étendre aux hommes ne croyant à aucun dieu. Le président est le cardinal König (Vienne), le secrétaire le P. Miano, doyen de la Faculté de philosophie de l'Université pontificale salésienne à Rome.

9 avril 1965 A la demande du cardinal Alfrinks, le bon renom de la neurologue hollandaise Dr Anna Terruwe est reconnu. Elle avait subi une condamnation en huit points pour enseignement erroné, qui lui avaient été attribués à tort, ainsi que la destitution d'un professeur de théologie morale, de Nijmegen, qui était son conseiller.

18 avril 1965 Dans son message de Pâques, le pape attire particulièrement l'attention sur les problèmes devant être traités par la quatrième session du concile: la paix, la faim, le racisme et la liberté de conscience.

24 avril 1965 Au cours d'un voyage pour la Terre sainte, l'évêque anglican Mortimer (Oxford) rend visite au pape, en compagnie de trois cent cinquante pèlerins (pour la plupart anglicans). Le même jour, l'évêque anglican de Crediton est reçu par le pape. Trois jours plus tard, l'évêque anglican Tomkins (Bristol), président du groupe «Foi et Constitution» du Conseil œcuménique des Eglises, séjourne chez le pape.

26 avril au 4 mai 1965 La Commission conciliaire pour les séminaires termine le remaniement de son texte sur l'instruction des prêtres.

27 avril 1965 Lettre pastorale hollandaise sur les effets réjouissants et inquiétants de la réforme de la liturgie et sur les interprétations de l'eucharistie.

27 avril au 4 mai 1965 La Commission religieuse travaille ses directives pour en faire un important schéma.

29 avril 1965 Circulaire «Mense maio». Tous les évêques sont invités à prier pour la réussite du concile.

7 mai 1965 Le pape reçoit les jésuites, réunis à l'occasion de l'élection d'un nouveau général de leur ordre. De tous les problèmes du concile, l'athéisme est celui qui préoccupe le plus le pape, et il attend des jésuites une étude spéciale de cette question.

11/12 mai 1965 La Commission de coordination se réunit. Le secrétaire (Felici), ainsi que les sous-secrétaires, sont également présents. Mgr Le Cordier (Paris) remplace Mgr Villot (qui a été nommé cardinal). Le schéma 13 ainsi que celui sur les Missions présentent encore quelques difficultés. Cependant, un calendrier pour la dernière session est déjà établi.

22 au 24 mai 1965 Pour la première fois, la Commission mixte du Conseil œcuménique des Eglises et de l'Eglise catholique, dont le principe a été suggéré à Enugu (voir 12 au 21 janvier et 18 février 1965), se réunit à Genève. Participants du Conseil œcuménique: Vitaly Borovoi (Russie), Edwin Espy (baptiste américain), Nicos Nissiotis (laïc), Edmond Schling (Allemagne), Olivier Tomkins (évêque anglican), R. P. Paul Verghese (orthodoxe syrien), Lukas Vischer (réformé), Visser't Hooft; de la partie catholique: Mgr Holland (Angleterre), Mgr Willebrands (évêque titulaire), Mgr William Baum (E.-U.), Mgr Karl Bayer (Caritas international), le P. Pierre Duprey (père blanc), le P. Jérôme Hamer O.P.

12 juin 1965 Cinq des textes achevés par les commissions pour la quatrième session sont envoyés aux pères conciliaires.

24 juin 1965 Le jour de la fête de son saint patron, le pape fait une allocution au Sacré-Collège. Son souci pour le «monde en mouvement» est évident: «Le monde est en plein développement... la petite barque de Pierre vogue sur une mer tourmentée. Tout est en mouvement, tout devient un problème. Vous le savez.» La question du mariage mixte requiert encore une «longue réflexion». Au sujet de la régulation des naissances, il dit: «Nous espérons pouvoir bientôt donner déjà quelques explications... Nous prions le Seigneur de nous envoyer la lumière de sa sagesse pour un objet d'importance aussi vitale.»

30 juin 1965 Le cardinal Lercaro écrit, en tant que président du Conseil de liturgie, au cardinal Siri (président de la Conférence italienne des évêques), en lui exposant le travail du conseil. Il écrit notamment: «Depuis quinze mois, le conseil est au travail avec ardeur, avec ses quarante groupes d'études, composés de spécialistes, et avec quarante-trois évêques, formant le cœur de l'organisation.»

10 juillet 1965 Le cardinal Shehan (Baltimore) devient membre du présidium du concile, à la place du cardinal Meyer (Chicago), décédé.

15 juillet 1965 Le Secrétariat pour l'unité des chrétiens annonce un groupe de travail mixte avec l'*Union luthérienne mondiale* (53 millions de membres). Il doit être composé de sept membres de chacune des deux confessions, et étudier les possibilités d'une collaboration. Les noms du côté catholique sont: Volk, Willebrands, Baum (E.-U.), Bläser (Paderborn), Witte (Rome), Martensen (Copenhague), Congar (Strasbourg). Les luthériens sont: Dietzfelbinger (Munich), Brauer (Chicago), Skydsgaard (Copenhague), Quanbeck (E.-U.), Vatja (Strasbourg), Smidt-Clausen et Mau (tous deux de Genève).

25 au 27 août 1965 Des membres du groupe de travail mixte se rencontrent pour la première fois. Ce sont des représentants de l'Eglise catholique et de l'Union luthérienne mondiale.

3 septembre 1965 Circulaire «Mysterium fidei». Adressée avant tout, mais pas exclusivement, aux Néerlandais, cette encyclique met en garde contre des conclusions théologiques par trop téméraires au sujet de la réforme de la liturgie, qui n'est apparemment pas tombée dans le vide.

12 septembre 1965 A l'occasion de l'ouverture de la quatrième session, Paul VI rentre de Castel Gandolfo et joint ce retour à une visite démonstrative des catacombes où il fait un discours. Il en ressort qu'il ne refusera pas à l'Eglise du silence son aide et sa solidarité, mais qu'il ne juge cependant pas utile une nouvelle condamnation du communisme; il ne veut pas renoncer à la tentative d'entamer avec les pays communistes un dialogue constructif et honnête.

La quatrième session

14 septembre 1965 Cérémonie d'ouverture de la dernière période de séance du concile. Dans son allocution, le pape expose ses problèmes, par une manière d'ouverture personnelle. Il croit pouvoir résoudre ces problèmes par l'amour seulement. «On ne connaît véritablement une chose que lorsqu'on l'aime.» Il exhorte les pères conciliaires à ne pas oublier cela lors de leurs débats.

15 septembre 1965 Par un «motu proprio» *Apostolica sollicitudo*, Paul VI constitue un «synode» qui se compose pour la plus grande partie de membres élus dans les conférences d'évêques; cependant, c'est l'affaire du pape de convoquer le synode et d'en déterminer le thème. A côté des synodes qui englobent l'Eglise tout entière, on peut aussi envisager des synodes «régionaux», devant s'occuper de questions relatives à un continent déterminé. Outre les synodes traitant de problèmes généraux, il doit y en avoir qui traitent des questions spéciales. Les statuts du synode sont très élastiques, en partie indéterminés avec intention, afin que la voie d'un développement plus étendu ne soit pas barrée.

16 au 22 septembre 1965 Débats sur le texte concernant la liberté religieuse. Les points contestés demeurent plus ou moins les mêmes. Tous néanmoins veulent faire une déclaration, et presque tous sont prêts maintenant à un exposé des motifs. Mais c'est ici que se trouve le premier désaccord: le texte voudrait un droit à la liberté qui résulte de la dignité humaine, mais pourtant beaucoup d'orateurs veulent tout au plus reconnaître une liberté garantie par le droit *positif* et se fondant sur la *tolérance*. Ils invoquent concrètement les enseignements des papes du XVIIIe et du XIXe siècle (Siri, Ruffini, Morcillo, Ottaviani, Velasco, Garbarri, Lefebre, Dante et d'autres), mais d'autres répondent qu'il y a dans l'enseignement des papes une nette *évolution* (Urbani, Shehan, Hallinan). Le texte donne deux séries de motifs: l'une fondée sur le droit naturel, l'autre sur l'Ecriture sainte. Mais là aussi, les esprits divergent: le cardinal Frings déclare qu'une justification par le droit naturel n'est pas l'affaire d'un concile; l'évêque Elchinger, au contraire, ne veut, à cette place, aucune justification tirée de l'Ecriture sainte. La justification par l'Ecriture paraît à beaucoup totalement insuffisante

(Carli, Morcillo). Plusieurs vigoureux témoignages pour la liberté religieuse améliorent l'«humeur» (Beran, Cardijn). Mais d'autres la dépriment de nouveau. Finalement, le cardinal Journet (probablement guidé par le pape) tranquillise les esprits par une opinion intelligemment pesée. La déclaration est acceptée par 1997 voix contre 224, par la formule de scrutin suivante: «Les pères approuvent-ils le texte nouvellement révisé comme base de la déclaration définitive qui est à perfectionner en accord avec l'enseignement catholique sur la vraie religion et en prenant en considération les changements à approuver qui ont été proposés pour la discussion au concile et selon les dispositions du règlement du concile?»

20 au 22 septembre 1965 Votes sur le schéma *Révélation*. Il s'agit de la première série de votes. La prochaine série de votes sur les «modi» montrera ce qui est important, dans les propositions faites. Les propositions tendant à changer la substance du texte doivent être refusées par la commission, le texte ayant déjà été accepté dans ses traits fondamentaux.

22/23 septembre 1965 Le texte remanié du schéma *Eglise dans le temps présent* est débattu. Il contient en premier lieu un rapport décrivant la situation (de manière sociologique), les espérances et les craintes de l'humanité actuelle. Deux parties essentielles suivent ce rapport. La première est de nature théorique. Elle comprend quatre chapitres, qui développent tout d'abord une sorte de doctrine sur les hommes, en tant qu'individus et en tant que société, puis qui envisagent l'activité créatrice de l'homme dans le monde et enfin (quatrième chapitre), qui exposent la tâche de l'Eglise dans ce monde. A l'occasion des exposés anthropologiques de cette partie, l'athéisme est également discuté. Puis, dans la deuxième partie, quelques problèmes «brûlants» du monde actuel sont traités en cinq chapitres.
Le débat commence par la question de savoir si le texte doit être accepté comme base de discussion. Personne n'est tout à fait contre. Le fait du péché semble à plusieurs pères avoir été traité superficiellement. Il manque une théologie du péché. La tonalité de base sonne pour plusieurs d'une manière trop optimiste (Siri, Döpfner, Vinney, Rusch, Shehan, Renard).

23 au 28 septembre 1965 Scrutins sur le schéma des laïcs. Plusieurs évêques auraient encore volontiers discuté ce texte, car, depuis la déclaration de l'année 1964, il a été sensiblement changé. Le débat n'est cependant pas autorisé, car les évêques avaient le nouveau texte en main depuis début juillet et avaient ainsi largement le temps de présenter des propositions d'amélioration, ce qu'ils ont manifestement négligé de faire. Avant tout, la formulation du fondement théologique et un paragraphe sur la *spiritualité* des laïcs sont nouveaux. Toutefois, la plupart des «modi» se trouvent dans le troisième chapitre sur les différents domaines de l'apostolat (311). Aucun chapitre n'est refusé.

24 septembre 1965 Le débat sur l'introduction du rapport de situation dans le schéma *Eglise dans le temps présent* n'apporte guère de nouveaux points de vue.

27/28 septembre 1965 Débat sur la première partie principale du schéma *Eglise dans le temps présent*. Presque tout l'intérêt est concentré sur le problème de l'*athéisme*. Malgré une forte considération de ce thème, ce projet suscite la désapprobation générale. Deux tendances se révèlent distinctement. Les uns désirent une description plus approfondie des *racines* de l'athéisme actuel et des remèdes à y apporter (König, Seper), les autres demandent une nouvelle condamnation du marxisme, ne concernant pas l'athéisme seulement (Ruotolo). Très peu critiquent l'enseignement insuffisant sur l'homme, dans le schéma (Garrone, Schick). L'évêque Bengsch se déclare contre la construction inductive de toute la première partie. Les évêques allemands inclinent à approuver un plan de réorganisation; mais la majorité n'en veut rien savoir.

29 septembre au 1er octobre 1965 Scrutins sur les améliorations du schéma *Fonctions pastorales des évêques*. Les rapporteurs attirent spécialement l'attention sur les améliorations suivantes: la réforme de la curie s'étend particulièrement aux nonces aussi. Leurs pouvoirs doivent être limités, et ils seront sélectionnés selon des points de vue internationaux. Les limites diocésaines doivent «être soumises par les conférences d'évêques à une revision». Les chapitres de cathédrale doivent être adaptés aux «exigences d'aujourd'hui». A part l'âge, d'autres «raisons graves» sont invoquées pour la renonciation aux fonctions de curé. Les nonces et les légats pontificaux ne sont pas, de par ces seules fonctions, membres des conférences d'évêques. Toutes les parties du schéma sont acceptées à une majorité écrasante. Le vote global a lieu le 6 octobre seulement et donne les résultats suivants: 2167 oui contre 14 non.

29 septembre au 1er octobre 1965 Débat sur le premier chapitre de la seconde partie principale du schéma *Eglise dans le temps présent*. La discussion montre toujours les vieilles oppositions bien connues. Les uns sont «consternés» de ce que le texte ne fasse pas de différence entre le premier et le second but du mariage (Ruffini, Browne, Nicodomo), les autres veulent que l'importance de l'amour conjugal soit plus fortement soulignée (Léger, Urtasun, Reuss). Les uns désirent une citation formelle des déclarations de Pie XI et de Pie XII sur l'interdiction des moyens anticonceptionnels (Heenan, Da Silva, Conway), les autres soulignent avec le texte la nécessité d'une paternité consciente, et, pour des indications détaillées, veulent attendre les résultats des travaux de la Commission pontificale pour le problème de la régulation des naissances. Colombo prend une position conciliatrice.

1er au 4 octobre 1965 Débat sur le véritable *encouragement du progrès culturel* (chap. 2). Il se révèle clairement que l'on est conscient d'un certain isolement de l'Eglise dans le domaine culturel d'aujourd'hui. Ce sont surtout des Français qui se montrent déçus par le texte (Elchinger, Blanchet, Veuillot) et essaient d'obtenir une meilleure compréhension surtout pour les sciences historiques (Pellegrino, Blanchet). Une considération plus marquée du rôle de la femme dans la vie culturelle moderne est également revendiquée (Frotz). Le texte semble à plusieurs pères d'un optimisme dépassé (Veuillot, Spüllbeck); pour cette raison, Morcillo (Espagne) propose encore une fois d'abandonner toute la seconde partie du schéma aux commissions postconciliaires.

4/5 octobre 1965 Le pape rend visite à l'Organisation des Nations Unies avec un groupe international de cardinaux. Il fait un discours très important où il rend hommage à l'ONU et où, quoique conscient de ses défauts, il cherche à lui montrer le chemin de l'avenir. Le 5 octobre, Paul VI rentre à Rome et se rend tout de suite à Saint-Pierre où la 142e congrégation générale touche à sa fin. Après une courte allocution du pape, le cardinal Liénart propose de joindre le discours de l'ONU aux documents du concile. Cela est approuvé par les pères avec de vifs applaudissements.

4/5 octobre 1965 Débat sur la *vie économique et sociale*, et la vie de la *communauté politique*. La critique des pères pour le texte présenté est assez dure. Quelques-uns le trouvent «capitaliste» (Bueno y Monreal), d'autres pensent qu'il n'égale pas les encycliques sociales pontificales, qu'il croit trop au progrès, qu'il méprise trop l'importance de la propriété privée, qu'il exagère la possibilité de la participation à l'entreprise, met le travail sur le même plan que la production des biens et surestime la «planification» (Siri, Hengsbach, Höffner). Garcia parle même d'une certaine «démagogie» du texte. Un autre groupe de pères regrette le manque de propositions concrètes pour résoudre les problèmes des pays en voie de développement (Cardijn, Mahon, Eccheverria, Anoveros). D'autres encore souhaitent une plus forte considération de l'agriculture (Martelli, Castellano). En présence d'une telle confusion, on en appelle souvent à un bureau de planification postconciliaire. Fait surprenant, la discussion sur la politique reste tout à fait languissante et sans intérêt.

5 au 8 octobre 1965 Débat sur *Communauté des peuples et construction de la paix*. Plusieurs pères demandent une condamnation plus vigoureuse et plus décisive de la guerre totale, comme de chaque guerre (Alfrink, Butler, Wheeler et d'autres, qui poussent à la suppression des armes atomiques). Naturellement, quelques-uns mettent l'accent sur la nécessité de posséder de telles armes aux fins d'«intimidation» (Beck, Castan). Quelques-uns d'entre eux désirent voir supprimer du texte l'acceptation de service de guerre, fondée sur la moralité de l'intention. De nombreux participants aimeraient également que le refus du service de guerre pour des motifs de conscience soit expressément autorisé par le concile (surtout des Français). Plusieurs s'étendent sur les causes de guerre (Ottaviani, Liénart, Duval, Simons, Wheeler, Grant, Gaviola, Klepac, Rupp et d'autres). Ils les voient dans les injustices sociales internationales, dans un enseignement de l'Histoire magnifiant la guerre, dans l'explosion démographique contemporaine, dans la faim, dans le racisme. La nécessité d'une forte autorité mondiale est soulignée plusieurs fois (Léger, Wheeler, Ottaviani, Goujon, Beck, Ancel), et sous les titres les plus divers (Bureau pour la justice sociale, McCann; Bureau pour la justice mondiale, Wheeler; Cabinet de guerre, Grant; Œuvre centrale pour la paix, Brezanoczey), on demande l'établissement d'un organe central ecclésiastique d'étude et d'initiative sur le problème de la paix.

6 au 11 octobre 1965 Scrutins sur le schéma pour le renouveau de la vie religieuse. D'après le rapport de l'évêque Compagnone, 14000 propositions d'amélioration sont arrivées depuis le vote du 12 novembre 1964 qui vit tomber les paragraphes 1 à 13. Le nouveau texte est fortement élargi. Il recommande notamment que tous les membres des ordres soient orientés sur la situation des hommes et de l'époque, ainsi que sur les besoins de l'Eglise; que les autorités compétentes consultent les subordonnés lors du renouvellement de leurs statuts; que tous les ordres apprennent à se considérer comme serviteurs de l'Eglise; qu'ils s'adaptent aux nécessités des hommes d'*aujourd'hui*; qu'ils ne restent pas en arrière devant les nouvelles formes de pauvreté, comme signe collectif, et qu'ils participent à l'adoucissement de la pauvreté; qu'ils aient une conception de l'obéissance qui soit conforme à la dignité de la personne; qu'ils suppriment les différences de classes à l'intérieur de leurs ordres respectifs, ou qu'ils les diminuent. Le vote montre cette fois-ci une acceptation presque unanime de tous les points, de sorte que le résultat final de 2126 oui contre 13 non ne surprit pas.

8 au 13 octobre 1965 Débat sur l'activité missionnaire. Plusieurs évêques ne sont pas précisément satisfaits du texte du schéma, quant aux raisons qu'il donne de la nécessité des missions. Le décret œcuménique et le dialogue authentique avec les non-chrétiens semblent à certains trop peu pris en considération (König, Alfrink, Degrijse). La difficulté de la collaboration entre les institutions missionnaires et les jeunes Eglises (Zoungrana, Sobornana, Gahamanyi, Nujahaga et d'autres) se fait clairement sentir. L'activité missionnaire de tout le peuple de Dieu (y compris les laïcs) est également trop peu prise en considération dans le texte (Alfrink, Gonzalvez, McGrath, Corboy, Grotti). Un seul n'est pas content de la formule des pleins pouvoirs du nouveau Conseil des missions à créer (Martin). Le texte atténué échappe tout d'abord aux autres.

11/12 octobre 1965 Votes sur les «modi» pour le schéma sur la formation des prêtres, au sujet duquel il fut déjà discuté du 12 au 17 novembre 1964 et qui donna lieu, dès les 17 et 18 novembre, à un premier tour de scrutin. Dans le nouveau texte, le devoir de susciter des «vocations» qui incombe aux évêques et aux prêtres est souligné plus énergiquement. La responsabilité des directeurs de séminaires est également plus approfondie. On insiste encore plus fortement sur le fait que dans les grands séminaires des personnalités fortes et équilibrées doivent être formées, capables d'être des pasteurs, c'est-à-dire de pouvoir entrer en dialogue avec les hommes actuels et de diriger les âmes. Le 12 octobre, l'ensemble du schéma est accepté par 2196 oui contre 15 non.

11 octobre 1965 Une lettre du pape au concile est lue. Il communique qu'il a appris que, lors du débat imminent sur la vie des prêtres, quelques pères ont l'intention de discuter l'obligation du célibat dans l'Eglise latine. Sans vouloir limiter la liberté des pères conciliaires, il aimerait faire connaître son opinion. Il considère un débat public comme tout à fait déplacé. Lui-même a l'intention de renforcer l'observation de la loi ancienne. Cependant, si quelqu'un désire s'exprimer à ce sujet, qu'il le fasse par requête écrite au Conseil présidentiel. Le pape examinera les requêtes «devant Dieu, et avec les plus grands scrupules de conscience».

13/14 octobre 1965 Votes pour les améliorations de la *Déclaration sur l'éducation chrétienne.* Le texte est considérablement amplifié. D'après le rapport de l'évêque Daem, la déclaration devrait cependant s'en tenir à des principes généraux, étant donné les situations très diverses dans notre monde. Il reste ainsi réservé aux conférences d'évêques d'en faire des applications concrètes. Lors des votes, les non sont plus élevés que pour les autres propositions (entre 75 et 132). Au scrutin sur l'ensemble, le texte, à peine discuté par manque de temps, est accepté par 1912 oui contre 183 non.

14/15 octobre 1965 Votes pour les «modi» concernant la *Déclaration sur les rapports de l'Eglise avec les religions non chrétiennes.* Les «modi» d'un groupe d'environ deux cent cinquante adversaires, qui veulent attribuer à tous les juifs la responsabilité de la mort du Christ, sont rejetés par la commission. Les votes atteignent des chiffres relativement élevés de non. Au sujet de la déclaration «Les juifs ne doivent être représentés ni comme réprouvés de Dieu, ni comme maudits», les chiffres montent à 245. Le vote final pour le texte entier donne, pour 2023 votants, 1763 oui et 250 non, avec 10 voix non valables. Plusieurs sont d'avis que le pape devra ordonner d'autres atténuations pour obtenir une plus forte unanimité. Mais en réalité, il ne le fera pas.

15 au 26 octobre 1965 Débat sur le thème *Action et vie des prêtres.* La discussion extrêmement longue manifeste deux tendances. L'une d'elles (Döpfner, Léger et d'autres) est satisfaite du texte, parce qu'il ne comprend pas le prêtre dans le culte seulement et place ses fonctions de serviteur de l'Eglise au tout premier plan. L'autre tendance, toutefois, trouve le projet trop «extérieur». Elle veut que tout soit strictement centré sur les fonctions sacramentales du prêtre (Shehan, Richaud, Charue, d'Avac). Il est beaucoup question d'une spiritualité propre au prêtre séculier et qui doit se manifester jusque dans les conseils évangéliques. Cela est surtout clair en ce qui concerne l'obéissance. Malgré l'exhortation du pape, Döpfner et Bea soulèvent le problème du célibat dans l'Eglise occidentale. Le schéma obtient – malgré de nombreuses objections et avant que le débat ne soit terminé, par 1507 oui contre 2 non, l'approbation des pères. Le nombre des votants est faible, beaucoup de pères sont déjà repartis.

17 au 24 octobre 1965 Aucun scrutin n'a lieu.

26/27 octobre 1965 Premiers votes concernant la *Déclaration sur la liberté religieuse.* Le texte amélioré a subi d'importants changements. Un paragraphe a été inséré en tête du texte, selon lequel la Vérité révélée par Jésus-Christ a été confiée à l'Eglise. Tous les hommes ont le devoir de chercher Dieu et son Eglise et de professer la vérité reconnue. Il n'y a pas de contradiction entre les derniers papes et leurs prédécesseurs, et le concile peut ainsi tranquillement continuer jusqu'à la fin la ligne de conduite des derniers papes. La discussion ne bute que sur la question de la dignité de la personne. La partie concernant l'Ecriture sainte est remaniée à fond. Le thème est plus clairement limité: il ne s'agit que de la liberté juridique et civique. Par là, et malgré toutes les tentatives de compromis, le pas est fait au-delà de la déclaration de tolérance de Pie XII. Le groupe des adversaires reste effectivement égal à lui-même. Les non tournent autour du chiffre 200 dans le vote par paragraphes. En ce qui concerne les quatre questions de propositions d'amélioration pour les paragraphes d'assez grande dimension, les voix des «modi» oscillent entre 543 et 307. Mais aucun texte ne tombe. La joie règne parmi les évêques et les publicistes. Mais le pape? Il désire – et doit désirer – la plus grande unanimité possible. Que fera-t-il?

28 octobre 1965 «Sessio publica.» Cinq schémas sont solennellement déclarés par le pape et les évêques: le décret sur la fonction pastorale des évêques (2319 oui, 2 non, un bulletin nul); le décret sur l'adaptation à notre temps de la vie des religieux (2321 oui, 4 non); le décret sur la formation du clergé (2318 oui, 3 non); la déclaration sur l'éducation chrétienne (2290 oui, 35 non); la déclaration sur les religions non chrétiennes (2221 oui, 88 non).

29 octobre 1965 Vote sur le remaniement des «modi» pour le thème de la *Révélation.* Le désaccord s'est concentré essentiellement sur trois points: 1. La relation entre l'Ecriture et la tradition; 2. La nature de l'inspiration de l'Ecriture sainte; 3. L'historicité des Evangiles. Un fort groupe d'évêques a, par-dessus le pape, exercé une pression sur la commission, afin qu'elle change le texte sur ces trois points. Le pape a communiqué les demandes à la commission et, en partie, y a adjoint un choix de formulations possibles. La commission a, avec une grande habileté, trouvé des tournures pour les trois points qui, si elles laissent en suspens les questions aujourd'hui controversées, parmi les exégètes et les dogmaticiens catholiques, expriment cependant avec clarté le minimum qui leur est commun. Le nombre le plus élevé de non se monte à 55 (sur le rapport entre Ecriture et Tradition). Un vote sur l'ensemble suit: 2081 oui contre 27 non.

30 octobre au 8 novembre 1965 A nouveau suit une période sans congrégations générales. Le pape se décide, pour «boucher les trous» entre les votes, à faire lire les rapports d'expertise des présidents des conférences d'évêques au sujet des décrets pontificaux projetés, ayant trait à certaines questions particulières de caractère disciplinaire, et élaborés par les congrégations romaines. La première question se rapporte à un nouveau règlement du commandement de jeûne et d'abstinence. Les rapports d'expertise venant d'être remis au pape par les évêques, après la première semaine de vacances (du 17 au 24 octobre), sont cependant tellement négatifs (par exemple, tous les évêques des Etats-Unis repoussent carrément le nouveau règlement, qu'ils jugent mesquin et ne s'adaptant en aucune façon au temps actuel) que ces réponses ne semblent pas être propres à une lecture publique. Le pape veut s'attaquer tout de suite à la deuxième question pour laquelle – soutenu par le cardinal Journet – il attend une approbation générale: le nouveau règlement des indulgences.

9 novembre 1965 Les «modi» du schéma *Apostolat des laïcs* sont soumis au vote. De nombreuses petites améliorations ont été faites. Toutes les parties sont approuvées presque à l'unanimité, et le vote global donne

2201 oui contre 2 non seulement. Le même jour, pendant les pauses entre les six votes, le cardinal Cento lit une déclaration sur la nouvelle réglementation des indulgences; Mgr Sessolo donne lecture, en trois parties, du document sur la simplification prévue. L'essence de la rénovation consiste en une simplification radicale, de sorte que l'«inflation» des indulgences disparaît.

10/11 novembre 1965 Le schéma sur l'activité missionnaire est prêt pour le premier tour de scrutin, après le débat du 8 au 13 octobre. Les désirs exprimés ont amplement été pris en considération. A mettre spécialement en évidence le traitement circonstancié des Eglises locales, ainsi que les plus longs développements sur l'objectif œcuménique, désirés par les observateurs. Le schéma est accepté malgré une certaine résistance. Seul le cinquième chapitre, traitant de la fondation d'un Conseil des missions auprès du pape, suscite 712 voix avec réserve. Les évêques désirent premièrement que les conférences d'évêques soient entendues lors de la désignation de ce conseil; deuxièmement, que le conseil, à convoquer régulièrement avec voix délibérative, puisse prendre des décisions.
Au moment des pauses, les représentants des conférences d'évêques parlent également du plan de la réforme des *indulgences*. Le premier orateur est le cardinal patriarche Maximos IV. Il souligne que les «calculs» entre l'intercession et la remise des pénitences pour les péchés n'ont aucun fondement théologique et, par là, qu'ils sont à supprimer entièrement. Cependant, ce n'est pas justement ainsi que cela se passe dans le projet. Après différents autres exposés, les cardinaux König et Döpfner parlent pour l'Autriche et l'Allemagne. Sans rejeter complètement les indulgences, ils les soumettent à une critique historico-théologique, de laquelle il ressort qu'en fait toute «mesure» pour la pénitence relative au péché et la rémission de ce péché n'est pas faisable. Les pères et les observateurs applaudissent longuement. Aucun autre évêque n'exprime son opinion. L'expérience est arrêtée sous prétexte que les prises de position prennent trop de temps, ce qui diminue le temps prévu pour les votes. Le plan pour l'amélioration de la question des indulgences est provisoirement ajourné.

12/13 novembre 1965 Premiers votes sur le schéma *Activité et vie des prêtres*. Le nouveau texte a été subdivisé en divisions pour plus de clarté. La commission tente d'harmoniser les deux conceptions de la prêtrise, apparues lors du débat. De même, la relation du service avec la sainteté demandée au prêtre a été rendue plus claire. Sa situation dans le monde détermine sa sainteté, en relation avec sa triple fonction. Au sujet du célibat, le pape lui-même a suggéré l'insertion d'un paragraphe particulier aux Eglises d'Orient. Il met en garde contre la classification des prêtres mariés comme prêtres d'un rang inférieur. Malgré tout, les voix pour les projets d'amélioration atteignent des chiffres élevés (568, 95, 630, 544).

15 au 17 novembre 1965 Le schéma *Eglise dans le temps présent*, révisé d'après les débats, est soumis à trente-deux votes. Les améliorations se rapportent avant tout au texte sur l'*anthropologie*, dans lequel on a aussi essayé timidement d'esquisser une théologie du péché. Sur l'*athéisme*: une nouvelle commission a été formée sous la direction du cardinal König. On y trouve des noms tels que Seper, les pères de Lubac et Daniélou, l'évêque Kominek. Et, vraiment, ils ont réussi à rédiger un texte très élaboré, en trois paragraphes. Dans la question du mariage, on a plus clairement exposé l'amour conjugal et sa signification. La casuistique par trop détaillée pour la question de la guerre atomique a été abandonnée, de même que le paragraphe sur la supposition du droit de faire la guerre; les refus de faire la guerre pour motifs de conscience sont traités avec plus de bienveillance. En général, le refus de la guerre atomique, ainsi que de toute autre guerre, s'est renforcé. La conséquence en est que ce chapitre atteint le nombre le plus élevé de voix pour les «modi» (523). Le chapitre sur le mariage obtient, en ce qui concerne la fécondité du mariage, 140 non, et en tout 484 voix avec «modi» (modification), alors que dans la première partie principale les paragraphes sur l'athéisme n'obtiennent que 74 non, et le chapitre entier 453 voix avec réserve. C'est le chapitre de la seconde partie principale, sur la civilisation, qui a le plus de succès; 185 pères seulement présentent des propositions d'amendement.

18 novembre 1965 En séance publique, deux schémas sont approuvés par le pape et les évêques: 1. Le décret sur l'apostolat des laïcs avec 2340 oui et 2 non; 2. La constitution dogmatique sur la Révélation divine, avec 2344 oui et 6 non.
Dans son allocution, Paul VI annonce, après que la Curie romaine lui eut décerné des louanges polies et justifiées, le début imminent de la réforme de cette curie, «conformément au nouveau décret sur le souci pastoral des évêques. Des changements structuraux ne s'imposent pas. Mais – abstraction faite de changements de personnes – elle n'a pas moins besoin de réformes, de quelques simplifications et de quelques perfectionnements.»

19 novembre 1965 On vote pour les modifications de la déclaration sur la liberté religieuse. Malgré de violentes attaques, des tracts et des conférences, ni la commission (Secrétariat pour l'unité des chrétiens), ni le pape n'ont voulu faire d'autres concessions. Le vote global donne 1954 oui, 249 non et 13 voix non valables. Comme on le constate, un fort groupe de pères considère que le texte est manqué.

20 au 29 novembre 1965 Pause. Les projets d'améliorations pour les trois derniers textes doivent encore être élaborés.

30 novembre 1965 Les améliorations au schéma sur l'activité missionnaire sont votées. Le passage sur l'esprit œcuménique n'a pas été atténué, ainsi que cinquante-huit pères le demandaient. Le paragraphe sur une nouvelle autorité centrale a été changé conformément aux vœux émis. Dans un nouvel élan, on a essayé de récrire le caractère de la «mission». Tout est accepté presque à l'unanimité. Le vote global donne 2162 oui et 18 non.

2 décembre 1965 Vote sur les améliorations au schéma *Activité et vie des prêtres*. Résultat total: 2243 oui, 11 non et 3 voix non valables. L'évêque Garrone lit le rapport du schéma sur l'Eglise dans le monde d'aujourd'hui. De nouveau, les pétitions d'environ deux cents évêques sont parvenues après coup (mais encore à temps). Ces pétitions demandent une nouvelle condamnation formelle du communisme. La commission n'a pas donné suite à leur désir. Une déclaration plus nette sur le contrôle des naissances a également été demandée au pape. La commission cite maintenant dans son texte Pie XI et Pie XII, mais y adjoint Paul VI ainsi que l'intervention de la commission pontificale, qui rend impossible une prise de position concrète sur ce point. Cependant, dans le chapitre sur la guerre, certaines atténuations ont été faites, sous la pression d'évêques surtout américains, mais en vain. Un groupe composé de quatre Américains (Spellman, Shehan, O'Boyle, Coty), de deux Mexicains, de l'Australien Elyde Young, de l'Argentin Tortolo, du Sud-Africain Hurley et d'un maronite, fait passer une circulaire invitant à refuser le chapitre sur la paix et la communauté des peuples, lors du vote du 4 décembre. Les signataires sont avant tout opposés à l'assertion selon laquelle toute possession d'armes «scientifiques» constitue une cause de guerre.

4 décembre 1965 Le schéma *Eglise dans le temps présent* est achevé, en douze votes sur les amendements. Les non restent le plus souvent en dessous de 100. Le chapitre dans lequel l'athéisme est traité donne 131 non, le chapitre sur le mariage 155 non, le chapitre sur la paix 483 non. Le schéma en entier est approuvé par 2111 oui contre 251 non et 11 voix non valables. L'après-midi, le pape, les évêques et les observateurs des chrétiens non catholiques célèbrent *en commun* un service divin à Saint-Paul-hors-les-Murs; des représentants, des observateurs y prennent activement part en lisant des passages de l'Ecriture sainte. On chante même des cantiques anglais. Le pape fait une longue allocution.

7 décembre 1965 «Sessio publica» solennelle. Le pape et les évêques proclament les quatre derniers documents: la déclaration sur la liberté religieuse (2308 oui, 70 non, 8 voix non valables); le décret sur l'activité missionnaire (2394 oui, 5 non); le décret sur le service et la vie des prêtres (2390 oui, 4 non); la constitution pastorale sur l'Eglise dans le temps présent (2309 oui, 75 non, 7 voix non valables).
Dans un bref apostolique, Paul VI déplore toutes les discordes et les haines qui, en l'an 1054, ont conduit à l'*excommunication du patriarche Michel* de Constantinople, qui répondit par une excommunication du pape. Le pape efface l'excommunication «de la mémoire de l'Eglise» et remet le bref au délégué du patriarche Athénagoras Ier, le métropolite Méliton, en lui donnant l'accolade. En même temps, Athénagoras Ier lève également, par un «thomos», l'excommunication du pape Léon IX, à Constantinople. En outre, une déclaration commune est lue, ici comme là-bas, qui expose le sens de cette action. Il ne s'agit pas encore d'une réunion, mais d'une «purification des cœurs», qui doit être le premier pas vers un rapprochement. Le pape prononce son allocution peut-être la plus importante. Elle a trait à la sollicitude de l'Eglise pour les hommes dans tous leurs problèmes.
Le 7 décembre également paraît un décret pontifical, qui donne une nouvelle forme au «Saint-Office».

8 décembre 1965 Clôture solennelle du concile. Des messages du concile aux gouvernements, aux savants, aux artistes, aux femmes, aux ouvriers, aux malades et aux souffrants ainsi qu'à la jeunesse, sont lus par différents cardinaux. Ces messages sont distribués par le pape lui-même aux représentants de ces groupes. Après une courte allocution du pape, le bref *In Spiritu Sancto* est lu. Il clôt le concile. Il dit que ce concile a essayé de tenir compte des exigences de notre temps, en considérant avant tout les nécessités pastorales et, «en alimentant la flamme de l'amour, s'est donné beaucoup de peine pour rencontrer les chrétiens encore séparés de la communauté du Siège apostolique, ainsi que toute la famille humaine, dans un sentiment fraternel».

Trois tendances fondamentales du concile:

de la forme juridique à l'être vivant
de l'attitude défensive au dialogue
du concept rigide au flux historique

Dessin: Sur la place Saint-Pierre

Ainsi donc, ce peuple messianique, bien qu'en réalité il n'embrasse pas l'ensemble des hommes et ne prenne que trop souvent l'aspect d'un petit troupeau, constitue cependant pour toute la famille humaine l'indestructible cellule germinale de l'unité, de l'espérance et du salut.

(Constitution dogmatique de l'Eglise: «Le peuple de Dieu.»)

Les exposés de ce volume ne prétendent pas être une histoire du deuxième Concile du Vatican. La chronique retrace la marche des événements, avec son déroulement confus, dans ses traits essentiels au moins.

Plan ou esprit

Peut-être certains attendent-ils maintenant que les seize textes promulgués par le concile soient traités bien dans l'ordre. Cela serait sans doute une possibilité. Mais là contre parle le fait qu'entre ces textes existe un lien logique, ainsi que le contraire également, car ces textes ne se conforment pas tous au plan du concile.

Lorsque la constitution de la liturgie fut discutée, il n'existait pas encore de conception collective. On ne peut pas dire qu'il en ressortit logiquement une, plus tard. Cela est encore moins valable pour la constitution dogmatique sur la sainte Révélation. Lorsque, à l'occasion de la première session, elle se heurta à une résistance amère (elle s'appelait alors «Projet pour les sources de la Révélation») et que le pape Jean XXIII la supprima de l'ordre du jour, nombreux furent ceux qui crurent (parmi eux le théologien Karl Rahner) qu'elle était définitivement écartée, et que ce concile ne s'en occuperait plus. Nous l'avons également cru, parce qu'elle ne semblait pas s'adapter vraiment au «plan» qui fut établi à la fin de la première session. D'après cela, deux des documents les plus importants du concile seraient en dehors de la conception collective. Enfin, il y a encore le décret sur les moyens de communications sociales, qu'on ne peut lire qu'avec un sourire un peu embarrassé, un peu comme un poète qui feuilletterait une œuvre de jeunesse. Cela ne présente en tout cas aucun rapport direct avec le plan du concile. Mais, même après l'établissement du «plan», tout ne se laisse pas expliquer sans contrainte. D'après le plan, la constitution dogmatique de l'«Eglise du Christ» est au centre. Tout le reste doit signifier seulement le prolongement dans la pratique ou dans la discipline.

Cela est parfaitement juste en partie: le décret sur la *Sollicitude pastorale des évêques* prolonge dans la pratique le troisième chapitre du schéma sur l'Eglise, qui contient l'enseignement sur les évêques. Le décret sur l'*Apostolat des laïcs* montre les conséquences pratiques de l'instructif quatrième chapitre (sur les laïcs). Le décret sur le *Renouveau de la vie religieuse* applique de manière concrète les principes du sixième chapitre (sur les religieux).

Le décret sur le *Service et la vie des prêtres* complète le paragraphe sur les prêtres dans le texte de l'Eglise. Assurément, il ne s'agit pas là d'un prolongement dans la pratique seulement, mais, en même temps, d'une sorte de correction, car le paragraphe dans le texte de l'Eglise est premièrement maigre, et, secondement, il ne correspond pas exactement à l'«esprit du concile». Par des procédés divers, les pères ont cherché à y remédier. Un «message» fut rédigé, et de nouveau retiré. Il en fut de même pour un second message; beaucoup pensèrent à une espèce de lettre pastorale conciliaire. On laissa également tomber cette idée. Puis on en vint à un «décret», qui est plus qu'un décret disciplinaire pratique.

On peut dire la même chose du *Décret œcuménique*. Il se

réfère sans aucun doute, de même que la déclaration sur les religions non chrétiennes, à des paragraphes de la constitution de l'Eglise (chap. 2, N°s 15 et 16). Tous deux dépassent ces paragraphes (dogmatiquement aussi) et ne sont en aucun cas seulement une «prolongation dans la pratique».

Pour finir, le décret sur l'activité missionnaire signifie bien plus qu'il n'était permis, d'après le plan. Là aussi, le plan décrétait que ce qui était contenu dans la constitution de l'Eglise (chap. 2, N°s 14 et 17) était suffisant et ne devrait qu'être complété par quelques «directives» pratiques. Mais l'«esprit du concile» fit sauter le cadre.

Les textes plus courts sur la formation des prêtres et sur l'éducation chrétienne peuvent être considérés comme des emprunts partiels aux thèmes «prêtres» et «laïcs», mais la *Déclaration sur la liberté religieuse* déjoue complètement le «plan». Elle est naturellement en rapport avec l'œcuménisme, mais elle le dépasse. Elle n'est certainement pas un texte de nature disciplinaire. Et ce ne fut pas du tout par hasard que les pères débattirent où il fallait la placer: dans le schéma sur l'Eglise ou dans celui sur l'Eglise dans le monde, pour finir par la laisser subsister «à côté» comme texte indépendant, après qu'elle eut été séparée du décret sur l'œcuménisme, plus par hasard que pour suivre le plan.

Enfin – s'opposant à toute logique et à toute habitude – la constitution pastorale sur l'*Eglise dans le temps présent*! A quel chapitre veut-on l'adjoindre, d'après le plan ci-dessus? Oh! on en a parlé ici et là, pendant le concile. «Au chapitre 2», disent les uns. «Comme élargissement, ou comme complément des religions non chrétiennes», rétorquent les autres d'un ton pointu. Comme si le problème Eglise dans le monde n'existerait pas exactement de la même manière si tous les hommes étaient chrétiens!

La même réponse était à faire lorsqu'on voulut la rattacher aux paragraphes sur le «caractère missionnaire de l'Eglise» (chap. 2, N° 17). Naturellement, «l'Eglise dans le monde» a quelque chose à y voir. Quand par exemple, dans le texte sur l'Eglise, il est dit que l'Eglise «favorise et accepte les dispositions, capacités et mœurs des peuples, pour autant qu'elles soient bonnes. Avec cette acceptation, elle purifie, renforce et élève aussi tout cela», ou bien: «Ses efforts ont pour conséquences que toute semence du bien se trouvant dans le cœur et l'esprit des hommes ou dans les rites et les cultures propres aux peuples ne se perde pas mais soit sauvée, relevée et parfaite.» On trouve dans le texte «Eglise dans le monde d'aujourd'hui» des phrases presque pareilles. Toutefois, l'angle visuel est quelque peu autre... Donc, dit-on encore, «Eglise dans le monde» appartient au chapitre des laïcs. En fait, la Commission laïque a plusieurs fois excusé l'imperfection de son texte en disant qu'elle ne savait pas encore ce qui figurerait dans le texte «Eglise dans le monde». Certes, «le caractère mondain est spécialement propre aux laïcs»; on pourrait dire: les laïcs sont le monde. Mais c'est de nouveau autre chose de considérer le laïc *dans* l'Eglise et le laïc *dans* le monde, ou le laïc *en tant* qu'Eglise et le laïc *en tant* que monde.

D'autres encore voudraient voir rattacher la Constitution pastorale au septième chapitre, qui traite du caractère eschatologique de l'Eglise. Bien sûr, à la fin des temps, le monde et l'Eglise seront confondus. Non pas simplement parce que le monde passe et que l'Eglise demeure, mais plus exactement parce que le monde qui jusqu'à présent «gémit dans les douleurs de l'enfantement» se «renouvelle». C'est dans cette perspective qu'il faut voir la Constitution pastorale sur l'Eglise dans le monde. Ce «dans le monde» – qui n'est pas la même chose que le monde – est un moment essentiel de l'Eglise au temps où elle est «en marche», c'est-à-dire «maintenant». De toute manière, on ne peut pas la comprendre sans ce «dans le monde», et voilà pourquoi cette constitution n'est au fond que le neuvième chapitre ou, pour mieux dire, une *seconde partie* de la constitution sur l'Eglise, en regard des huit chapitres qui forment la première partie.

Cette connexion, précisément, entre les textes conciliaires montre maintenant que la division de toute la matière en textes ne fait pas apparaître ce qui est «caractéristique». Ce n'est pas le «plan» qui fut l'«âme» du concile ni son plus haut principe directeur. Certes, il était nécessaire d'en établir un, et le cardinal Montini – avant d'être pape – critiqua plusieurs fois dans ses commentaires, d'une façon presque mordante, l'absence d'un plan pour la première session. Mais avec le recul, on pourra bien dire: quelle chance! Il fallait faire un plan, il est vrai, mais le plus important, ce fut encore l'«esprit» qui devait tout imprégner. Cet esprit naquit dans la première session. Ordonné par le plan, il se manifesta dans tous les textes, fit parfois sauter le plan et le réduisit en morceaux. Le plan, naturellement, se défendit. Si l'esprit n'était pas apparu en premier lieu, le plan l'aurait peut-être dévoré. Mais il y avait justement les textes, librement issus de cet esprit: le schéma sur la liturgie, les plans pour le schéma sur les juifs et sur la liberté religieuse, et le «Message des évêques au monde». Ils étaient là, tout simplement. On ne pouvait guère les supprimer, ou les poser en marge, comme des blocs erratiques. Ainsi triompha l'esprit, qui mit le plan à son service, imprégna toutes ses parties – plus ou moins – et qui, là où le lit du plan était trop étroit, déborda sur ses rives avec désinvolture. Ce drame, qui fut remarqué par la presse, était beaucoup plus intéressant et excitant que le combat, dont on nous rebattit les oreilles, entre progressistes et conservateurs. Combat, certes, qui exista aussi (et qui existe). L'un et l'autre se recouvrent en partie – mais ni entièrement, ni partout. Nous verrons cela plus loin. Notre remarque ici suffit à expliquer pourquoi ce livre n'examine pas des textes l'un après l'autre mais veut dégager les tendances fondamentales d'un esprit.

C'est cela qui est devenu autre à travers le concile, qui nous intéresse pour *aujourd'hui* et pour *demain*. Mais ce qui est devenu autre, c'est avant tout l'esprit; un tournant spirituel s'est accompli. Il en résulte et il en résultera des modifications pratiques. Combien? Peu importe. C'est incalculable. Personne ne les comptera. Cela paraît bizarre de voir plus d'une personne attirer l'attention sur des réformes déterminées, très concrètes, exécutoires. Certes, beaucoup de choses ne se sont pas encore produites, qui doivent se produire, qui peut-être auraient déjà pu se produire. Il est évident toutefois que si elles s'étaient produites sans une conversion spirituelle préalable, il n'en aurait résulté que le désordre. Mais après ce changement dans l'esprit lui-même, les

réformes concrètes doivent nécessairement venir. Tôt ou tard – mais elles viendront.
Un exemple : les *mariages mixtes*. Si l'on avait procédé à une réorganisation de grand style sans renouvellement de l'esprit – sans «conversion», dit le décret œcuménique – les suites presque inévitables en eussent été un retombement et un indifférentisme. Or, dès qu'une *disposition d'esprit* œcuménique authentique et profonde est devenue *réalité*, ce n'est pas à un retombement qu'il faut s'attendre, mais à un approfondissement par une réforme à larges vues des mariages mixtes. Ce qui semble nous conduire à procéder à cette réforme par étapes. Quoi qu'il en soit, c'est de cet esprit que nous allons parler en tout premier lieu. Non pas que cela permette de tout embrasser d'un coup d'œil, mais afin de ne pas laisser perdre l'essentiel.

Le pape et l'esprit du concile

Je ne veux pas me mettre en opposition avec les nombreux théologiens du concile (Hirschmann, Küng, Congar, etc.) qui, à la fin de la quatrième session, mirent en garde contre tous les simplificateurs qui voulaient placer tout le concile sous un seul et unique dénominateur, comme par exemple l'«ouverture au monde» ou «charismatisme au lieu de juridisme» ou «œcuménisme», etc. Le pape Paul VI lui-même, esprit coordinateur, a finalement renoncé à caractériser le concile par un seul et unique mot clé.
Après son couronnement, et encore pendant toute la deuxième session, il envisagea un tel mot clé. Ce mot apparaît en de nombreuses allocutions et trouve son écho officiel dans sa première encyclique ; c'est le mot «dialogue».
Puis ses vues changent de direction. Ses anciens amis des bureaux du Saint-Siège le relancent vivement au sujet du projet de doctrine sur les évêques, le collège des évêques, comme si la primauté du pape et son infaillibilité devaient en sortir restreintes ou même anéanties.
En même temps surgissent aussi des difficultés de dialogue et des dangers en d'autres domaines. Les *passionnés de liturgie* se mirent çà et là au-dessus de toutes prescriptions. Il y eut des frictions dans les rapports Rome-évêques et, bien plus encore, prêtres-évêques. Le pape parle dans ses allocutions de la «crise d'obéissance» de notre temps. Les *communistes* d'Italie, surtout, se saisissent du mot «dialogue» avec enthousiasme et l'utilisent volontiers à leurs propres fins politiques. Le pape parle des «limites du dialogue». Le mot «dialogue» – qu'il n'abandonne jamais tout à fait – l'inquiète quelque peu.
Il semble un moment qu'il le bannisse complètement, ainsi dans l'enseignement sur les évêques : «Ce concile entrera dans l'histoire indubitablement comme le complément du premier concile du Vatican, qui a organisé et fixé la position du pape, tandis que le concile actuel déterminera le domaine, les pleins pouvoirs et la dignité des évêques.» C'est ainsi qu'il parle, ou de manière analogue, au commencement de la troisième session et en de nombreuses autres occasions. Il ne nie pas l'existence d'autres questions, qu'il appartient encore au concile de traiter, mais il ne les mentionne qu'en passant.

Puis le tableau change de nouveau. Le pape prend conscience de la détresse de l'époque, en particulier de l'athéisme. Comment l'Eglise fera-t-elle face, dans cette situation entièrement nouvelle, dans laquelle l'athéisme est l'air que chacun respire, la chose normale, celle qui va de soi? L'«ouverture au monde» est alors au centre de toutes ses pensées. Avec prudence et circonspection, mais aussi avec une fermeté remarquable, il sait maintenant tenir la barre du concile. C'est en partie grâce à lui que la déclaration sur la liberté religieuse est sortie saine et sauve du labyrinthe des scrutins et des opinions. Il rend visite à l'ONU en dépit des murmures hostiles de la curie. Le monde – le monde incroyant – qui accomplit de si grandes actions et qui pourtant subit de si extraordinaires souffrances, et qui court même le risque de se détruire lui-même, apparaît maintenant comme le thème principal du concile. C'est lui, le pape, qui accéléra les travaux du schéma 13, déjà dans l'intervalle entre la troisième et la quatrième session. S'il n'en avait expressément formé le vœu, les membres de la commission auraient pu difficilement tenir jusqu'au bout, dans les dernières semaines du concile. Il y avait assez de propositions de changer ce grand texte en une ou plusieurs petites déclarations et de se contenter de quelques généralités anodines. Paul VI ne le voulut pas.

Il suffit de lire son discours sur l'«homme», du 7 décembre 1965, pour voir que maintenant le souci de l'homme «tel qu'il est» lui apparaît comme le thème principal du concile. Il distingue maintenant très clairement deux desseins principaux, mais qui sont intimement liés: premièrement, l'Eglise cherche à se connaître elle-même d'une façon plus approfondie, afin de comprendre mieux «le *plan* de Dieu en ce qui la concerne et sa présence en elle». C'était nécessaire en vue du second dessein: l'Eglise dans le monde d'aujourd'hui. Et comment Paul VI voit-il le monde d'aujourd'hui? «Une époque où l'oubli de Dieu est devenu la règle et semble être exigé par le progrès de la science... Une époque où l'on constate également dans les grandes religions mondiales non chrétiennes des signes de trouble, de décadence, qu'on ne connaissait pas naguère. C'est à cette époque que notre concile s'est déroulé.» Cela fait l'effet, dit Paul VI, d'un «défi à ceux qui nous accusent d'être anachroniques et étrangers au monde». Mais que fut la réponse du concile? Ce fut d'abord l'étude et la sérieuse prise en considération du monde moderne. «Peut-être l'Eglise n'a-t-elle jamais senti si fortement le désir de connaître la société qui l'environne, de s'en approcher, de la comprendre, de la pénétrer, de la servir, de lui apporter le message de l'Evangile et de l'accueillir, et aussi de la suivre dans son développement rapide et continu. Et cela dans une *si grande mesure* que certains ont craint que le concile, au détriment de la fidélité due à la tradition, se soit laissé déterminer par un excès de tolérance et de considération pour le monde extérieur, l'actualité qui passe, les modes en matière de culture.» Mais le pape, qui est finalement la personnalité la plus qualifiée pour s'exprimer d'une façon autorisée sur le concile et sur son esprit, n'estime pas que le reproche est justifié: «Celui qui n'aime pas son frère, alors qu'il le voit, peut ne pas aimer Dieu, qu'il ne voit pas.» Il souligne ensuite que l'Eglise, quant à son attitude à l'égard de l'homme d'aujourd'hui, a réussi, malgré les obstacles, à le servir:

«L'idée du service a pris une position centrale», et elle est parvenue à se rendre compte que, «pour connaître Dieu, il faut connaître l'homme».

L'importance de l'esprit dans un concile

Je vais essayer de décrire le nouvel esprit du concile et les tendances et courants divers qui se rejoignirent aussi étroitement que les fibres d'un cordage. Chaque tendance demeure clairement visible et séparable des autres et pourtant elles se renforcèrent mutuellement. Cela ne veut pas dire que tous les évêques participèrent toujours de la même manière à tous les courants qui formèrent cet «esprit». Ainsi, le cardinal Spellman, qui s'opposa énergiquement à la réforme de la liturgie mais qui parla en faveur de la liberté religieuse, se montra, dans l'ensemble, plutôt méfiant à l'égard de l'«esprit du concile». L'archevêque de Durban, Hurley, qui en fut certainement une des personnalités les plus brillantes, était profondément pénétré de son «esprit». C'est à son travail dans la Commission pour l'éducation des prêtres qu'on doit la plupart des bonnes dispositions du décret sur les séminaires, bien qu'il n'approuvât point les efforts de ceux qui voulaient attribuer à la scolastique une position moins dominante. C'est lui, précisément, qui s'exprima d'une façon nettement positive au sujet du Père Teilhard de Chardin. Dans la controverse sur l'armement atomique, à la fin du concile, il fut un des signataires de cette lettre qui faillit faire tomber le dernier chapitre du schéma sur l'Eglise à l'époque actuelle. L'archevêque Parente, assesseur auprès du Saint-Office, se prononça avec beaucoup d'habileté, dans la question de la liberté religieuse, contre un exposé des motifs: adversaire, parmi les plus dangereux, de cette déclaration, là où elle traite de la collégialité des évêques, il fut toutefois son défenseur, et même le rapporteur sur ce chapitre, dans le schéma sur l'Eglise, avant les votes, quand il s'agit d'approuver le texte du schéma et contre l'avis de l'évêque Franic de Yougoslavie.

Certains en conclurent qu'il n'y avait pas eu vraiment un esprit du concile et qu'en fait on avait décidé dans chaque cas sans s'inspirer d'une pensée générale. Ce qui est vrai, c'est que, dans ce concile, ne se trouvèrent pas face à face des systèmes théologiques fermés. Bien entendu, aujourd'hui encore, quoique moins nettement qu'en d'autres temps, il existe des «écoles» théologiques qui, pour l'essentiel, sont toutes catholiques mais divergent fortement entre elles, chacune selon son système, dans beaucoup de déclarations et aussi de «conclusions» pratiques, mais ce n'est pas ce que l'on veut dire quand on parle d'«esprit du concile».

Un concile ne veut pas entrer dans de telles querelles d'écoles.

Cela est conforme à une vieille tradition des conciles. Le concile doit exposer la doctrine de toute l'Eglise sans conférer, pour ainsi dire, un caractère sacro-saint à l'une ou à l'autre des écoles reconnues à l'intérieur de l'Eglise catholique. C'est pourquoi on vit continuellement, pendant les débats, une partie reprocher à l'autre d'émettre une opinion d'école. C'est pour ce motif que, dans la première session, la «théorie des deux sources de la Révélation» fut écartée. Pour la même raison, l'évêque Carli lutta plus tard contre la collégialité des évêques et contre la liberté religieuse. Les évêques qui tentèrent de supprimer le chapitre sur la guerre invoquèrent le même motif. Une manière de voir peut n'être, à l'origine, qu'une opinion d'école et pourtant s'imposer peu à peu, à la suite du progrès de la science, se fonder sur de nouvelles preuves et devenir un patrimoine commun.

Elle n'est plus alors une opinion d'école et peut être reconnue par un concile comme doctrine générale de l'Eglise – non parce que le concile a élevé une opinion d'école à la hauteur d'une opinion générale, mais parce que l'opinion d'école était déjà devenue, auparavant, une opinion générale. Il va de soi que, dans un tel processus, il subsiste, çà et là, des retardataires isolés.

Cela devait être mentionné, qui permet de comprendre la signification de ce qu'on appelle l'«esprit d'un concile». Quand un concile s'est achevé, il n'y a plus des choses que l'on peut débattre d'une façon complètement libre, mais une position qui est celle de toute l'Eglise, un «cours officiel». Voilà qui permet d'approuver pleinement les vingt-sept jeunes ecclésiastiques argentins qui reprochèrent pendant et après le concile, à l'archevêque Alfonso Maria Buteler de Mendoza, de se refuser à introduire dans son diocèse la réforme liturgique et le conseil des prêtres prévu par le décret sur les évêques, et de se refuser d'ailleurs à n'importe quel changement. D'après l'hebdomadaire *Primera Plena*, l'archevêque aurait déclaré que le pape remettrait dans l'ordre toutes les choses que le concile avait mises «sens dessus dessous». Il ne prononça pas de sermon; il ne publia aucune lettre pastorale dans le sens du concile. Dans ce cas – et ce cas n'est pas isolé – ce ne sont pas les vingt-sept jeunes ecclésiastiques et les laïcs qui les suivent qui sont délibérément les «rebelles», mais bien l'archevêque lui-même. Ils agirent donc correctement quand ils s'adressèrent au secrétariat d'Etat et au pape, qui sont maintenant dans l'obligation de les soutenir.

Bien que les affirmations doctrinales du concile, et moins encore ses prescriptions disciplinaires, ne soient pas des positions intangibles, ni l'évêque, ni le prêtre, ni le laïc ne sont complètement libres de s'y opposer; ils doivent même les dépasser, dans la mesure où l'esprit qui parle par elles l'exigerait afin d'atteindre ce que l'on a en vue. Il peut fort bien se produire que, pour des raisons spéciales, un évêque ou une conférence d'évêques ne réalisent que par étapes, dans leur domaine, certaines prescriptions conciliaires, et qu'ils soient néanmoins complètement pénétrés de l'esprit du concile. Inversement, tel qui observe strictement toutes les prescriptions peut cependant s'opposer à cet esprit.

Il est d'autant plus important de se faire une idée claire de l'esprit du concile et de ses tendances fondamentales.

«Déjuridisation»

Comme première tendance fondamentale, je mentionnerai une certaine renonciation, par l'Eglise, à son formalisme juridique. Le mot de «déjuridisation» est très laid et même peu intelligible. Toutefois, je n'en trouve pas de meilleur, et l'une des phrases le plus souvent prononcées au cours des débats fut précisément celle-ci: «Le texte proposé est trop juridique.» On entendit ce reproche pour la première fois à l'occasion du schéma sur les «mass media»; il réapparaît avec une grande véhémence lors du premier débat sur l'unité de l'Eglise, par quoi l'on entendait les Eglises orientales unies. Nous comprendrons mieux sa signification en remarquant que, dans cette question, les Orientaux jouèrent un rôle très important. Ils ont conservé les formes primitives du christianisme plus nettement que l'Eglise occidentale et le droit remplit chez eux une fonction beaucoup moins importante que dans l'Eglise latine.

Rien d'étonnant dès lors si, retournant aux sources, comme doit le faire toute réforme, les pères conciliaires s'effrayèrent de voir combien elles étaient tombées sous l'empire du juridisme.

Les Orientaux ont aussi un droit de l'Eglise, mais ils n'ont pas participé à l'évolution de l'Occident. Au premier rang se tient, beaucoup plus nettement que chez nous, le pneuma, l'Esprit. Indubitablement, si l'Eglise est une continuation de l'incarnation humaine de Dieu, elle doit avoir un droit. La pure Eglise de l'esprit est un aspect unilatéral qui ne répond pas à la volonté de son fondateur. Pourtant, il fut ouvertement très parcimonieux dans les normes juridiques qu'il donna à son Eglise. Il lutta contre le judaïsme qui faisait primer la forme extérieure, le droit, sur le sens du droit. Le Sermon sur la Montagne tout entier en est un témoignage. C'est pourquoi l'Eglise, dans les premiers siècles, tendit à n'établir qu'un minimum de prescriptions juridiques pour que l'esprit ne fût point étouffé.

Cela donna aux pères conciliaires orientaux, lors du concile, un poids disproportionné à leur petit nombre et au peu d'Eglises dont ils ont à s'occuper. Cela ne veut certes pas dire que personne ait nié, pendant le concile, la nécessité d'un développement légitime du droit. Les normes juridiques établies par le fondateur de l'Eglise sont devenues plus claires au cours des siècles; elles n'ont pas été nettement esquissées partout dès le début. D'autre part, l'Eglise avait elle-même le droit de se donner des normes et des lois, là où la nécessité s'en faisait sentir. Personne ne le contesta. Mais il apparut pourtant que les choses s'étaient passées comme si la pensée juridique avait proliféré çà et là au-delà de l'esprit de Dieu. Le pape Jean avait considéré l'adaptation aux nouvelles circonstances de l'époque comme un des buts du concile. Le monde se modifie rapidement. De décennie en décennie, les circonstances changent jusque dans le village le plus reculé. De nouvelles situations apparaissent qui ne répondent plus aux habitudes et aux normes éprouvées dans un environnement autre et plus ancien.

L'Eglise est empêtrée majestueusement dans son «droit» comme Goliath dans ses armes.

Elle en est immobilisée et engourdie. Elle apparaît comme un anachronisme. Et comme les humains, souvent, ne distinguent pas entre ce qui est conditionné par le temps, ce qui change, d'une part, et l'éternel, l'impérissable, d'autre part, ils considèrent aussi la foi de l'Eglise, son témoignage sur Jésus-Christ, comme dépassé et démodé. Je ne dis pas qu'ainsi se trouve expliqué le phénomène de l'athéisme actuel. Il a encore d'autres racines, et plus profondes. Mais il y a là certainement un facteur décisif, et c'est pourquoi le pape Jean parlait toujours en même temps du concile et d'un renouvellement du droit de l'Eglise.

La plupart des évêques le suivirent. Ils voulurent – autant que possible – éviter une langue trop juridique et faire ressortir le sens intime, le noyau de leur message. Le pape Paul VI lui-même – quoique d'une famille de juristes – comprit fort bien cette tendance. Dans son discours de clôture du 7 décembre 1965, il déclara, en se résumant : « L'Eglise s'est rassemblée dans une conscience spirituelle... non pas pour se vouer à la revendication renouvelée de ses droits et à la réaffirmation de ses lois, mais pour redécouvrir en soi, dans sa vie et son action, la parole du Christ dans le Saint-Esprit et pour entrer plus profond dans son mystère. »
L'allusion à la lutte du concile au sujet du schéma sur l'Eglise est évidente. Le premier projet était un chef-d'œuvre juridique. L'aspect juridique de l'Eglise était exposé d'une manière aussi pénétrante qu'il était possible dans sa structure, dans son échafaudage hiérarchique, dans les conditions nécessaires pour que chacun devienne un membre de cette Eglise. Les pères repoussèrent ce texte comme trop « juridique », bien que le cardinal Ottaviani eût observé avant le débat : « Je sais, honorables pères, que toutes les armes sont déjà rassemblées pour abattre ce texte. On va dire qu'il est trop juridique, pas assez œcuménique, pas assez pastoral. Mais, je vous en prie, commencez pourtant par le lire, et avec calme. » Ils le lurent – et le texte fut rejeté. A sa place en vint un autre. Le titre du premier chapitre était : « Le mystère de l'Eglise. »
Il commence par la mission dévolue au Fils par le Père. Il continue par l'Esprit qui sanctifie l'Eglise, qui l'introduit dans toute vérité, qui la « rajeunit » à chaque instant et qui est le principe intime de son unité, qui l'orne des dons hiérarchiques et charismatiques. Ensuite se trouve un paragraphe sur le Royaume de Dieu, qui n'est pas identique à l'Eglise, mais dont l'Eglise est « le germe et le commencement » sur terre. Et ensuite, l'Eglise est décrite en de nombreuses images de l'Ecriture sainte. Cela signifie que, dans son essence, elle ne peut être saisie par des concepts stricts et des formulations aiguisées, mais par des images diverses, qui font apparaître tantôt un aspect tantôt l'autre, en des contours imprécis mais atteignant plus sûrement le noyau fondamental. Ainsi, une image complète et corrige l'autre, et le « mystère » de l'Eglise devient visible.
Il est clair qu'un juriste, pour lequel l'aspect juridique de l'Eglise est la chose principale et représente pratiquement ce qu'il y a de plus important, ne saurait lire ce chapitre qu'en hochant la tête.
Nous touchons ici à un des points névralgiques de ce concile. La plupart des représentants de la Curie romaine sont des juristes de premier ordre. Bien sûr, c'est un honneur et un ornement, en aucune manière une honte. Mais chaque profession – et précisément en la personne de ses plus éminents représentants – est menacée d'avoir, sur les choses, une vue unilatérale. C'est aussi le cas dans la circonstance présente. Ce n'est pas par hasard que le savant est une cible appréciée du caricaturiste. Les Américains les appellent des « têtes d'œuf », les Allemands se moquent du « professeur distrait », les Français parlent de « déformation professionnelle ». C'est dans le sujet que nous traitons ici que ces termes s'appliquent peut-être de la manière la plus adéquate. Ce qui présente un inappréciable avantage à l'intérieur des frontières d'un domaine spécialisé

devient une déformation à l'extérieur de ces frontières, quand il y a transposition en d'autres domaines, forme générale de vie. On ne pouvait donc éviter que, dans ce concile, la tendance à «déjuridiser» ne se heurtât à l'opposition de beaucoup de représentants de la Curie romaine. Certes, tous les présidents des commissions étaient des membres de la curie. A l'époque préparatoire, ce sont eux qui donnaient réellement le ton. Mais, à l'exception des schémas que le Secrétariat pour l'unité des chrétiens élabora, aucun de ces textes de la période préparatoire ne fut adopté, et après que les membres des commissions eurent été élus par le concile lui-même, commission et président furent constamment en conflit. Aucun des textes postérieurs, et qui sont maintenant adoptés, ne correspond à ce que voulait le président de la commission compétente.

Peut-être faut-il faire exception pour le cardinal Cento, président de la Commission des laïcs. Il laissa travailler les autres sans laisser apparaître son opinion. Mais l'initiative de la formulation revint partout à ceux qui n'étaient pas membres de la curie. Les membres de la curie, au contraire, freinèrent cette évolution. Mais si le frein est, certes, une fonction importante dans une machine, il n'est certainement pas la plus importante. On comprend que la Curie romaine n'ait pas été enthousiasmée par ce concile qui la confinait dans un rôle qui ne correspondait pas à sa position. La plaisanterie répandue, après la mort du pape Jean: «Il devrait rester au purgatoire jusqu'à ce que le concile qu'il a convoqué soit terminé», est une plaisanterie typique de la Curie romaine! Toutefois, on doit reconnaître que les présidents des commissions se sont en général loyalement soumis à la majorité, tout en défendant énergiquement leur droit.

Le concile ne doit qu'un seul texte à l'activité des fonctionnaires de la Curie romaine, la «Nota praevia», au troisième chapitre du schéma sur l'Eglise. Dans la description et la fixation des droits et des devoirs de la totalité des évêques, du collège des évêques et du pape réunis, la tendance antijuridique ne prévalut pas. L'effort pour parler une langue intelligible à tous, pour éviter autant que possible des expressions strictement juridiques, pour faire apparaître le mieux possible le sens intime de la collégialité qui est le fondement du juridique et le précède, eut pour conséquence que de nombreuses formulations ne furent pas d'une précision absolue.

Certes, on voulait aussi ne pas fermer les portes à une évolution ultérieure. Mais on ne distingua pas formellement ce qui est sûre doctrine de ce qui est renvoyé à un débat ultérieur.

Ici intervinrent les juristes. Ils subodorèrent naturellement, dans la langue «pastorale», bien d'autres dangers, qui auraient pu détrôner le pape! Les juristes firent passer ainsi au pape de nombreuses nuits sans sommeil, l'obsédèrent de continuelles représentations, et obtinrent finalement la «nota», qui fut soustraite aussi bien au débat qu'au vote du concile. Elle peut donc être considérée comme une expression authentique de la pensée du pape, mais bien peu comme un acte conciliaire, encore qu'elle ait précisé le texte du schéma sur l'Eglise et que, de ce fait, elle ait été indirectement adoptée par le vote suivant. Pratiquement, dans ce cas particulier, la langue non juridique se révéla être un boumerang. Dans une affaire juridique, il eût été sans doute plus juste de s'exprimer aussi d'une manière strictement juridique. On aurait avancé davantage.

Un autre aspect de la tendance à la «déjuridisation» doit être mentionné ici. Il est en rapport avec l'évolution actuelle. Le concile exige un tel changement non pas seulement pour rétablir un rapport réel, fondé sur la Bible, entre la substance chrétienne et le droit; pas davantage seulement pour rattraper le temps qui rapidement s'écoule, mais aussi, en gros, pour rendre compte du temps écoulé. A l'époque de la Réformation, quand la chrétienté se disloqua et que de vastes cercles ne cultivèrent plus qu'un christianisme très extérieur; lorsque, tout au moins en partie, ceux-là mêmes qui souffraient le plus vivement de cette superficialité quittèrent l'Eglise romaine et se réfugièrent dans une pure Eglise de l'esprit – la signification et l'importance du juridique devaient être particulièrement soulignées. Il est vrai que, à cette époque déjà, le principal accent n'aurait pas dû être mis là-dessus. Car la véritable réforme ne pouvait venir que du renouvellement de l'Esprit, et non des normes et des règles, ce que reconnurent précisément les meilleurs esprits du Concile de Trente. Ce qui, depuis lors, s'est produit dans l'Eglise en fait de réforme est à attribuer bien plus à un renouvellement intérieur qu'à l'accentuation du côté juridique de l'Eglise rendue nécessaire pour sa défense.

En fait, ce qui proliféra fut, à maintes reprises, «le plus facile», et c'était précisément l'enveloppe superficielle du juridique. Il proliféra si bien qu'un christianisme légaliste envahit l'Eglise. Un christianisme du milieu. Aujourd'hui, il s'effrite de plus en plus: la population se mélange, il y a moins de milieux catholiques fermés. Dans une telle situation, la mise en évidence du juridique est précisément un obstacle; elle menace d'étouffer l'Esprit, tandis qu'inversement la mise en évidence de l'Esprit permet de libérer de nouvelles forces et de faire surgir des initiatives.

C'est ici que nous touchons enfin au côté positif de la «déjuridisation». Malgré sa structure hiérarchisée, l'Eglise n'est en rien une sorte d'Etat autoritaire surnaturel, avec le pape à sa tête comme monarque absolu, une belle aristocratie bien étagée formée par les évêques et leurs auxiliaires, les prêtres, et enfin une puissante masse de sujets qui n'auraient rien d'autre à faire que d'obéir et d'observer des lois. L'Eglise n'est pas en premier lieu une «institution de sauvetage», le grand sanatorium mondial, mais en totalité et dans toutes ses parties un *témoignage* pour la rédemption et l'élévation de l'homme. Les hiérarques sont de ce fait les titulaires de fonctions nécessaires, la tâche consiste à servir. Le tout se construit à partir de l'eucharistie. Tous sont nourris du corps du Christ et rassemblés en une unité, et dans tout agit l'Esprit, comme il veut.

Ainsi, le concile en vint à parler du *sens de la foi* de tout le peuple de Dieu qui ne peut se tromper, et des *dons charismatiques*, qui surgissent partout. Toute initiative ne circule pas de haut en bas à travers la direction hiérarchique des fonctionnaires que le droit habilite, mais elle surgit la plupart du temps quelque part à la base pour être approuvée et canalisée, ultérieurement, par le sommet. Cela n'est pas étonnant, c'est même chose prévisible, car les hiérarques ont tant à faire pour mettre en ordre, pour servir, et pour juger, que déployer encore une initiative serait presque toujours au-dessus de leurs forces ; seule l'insistance mise sur l'aspect juridique de l'Eglise a empêché que cet aspect charismatique qui, précisément en période de défrichement, prend une signification décisive, ne soit jusqu'ici considéré. Ce fut donc chose significative si la résistance à l'éloge des charismatiques provint des régions traditionnellement sous l'empire du catholicisme du milieu, comme la Sicile, tandis que les approbateurs les plus déterminés des charismes proviennent de pays qui sont en période de transformation. Avec toute la prudence qui s'imposait à l'égard de soi-disant charismatiques, qui en réalité sont des brouillons ou des fanatiques, le concile a adopté un paragraphe répondant aux préoccupations nouvelles et ce motif résonne à travers beaucoup d'autres textes.

Dialogue

Un deuxième trait, surprenant, qui domine tout le concile et l'avenir de l'Eglise, est le «dialogue». Il n'était pas au programme, ce qui d'ailleurs n'est pas pour étonner dans un concile. Dans le premier Concile du Vatican, de 1869-1870, la déclaration d'infaillibilité n'était pas au programme. Mais ce qui paraissait presque impossible se produisit ici. L'exigence du dialogue ne fut pas tant le résultat d'une réflexion théorique que la conséquence d'une expérience vécue, et cette expérience, avant le commencement du concile, apparaissait comme hautement improbable.

On sait que non seulement Pie XI mais Pie XII lui-même s'était intéressé à la convocation d'un concile. Pie XI attendit un signe plus évident qui lui eût montré la nécessité de commencer une aussi difficile entreprise. Mais Pie XII ordonna de vastes préparatifs – dans le plus grand secret : c'était sa manière. Ils s'étendirent – et non pas en dernier lieu – à la question de savoir comment un concile de cette grandeur pourrait en venir à une conversation fructueuse. Il ne vit pas d'autre moyen que celui-ci : diminuer radicalement le nombre des participants. Au premier Concile du Vatican, le nombre des évêques fut de sept cent soixante-quatorze. Souvent, celui des présents descendit au-dessous de six cent cinquante. A l'époque, une véritable discussion, avec points de vue contradictoires, était très difficile ; avec un nombre plus élevé de sièges épiscopaux, elle devenait impossible. C'est pourquoi Pie XII envisagea un système soigneusement conçu de représentation, mais ceux qu'il appela pour le conseiller furent peu enclins à adopter ces vues. Ainsi, on escomptait une participation d'environ deux mille titulaires du droit de vote, c'est-à-dire le triple du premier Concile du Vatican. En fait, deux mille cinq cent quarante pères assistèrent à la cérémonie d'ouverture. Un débat était impossible. On fut contraint de réduire le temps de parole à dix minutes (ensuite à huit), chaque père conciliaire ne fut autorisé à s'exprimer qu'une seule fois sur le même objet et dut s'inscrire trois jours à l'avance. Tout cela, en réalité, empêchait le dialogue.
Et cependant, selon l'avis unanime des évêques, à la fin de la première session, la marque propre de cette première partie de la session, qui ne put encore arrêter

aucun texte conciliaire, fut précisément le dialogue qu'ils vécurent. Beaucoup d'observateurs exprimèrent aussi cet avis: «Sans aucun doute, c'est l'admirable atmosphère de dialogue qui nous fit la plus profonde impression.» Comment cela fut-il possible? Eh bien! le dialogue eut lieu en dehors de la salle du concile, et cela dans des circonstances que personne n'avait prévues.

Les évêques venaient du monde entier. Dans son pays, chacun vivait en quelque sorte replié sur soi-même. La plupart d'entre eux étaient comme des petits rois. Chacun s'approchait d'eux avec le plus grand respect, chacun était prêt à accomplir leur moindre désir. Les rapports qu'ils entretenaient avec leur entourage étaient de qui commande à qui obéit. Lorsqu'ils se montraient en public, ils rayonnaient de dignité et de noblesse. Tout cela faisait d'eux des *sommets solitaires*. A Rome, de par le grand nombre de ceux qui avaient la même position qu'eux, ils se trouvaient dans une certaine mesure démythifiés. Nombre d'entre eux étaient venus seuls; ils devaient seuls résoudre les plus humbles problèmes de la vie quotidienne. Aucun serviteur, personne pour les aider à passer leurs vêtements sacerdotaux; entre deux piliers de colonnades, ils s'habillaient seuls aux yeux de tous, péniblement. Certains disaient ouvertement: «Enfin, nous sommes des hommes tout à fait ordinaires.» Ils habitaient ensemble des établissements assez grands, des maisons de sœurs, ou réservées à des ordres. Il y eut bientôt des conversations entre Américains du Sud et Africains, entre Allemands et Polonais, Français et Espagnols. Ils constatèrent peu à peu que l'échange des idées se révélait extrêmement fructueux.

Seuls les évêques des Etats-Unis se trouvèrent d'abord isolés dans un Hôtel Hilton ou dans l'une des autres maisons «distinguées». Très vite, ils furent remplis d'une certaine envie. «L'année prochaine, je ne descendrai pas dans un hôtel, me disait l'un d'eux pendant la première session déjà, je m'y sens complètement isolé, et ce qu'il y a de plus précieux dans ce concile m'échappe.»

Ce n'est pas tout. Les élections aux commissions devaient avoir lieu dans la première séance. Comme les évêques ne se connaissaient pas, le secrétaire général proposa de confirmer dans leurs fonctions les membres des commissions préparatoires, tels qu'ils avaient été nommés par Rome. Aussitôt, l'un des présidents, le cardinal Liénart, se prononça contre cette proposition en remarquant que cela ressemblerait à une farce. Il fallait donner aux pères quelques jours pendant lesquels ils apprendraient à se connaître, et l'on pourrait alors passer à l'élection. Un autre président, le cardinal Frings, l'appuya. Le présidium tout entier se déclara d'accord.

La première séance fut la plus courte de tout le concile. Elle fut levée sous le signe de cette nécessité de faire mutuellement connaissance. En toute hâte se formèrent alors des conférences d'évêques. Rien n'avait été prévu à cet égard. Au commencement, la Curie romaine désapprouva de telles formations. Un exemple: les évêques des Etats-Unis voulaient profiter du concile pour tenir leur conférence épiscopale annuelle. Ils l'annoncèrent à Rome avant le concile. Cela leur fut refusé «pour ne pas donner naissance à des groupes ou à des nationalismes». Avec le recul, la chose paraît carrément grotesque. On avait cru ouvertement que chaque évêque exprimerait son opinion et que, de l'addition de ces opinions, résulteraient les majorités. Que des interférences puissent se produire entre les évêques n'était pris par personne en considération. Manifestement, personne n'avait, fût-ce en rêve, pensé que cet échange pût modifier l'opinion de certains groupes d'évêques et que la marque caractéristique et bénéfique du concile consisterait précisément en cela. Et ce fut pourtant ce qui arriva dès les premiers jours. Donc, les conférences d'évêques se constituèrent en hâte. Dès que de telles conférences existèrent, certains autres évêques, par exemple les Africains, se rassemblèrent en communauté provisoire. Chaque conférence choisit les plus capables et fournit leurs noms aux autres. Des listes internationales furent établies, qui trahissaient déjà certaines tendances. Des «observateurs» venus d'autres conférences assistèrent à chaque conférence d'évêques.

Avec zèle, on s'informait des théologiens importants. Il n'en manquait pas en ces jours-là. Il y eut des théologiens qui durent, en l'espace d'une semaine, prononcer vingt conférences devant diverses réunions d'évêques. Connus d'abord dans un seul pays, ils devinrent tout à coup «internationaux». Cet échange sans contrainte, tout à fait spontané et toujours plus vif, changea les opinions, ranima la circulation du sang dans tout le corps de l'Eglise d'une façon extraordinaire. Nous n'en donnerons qu'un seul exemple: au commencement du débat sur la liturgie, les évêques des Etats-Unis, sous la direction du cardinal Spellman, s'opposèrent à ce que l'on changeât quoi que ce soit en matière de liturgie. A la fin de la deuxième session (4 décembre 1963), le schéma sur la liturgie ne suscitait plus que quatre voix d'opposition. Où se trouvaient donc les quelque deux cents évêques des Etats-Unis? Grâce au dialogue, ils avaient changé d'avis. («A l'exception de deux», me glissa l'un d'entre eux dans l'oreille.)

Il faut considérer attentivement la signification de cet événement pour les évêques. Jusqu'alors, chacun vivait isolé, relié aux autres tout au plus une fois par an par la conférence des évêques. De pays voisin à pays voisin, il n'y avait déjà pour ainsi dire aucune liaison. Certes, tous étaient «verticalement» liés à Rome, centre de l'Eglise catholique. Rome veillait à l'unité de la doctrine et de la discipline, c'est à Rome que tous les fils aboutissaient. Mais la liaison *horizontale* était presque inexistante.

Après la seconde guerre mondiale déjà, il y avait, par exemple, de nombreuses relations politiques et culturelles entre l'Allemagne et la France. Il y eut la Communauté économique européenne, des jumelages de villes, des trains entiers d'enfants passant les frontières, des échanges d'étudiants: seuls les évêques ne s'étaient pour la plupart jamais rencontrés. Au concile, on s'apercevait maintenant combien chacun avait pâti de cet état de choses.

Bien plus, on se mit à réfléchir aux origines du christianisme. Ne se caractérisaient-elles pas précisément par la collégialité des évêques, leur esprit communautaire, la vivacité des échanges mutuels? Il se fondait sur la communauté de la communion, dans l'eucharistie, et au Moyen Age encore, quel échange! On fut troublé par ceci: la technique n'offre-t-elle pas des possibilités de voyages et d'échanges comme il n'y en avait jamais eu jusqu'alors? Les mouvements de population ne rendaient-ils pas l'échange nécessaire *pour le salut des âmes*?

En un mot, il semble que pour la réalisation de ce qui est chrétien, quelque chose ne joue plus, malgré la foi commune. Plus encore: la présence des observateurs des Eglises chrétiennes non catholiques eut une conséquence supplémentaire: par le dialogue qu'ils engagèrent à Rome avec eux, des mondes entièrement nouveaux s'ouvrirent à de nombreux évêques. «Pensez donc, me disait un évêque sud-américain, j'ai causé avec un observateur. Cet homme n'est pas seulement intelligent, il est vraiment pieux!»

Dans les congrégations générales s'institua, par-dessus le marché, une controverse sur la question: «Qu'est-ce qui est œcuménique?» Les uns dirent: «C'est de proclamer la Vérité sans déguisement, de ne rien cacher, car Vérité et Amour ne sauraient se contredire.» — «Bien sûr, répondit en substance l'évêque de Smedt, au nom du Secrétariat pour l'unité des chrétiens, nous ne devons rien cacher. Mais nous devons parler une langue qui soit aussi comprise par autrui, même s'il n'a pas reçu notre formation scolastique. Et nous devons nous efforcer d'apprendre la langue d'autrui afin de la comprendre et de ne pas émettre durablement des jugements erronés.»

Ainsi, une autre question surgit qui émut longtemps les évêques: si nous sommes à ce point isolés du monde moderne, n'est-ce pas peut-être parce que nous ne connaissons plus *sa langue*? Cortez, le conquérant du Mexique, ne commit-il pas une erreur quand il fit connaître la foi catholique aux Indiens par l'intermédiaire de la langue latine dans l'idée qu'ainsi la foi se trouvait transmise? N'est-ce pas une erreur de penser que nous avons satisfait au devoir de propagation de la foi quand nous parlons dans une langue que nos auditeurs ne peuvent pas comprendre, parce que nous n'atteignons en rien les désirs et les espoirs vivants qui sont en eux?

Que signifie alors le «dialogue»? On entendit tout à coup de nombreuses conférences sur ce thème. Je les résume. Le dialogue comporte trois étapes. La première consiste à faire tout d'abord connaissance avec l'autre, à l'étudier, à épouser ses pensées, à apprécier dans quelle mesure Dieu a agi en lui, par conséquent à voir où sont les points d'amorce et de préparation pour l'accueil du message de Dieu. Il est hors de doute que souvent nous ne procédons pas à cette première étape et qu'ainsi nous trompons les autres, car «tels qu'ils sont» ils ne peuvent souvent même pas comprendre la vérité que nous leur disons à notre manière, ou bien, partant de leurs propres présuppositions, ils doivent forcément la comprendre mal.

La deuxième étape consiste à rencontrer les autres en étant prêt à apprendre aussi quelque chose d'eux, à *accepter* d'eux quelque chose. Cela n'est pas contradictoire avec le fait que toute la vérité révélée a été confiée à l'Eglise catholique. En effet, toutes choses ne sont pas claires pour tout le monde et de la meilleure manière, et, comme il a été dit, Dieu a agi dans chaque homme avant qu'il n'ait rencontré l'Eglise ou son représentant. C'est ici que commence le dialogue proprement dit.

La troisième étape a lieu quand deux interlocuteurs découvrent, par une recherche commune, quelque chose que ni l'un ni l'autre ne connaissait auparavant, tout au moins sous l'aspect qui leur apparaît finalement. Dieu lui-même n'a-t-il pas été dans sa trinité un éternel dialogue, pour le croyant chrétien lui-même? Le Christ ne

doit-il pas, pour cette raison – et c'était son but et son épreuve d'être inclus dans ce dialogue – pratiquer le dialogue sur la terre? Dieu n'est-il pas devenu un homme, pour le rencontrer, l'homme, sur le plan du dialogue d'homme à homme? N'a-t-il pas voulu, quoique Seigneur et Maître, se trouver au milieu des hommes comme celui qui est le Serviteur? Je ne fais que suggérer cela. Mais c'est là que se trouvaient les racines de toutes les critiques si souvent formulées dans le concile à l'endroit de l'Eglise triomphaliste, de la cléricale, de la féodale. Tout cela – le triomphalisme, le cléricalisme, le féodalisme – contredisait et contredit l'attitude du dialogue, seule applicable et conforme au Christ.
Quelques mois après la première session, je rencontrai le professeur Schmaus, de Munich. A la question que je lui posai: «Quel est jusqu'à présent le résultat le plus important du concile?» il me répondit, sans avoir trop longtemps réfléchi: «Le résultat se trouve dans l'expérience vivante de la nécessité du dialogue.»
Que ce dialogue puisse être difficile, non pas seulement entre chrétiens et athées, mais aussi dans l'œcuménicité, qu'il puisse être difficile aussi entre évêques, ou entre pape et évêques, le déroulement du concile l'a montré. La disponibilité, l'ouverture au dialogue, de loin n'est pas encore ne fût-ce que le commencement d'un véritable dialogue. Cependant, j'en suis persuadé, un commencement a été fait, mais pas davantage.

L'Eglise en mouvement

Selon les propres paroles du pape Paul VI, dans son discours de clôture du 7 décembre 1965, le concile s'est décidé «à marcher avec la société dans sa transformation rapide et continue». Il ajouta premièrement que cette attitude résultait, pour l'Eglise, de sa «mission de salut» et que, secondement, «elle avait agi constamment et durablement sur le concile», si bien que certains «y voyaient un relativisme excessif à l'égard de l'Histoire constamment en progrès». Le thème est difficile et scabreux; il n'a d'ailleurs pas complètement mûri, lors du concile. Toutefois, on ne saurait le passer sous silence, fût-ce «pour simplifier», quand il s'agit de nommer les principales composantes de l'univers spirituel des pères conciliaires, car il a agi «constamment et durablement». A quoi vient s'ajouter le fait qu'il est nouveau dans l'histoire de l'Eglise. Voulons-nous savoir ce qui est devenu «autre»? Dans ce concile, nous trouvons au premier plan la considération d'un certain relativisme, qui est déterminé «par l'Histoire constamment en progrès». Je crois que le malaise d'un cercle tantôt plus grand, tantôt plus petit, de «conservateurs» (qui d'ailleurs ne représentaient pas un «parti» nettement dessiné à la manière d'une fraction parlementaire), résidait précisément dans la méfiance à l'égard de ce «nouveau» et de cet «autre», dont la délimitation à l'égard de l'«ancien» apparaissait extrêmement difficile, voire dangereuse. Naturellement, cette troisième attitude du concile s'enchaîne avec la deuxième, que nous avons nommée le «dialogue». On pourrait même presque dire que celle-ci est incluse dans celle-là, qu'elle en est la conséquence. Si le dialogue doit être la marque distinctive du chrétien, le Christ est alors conduit à s'assimiler toujours quelque chose de nouveau; alors il n'est pas arrivé à la fin. Pour chacun, c'est une chose qui va de soi, il l'apprend chaque jour à nouveau.

Mais pour l'Eglise, considérée comme un tout, on ne veut pas l'accorder si facilement. N'enseigne-t-elle pas que la Révélation officielle de Dieu aux hommes est achevée avec la mort du dernier témoin oculaire? Ainsi donc, cela pose une fin. Il n'y a plus maintenant qu'à répandre cette Révélation dans le monde entier, la présenter aux hommes, trouver les voies et moyens par lesquels on inondera de son esprit toute civilisation et toute action. Nous savons qu'avec ce travail l'Eglise n'en aura pas fini avant la fin des temps. Elle connaîtra des succès et des revers, mais elle ne périra pas. Elle doit s'efforcer intrépidement, car telle est sa divine mission, d'annoncer les grands événements de la rédemption de tous les hommes par Jésus-Christ, l'élévation des hommes à la qualité de Fils de Dieu, la promesse de la transformation du cosmos par lui. Plus encore: le sûr Royaume de Dieu, acquis déjà, n'est pas seulement réservé à l'avenir, il existe déjà au présent dans le cœur du croyant; même caché, il est réel et visible tout au moins dans des «signes». Ces signes ne sont au fond pas plus que la continuation du seul et unique signe que fut Jésus-Christ lui-même dans son être terrestre. Ils ne transmettent pas seulement aux croyants le Royaume de Dieu, ils en sont aussi l'expression. Eux non plus ne changent pas au cours de l'Histoire. Ils *doivent* être là, pour montrer qu'en définitive l'homme, grâce au christianisme, ne sera pas séparé en un corps périssable et une âme, même transformée et divinisée, mais que l'homme tout entier et la création tout entière seront transformés.

Jusqu'à présent, les pères du concile étaient tous du même avis. Dans les premiers chapitres du schéma sur l'Eglise, cela fait l'objet d'un bel exposé, éclairant. *Mais maintenant commence la question proprement dite.* L'Eglise est-elle donc un complexe impérissable, toujours le même au cours de l'Histoire, où seuls les hommes qui la constituent changent ainsi que les situations dans lesquelles ils se trouvent? Est-elle donc comme un «vêtement» que l'on passe ensuite à d'autres? Le vêtement du Sauveur? Il passe toujours de l'un à l'autre. Mais le vêtement demeure constamment le même.

Ou bien faut-il dire que l'Eglise, ici-bas, sur la terre, a elle-même une *histoire*, non seulement extérieure mais comme un homme qui, certes, demeure toujours le même, mais qui pourtant s'accroît, s'instruit, grandit de corps et d'âme? Il se trouve non pas seulement dans des circonstances toujours différentes, il n'a pas seulement toujours le même but qu'il veut atteindre, et il invente, à cette fin, toujours de nouvelles méthodes, qu'il adopte puis auxquelles il renonce, selon ce qu'exigent les circonstances. L'homme se modifie lui-même cependant que, sans peut-être renoncer à son but, il reconnaît pourtant toujours clairement et plus profondément son sens véritable; il approfondit toujours plus son dessein et son dessein l'approfondit. Il se «rapproche» de lui par conséquent, non seulement à mesure que le temps devient plus court, jusqu'à ce qu'il «arrive», mais aussi, plutôt, en ce sens que le but lui-même devient en lui toujours plus présent. Il «arrive», au fond, continuelle-

ment, mais, tant que l'homme vit, jamais tout à fait, et pourtant toujours davantage.
Cette deuxième conception, reportée sur l'Eglise, fut pour le concile un thème excitant au plus haut point. On doit en effet convenir qu'elle n'est pas ce qu'on trouve habituellement dans les manuels scolaires, quoiqu'il y eût sans cesse des penseurs chrétiens – qu'on songe seulement à Newman – qui se sont occupés d'elle d'une manière intensive. Dans presque tous les textes du concile brille cette conception. Nous le verrons encore dans ce livre, et ensuite ce que j'entends par là deviendra plus clair. Maintenant que nous caractérisons les principes généraux, qu'il nous suffise de nous en rapporter à deux chapitres du schéma sur l'Eglise qui provoquèrent un débat violent et furent l'objet de nombreuses modifications.
Tout d'abord le septième chapitre, qui porte ce titre significatif: « Le caractère eschatologique de l'Eglise en marche. »
Si nous comparons ce qui est dit dans les deux premières pages avec ce qui est généralement reçu sous le nom de «fins dernières», la différence frappe tout de suite. P. Congar dit: «Il ne s'agit pas ici des fins dernières comme on les trouve dans les manuels de théologie, il ne s'agit pas de choses que l'on trouve à la fin: jugement, paradis, purgatoire, enfer. Tout cela est contenu, il est vrai, dans l'eschatologie chrétienne, et cependant elle est quelque chose de tout autre.» Qu'est-ce qui est donc différent? La vérité totale des choses se trouve à la fin; mais tout ce qui existe dans l'histoire a un sens, le sens de son mouvement déterminé par cette vérité finale, à laquelle tout va et qui commence déjà dans le temps. Il ne s'agit donc pas de fins que l'on trouve *ensuite*, mais de l'étoffe intime des choses *maintenant*, et aussi de l'Eglise dans sa situation historique par rapport à la vérité finale et à l'accomplissement final. C'est pourquoi il est dit dans le texte de la constitution: « Lorsque viendra le temps où toutes choses seront renouvelées, avec le genre humain, tout l'univers lui-même, intimement uni avec l'homme et atteignant par lui sa destinée, trouvera dans le Christ sa définitive perfection. »
Cette vue ne se limite pas à l'homme pris individuellement. Elle fait exploser ce cadre et unit l'homme, le monde et le cosmos, qui possèdent un but commun, à la rencontre duquel ils vont. Manifestement, il ne s'agit pas ici de quelque chose d'extérieur, dont on peut aussi bien se défaire, mais de quelque chose de tout à fait intérieur, d'une tension très intime de toute la création dans la direction de ce but. Le but est agissant dans tous les efforts, actions, aspects de l'homme et même dans l'évolution du cosmos.
Une telle perspective est naturellement, de nos jours, d'une signification particulière. Il suffit de penser à tous les messianismes qui agissent aujourd'hui, y compris l'athéisme et son explication de l'Histoire, et qui exercent une si puissante force d'attraction sur les hommes de notre temps. L'Histoire est toujours considérée comme fonction d'un espoir et d'une fin. Le christianisme des XVIIe et XVIIIe siècles n'a pas conçu sa morale (c'est-à-dire les devoirs de l'homme vis-à-vis de la société et vis-à-vis de Dieu) comme une histoire, ni comme une histoire du salut de portée universelle, ni comme espoir du monde, ni comme réponse à toute recherche dans l'Histoire. Aujourd'hui, l'Eglise rattrape

pour ainsi dire cette omission et remplit de nouveau la coupe de son enseignement. Je dis «de nouveau» parce qu'elle aurait pu depuis longtemps trouver la solution dans l'Ecriture sainte, aussi bien dans l'Ancien que dans le Nouveau Testament.

Plus encore: au deuxième paragraphe du même chapitre, la constitution de l'Eglise continue cette pensée en montrant que le renouvellement final est déjà commencé en Christ de même qu'il «continue» dans l'Eglise. Enfin – et ceci est décisif – tout cela, dans le troisième chapitre, est reporté sur l'Eglise elle-même. D'un côté, à la vérité, la fin des temps est déjà venue à nous et le renouvellement du monde est fixé irrévocablement et même d'une certaine mais efficace manière anticipée dans notre temps. Mais d'un autre côté, «jusqu'à ce qu'il y ait un nouveau ciel et une nouvelle terre, l'Eglise en pèlerinage porte l'image de ce siècle qui passe, dans ses sacrements et ses institutions, qui appartiennent à cette époque-ci du monde. Elle séjourne elle-même parmi les créatures qui soupirent et gémissent dans les douleurs de l'enfantement.»

C'est-à-dire: l'Esprit est «incarné»; la «chair» n'est pas encore transformée en esprit. Par la «chair», on ne doit en rien entendre seulement ce qui a rapport à la matière selon la langue biblique. On doit y comprendre aussi la manière dont l'homme s'exprime, son langage. Donc l'Eglise n'aura jamais épuisé sa Révélation, jamais elle ne pourra exprimer l'extension complète et toute la profondeur de ce qu'elle pense, car elle doit pour ce faire utiliser un langage qui est constitué par la pensée d'une philosophie imparfaite et très dépassable, laquelle, en outre, n'est pas complètement exacte en toutes choses; laquelle, tout au moins, n'est pas exempte de points de vue étroits.

Si l'on en tire les conséquences, voilà qui va «très loin», comme le remarque judicieusement P. Congar. Cela est confirmé par le deuxième chapitre de la même constitution, qui porte le titre: «Le peuple de Dieu.» Au début, ce chapitre existait aussi peu, même dans la version refondue de la deuxième session, que le septième chapitre. Mais ensuite un groupe s'imposa, qui attribua à l'expression «peuple de Dieu» une signification particulière, et l'on tira de là un chapitre particulier. Comment cela se produisit-il? «Peuple de Dieu», c'est ainsi déjà que l'Ancien Testament désigne les Juifs, peuple élu. Il était lié à Dieu par une alliance particulière et avait la mission, par son histoire, de conduire peu à peu, et toujours plus clairement et consciemment, au Messie promis, jusqu'au moment où elle fut accomplie et dépassée par la Nouvelle Alliance. Cela se produisit au dernier repas du soir, à la cène. Cette Nouvelle Alliance fonda un nouveau peuple de Dieu, et ce fut précisément l'Eglise.

L'intention était donc, comme le dit le professeur Ratzinger, «de montrer le caractère provisoire qui affecte l'Eglise aussi longtemps que dure ce temps du monde. Pendant tout ce temps, l'Eglise demeure en chemin, comparable à Israël, errant peuple de Dieu, qui est en route entre l'Egypte et le pays de la Promesse.» Elle ne doit donc jamais rêver au but, mais doit toujours à nouveau se débarrasser de ses enracinements historiques dans un temps et une civilisation. Pour la mission de l'Eglise, cela signifie qu'il n'y va pas simplement d'une «assimilation pédagogico-tactique», mais qu'il lui faut «assumer l'homme dans toute sa dimension historique, de façon que la «chair» de l'humanité, c'est-à-dire son existence historico-terrestre, devienne véritablement la Chair du Verbe». Sans douloureuse transformation, cela ne peut guère se produire. «Là est la croix, continue Ratzinger, des deux côtés: même une Eglise qui se lance dans cette aventure missionnaire devra toujours revivre la crucifixion de ses propres habitudes, crucifixion par laquelle, pas à pas, elle doit être transformée dans l'âge accompli de Jésus-Christ.» C'est là que nous avons de nouveau la croissance historique interne de l'Eglise vers son but.

C'est pourquoi aussi le texte de la constitution de l'Eglise déclare que, «sur son chemin», l'Eglise ne doit pas cesser «de se renouveler, jusqu'à ce que, par la croix, elle atteigne à cette lumière qui ne s'éteindra jamais». Et en un autre endroit: «Elle est en même temps salutaire et, ayant besoin de purification, elle marche toujours sur la voie du renouvellement.» Songeons qu'il n'y a pas si longtemps – quelques années seulement – l'expression «Ecclesia semper reformanda» – l'Eglise toujours réformable – était considérée comme une expression hérétique! Maintenant, elle se trouve dans une affirmation «dogmatique» du concile. On a peine à concevoir ce changement. Il a sa cause – peut-être ces lignes l'ont-elles montré – dans la prise de conscience de la dimension historique qui est implantée dans l'Eglise – malgré les éléments éternels et immuables qu'elle contient.

Certes, l'esprit qui présida au concile n'est pas exhaustivement décrit par ces trois lignes de force principales; l'esprit, dans la mesure où il est nouveau. Subsiste naturellement la fidélité à l'égard de la tradition et à toute la vie divine implantée dans l'Eglise. Il n'y avait pas à en parler ici. Même le nouveau n'est pas chose venue du dehors, et qui simplement n'aurait pas existé auparavant: s'il en était ainsi, l'Eglise devrait le rejeter. Elle doit seulement emprunter à l'ancien des pages nouvelles, à demi oubliées ou encore jamais découvertes, qui ne changent pas le but de sa marche, de son pèlerinage, mais qui justement l'en rapprochent, afin que s'accomplisse la demande de la prière au Seigneur: «Que ton règne vienne!»

Les évêques

L'intention de cette première série d'images est de montrer les hommes qui représentent le concile. On a vite dit : les évêques! Sont-ils les fonctionnaires du pape ? Ses vicaires dans le monde entier ? Ou bien inversement : des délégués du peuple chrétien catholique, qui leur prescrit ce qu'ils ont à représenter dans ce Parlement mondial que l'on appelle concile ? Ils ne sont ni l'un ni l'autre, et l'on devrait pourtant dire qu'ils ont quelque chose de l'un et quelque chose de l'autre. Fixer le véritable rapport des évêques au pape et à leurs églises locales respectives, ce fut un des devoirs qui incombait à ce concile. Avec les concepts « dictature spirituelle » ou « monarchie constitutionnelle », « oligarchie » ou « démocratie », qui tous sont empruntés à la vie civique, on ne cerne la question que d'une manière très imprécise. Ce compte ne cessera jamais. Tantôt un morceau, tantôt l'autre semble entrer dans le cadre de nos manières de penser habituelles, aucune complètement – et toujours subsiste un reste, qui n'entre dans aucun de nos tiroirs.

Toutefois, il y eut dès le commencement un certain ordre. Le pape convoqua le concile; personne d'autre ne pouvait le faire d'après le droit actuel. Lui aussi est membre du concile; le premier même et le plus important. Mais les évêques ne sont pas seulement les conseillers du pape. Le pape ne pourrait pas les congédier. Leur point de vue et leur opinion doivent être écoutés, et c'est de la décision de tous que dépend ce qui se produira plus tard dans l'Eglise. Et c'est ici que nous attend la première surprise : le pape, président véritable de l'assemblée, ne prend jamais part au débat. Ni Jean XXIII, ni Paul VI. Cela peut s'expliquer par l'Histoire. Cela n'est pas nécessaire – et je crois qu'un temps viendra où l'on rompra avec cette (mauvaise) habitude.

Cette distance excessive : ne se montrer que rarement, prendre ses repas toujours seul, et bien d'autres choses, rappelle trop certains empereurs chinois ou les temps de Philippe II. Elle offense aussi les évêques, en insinuant qu'ils n'auraient pas le courage d'exprimer leur opinion devant le pape. Et comme le contact avec les évêques aurait été plus humain, si le pape avait voulu aussi boire une boisson au bar ! D'autre part, la pratique actuelle montre qu'il règne réellement au concile une véritable liberté. Les observateurs des « autres » chrétiens en furent sincèrement et joyeusement surpris.

Il y eut en outre des présidents nommés par le pape et ensuite aussi des « modérateurs ». Ils furent appelés à diriger. Ici déjà se montra la tendance de ne brimer aucun groupe; même les plus petits étaient invités à prendre la parole. Aucun n'eut l'impression d'être tenu à l'écart. Cela apparut comme un principe très libéral. Mais c'est encore davantage : c'est l'étonnante confiance en ceci que l'esprit de Dieu agit en tous et que chaque groupe doit exercer une « fonction » effective.

Disons plutôt : l'Eglise entière est un corps animé par le même esprit malgré les opinions différentes et, à première vue, contradictoires. Si naïf et même insensé que soit ce principe – il ne peut se fonder ni sur la raison, ni de prime abord sur la foi – il s'est en fait imposé et a pu ne pas entraver le progrès.

La photo exprime deux choses différentes: 1. Au commencement du concile, personne ne connaissait personne. Chacun gagna sa place, silencieux et digne: pas de contacts, pas de conversations. 2. Chacun avait «sa place». Les écussons numérotés le prouvent. L'ordre des sièges était déterminé par les «années de service». Dans les conciles antérieurs, on groupait surtout par nationalités. Ce qui avait pour fâcheuse conséquence de voir se former des «fractions nationales», que l'on voulut éviter cette fois-ci. Mais on n'avait pas compté avec l'époque actuelle.

Maintenant, les «anciens» étaient séparés des «jeunes». Et les «jeunes» dominèrent l'atmosphère de tout le concile par leurs applaudissements concentrés ou la manifestation de leur mécontentement. Toutes les protestations et interdictions du secrétaire général, au sujet des manifestations d'applaudissements, demeurèrent vaines.

Voici les deux pionniers du dialogue au concile: le cardinal Frings, de Cologne, Allemagne (photo de gauche), et le cardinal Liénart, de Lille, France. Le premier est âgé de soixante-quinze ans, le second de soixante-dix-huit. Cette alliance franco-allemande inattendue joue dans ce concile encore un autre rôle important. Les deux cardinaux étaient membres du présidium du concile. A la première congrégation générale devaient être élues les dix nouvelles commissions. Comme les évêques ne se connaissaient pas, le secrétaire général proposa de confirmer pour l'essentiel les membres nommés par Rome pendant la période préparatoire. Mais les deux présidents n'étaient pas de cet avis. Le cardinal Liénart protesta le premier. «Nous voulons d'abord apprendre à nous connaître, nous ne choisirons qu'ensuite.» Le cardinal parlait un latin «à la française», et beaucoup ne le comprirent pas. C'est pourquoi le cardinal Frings répéta exactement la même chose avec une prononciation claire. Plus tard, il se présenta ainsi à une assemblée mixte: «Cardinal Frings, archevêque de Cologne. J'intervins plusieurs fois au concile d'une façon désagréable. Je n'étais pourtant pas le premier, comme on dit. Je ne voulais que rendre plus clairs les propos de mon coprésident, car il importait beaucoup que la peur de la Curie romaine fût brisée dès le commencement.»

Effectivement, tout le présidium approuva la proposition. Le vote fut renvoyé et, comme la Curie romaine, complètement déconcertée, n'avait pas prévu d'autre point à l'ordre du jour, la séance fut levée.

Ce n'est que dans la deuxième session qu'il y eut des «modérateurs» ou «légats» du pape, qui devaient diriger le concile. Paul VI les institua pour permettre un avancement plus rapide des travaux. Jusque-là, les dix présidents les avaient dirigés; deux d'entre eux seulement n'avaient pas tout à fait soixante-dix ans, mais deux d'entre eux avaient plus de quatre-vingts ans. Le pape voulut des hommes plus jeunes et énergiques. Il eût préféré en désigner un seul et l'investir de pleins pouvoirs. Mais le cardinal Cicognani, secrétaire d'Etat, pensait autrement. Si bien qu'on fit un compromis. Les modérateurs furent les cardinaux Döpfner (49 ans), Suenens (58 ans), Agagianian (67 ans) et Lercaro (71 ans). Leurs pleins pouvoirs ne furent jamais clairement définis, ce qui conduisit à des conflits de compétences perpétuels (par exemple à propos des célèbres cinq questions sur la collégialité des évêques ou lors de la controverse sur la liberté religieuse).

Voici, de gauche à droite, les trois modérateurs «progressistes»: Suenens, le Belge, qui fut même, après la mort de Jean XXIII, candidat à la papauté; Lercaro, archevêque de Bologne, le «pneumatique», un merle blanc parmi les évêques italiens – il devint plus tard président du nouveau Conseil pour la liturgie qui «coiffa» l'ancienne Congrégation des rites; le cardinal Döpfner, archevêque de Munich; Bavarois d'origine, il fut tout d'abord évêque de Berlin, se rendit célèbre par sa recherche de contacts avec les évêques polonais, qui anticipèrent sur l'échange ultérieur de lettres (1965) entre les épiscopats polonais et allemands. Par plaisanterie, on appelait ces trois hommes les «synoptiques», parce que le quatrième, le cardinal Agagianian, préfet du Ministère de la mission, se tenait, comme cardinal de la curie, un peu à l'écart. Il était Arménien et, comme Staline, né à Tiflis. Pourtant, Agagianian n'entra jamais en conflit avec les trois autres – précisément parce qu'il était Arménien.

Photographie de gauche, en haut :
Le présidium du concile – en avant, à droite, les quatre modérateurs – se composa d'abord de dix, puis de douze membres. Quelle fut donc leur tâche, après que la direction du concile eut été confiée aux modérateurs ? « Des potiches, rien d'autre que des potiches, pour compléter le tableau de l'assemblée », pensait le secrétaire cardinal Lercaro. Mais il se trompait. « Les présidents ont à aplanir les doutes et les difficultés qui peuvent surgir à propos de l'ordre du jour », dit le « regolamento ». Il en fut ainsi lorsque l'évêque Reuss (Allemagne) distribua des tracts et que Mgr Felici voulut l'en empêcher par la force.

Photographie de gauche, en bas :
Mgr Felici, secrétaire général très contesté du concile. Beaucoup le considéraient comme un intrigant, qu'il ne fut pas. C'était un conservateur, ce qui n'est pas la même chose. Parfois, il « interprétait » les désirs du pape dans son propre sens, ce qui mit Paul VI dans des situations difficiles. « On me reproche de trop parler. Vénérables pères, moi aussi je sais qu'on ne trouve Dieu que dans le silence. Mais je suis un fonctionnaire et, excusez-moi, à part quelques embellissements, je ne dis réellement que ce qui m'a été ordonné par l'autorité supérieure. »

Photographie de droite :
Les évêques entendirent pendant quatre heures chaque jour des monologues en langue latine. Pourtant, vers onze heures, fatigués d'écouter, ils étaient nombreux à se rendre dans un des deux bars de la basilique. Là commençait le dialogue autour d'une tasse de café express. Une

dame me disait au cours d'une réception : « Vous devez absolument voir ça. Chaque matin, une heure avant le début de la congrégation générale, des centaines d'évêques se confessent dans Saint-Pierre, là où les pénitents ont leur confessionnal. » Elle avait raison. « L'Eglise en marche » n'est pas une expression vide. Les pasteurs sont aussi des hommes – le vêtement solennel ne doit pas nous tromper là-dessus. Et ils nous l'accordent, ils ne nous le cachent pas. Tous ceux que cela intéresse peuvent le constater. Ils se confessent comme pécheurs, comme ayant toujours à nouveau besoin de s'amender.

Photographies à gauche, en haut et en bas:
Le diable était aussi au concile. «Parfois prêt à intervenir», disait un théologien allemand. Mais ce n'était pas toujours aussi facile de le reconnaître que sur la photo que voici: ce diable qui se tord sous le pied de saint Ignace de Loyola et qui, de fureur, se mord le doigt. Même des figures d'anges accompagnaient les travaux des évêques sous le dôme de Pierre. «N'ai-je pas dit: «Aucune condamnation dans le concile.» Naturellement, il y a de fausses doctrines et des opinions dangereuses. Mais les hommes d'aujourd'hui voient à leurs fruits la direction où elles conduisent. Et avant tout: ils ont appris par l'expérience que l'utilisation dc la contrainte et de la violence ne suffit pas à résoudre heureusement les difficiles problèmes qui les tracassent.» «L'Ange baroque», petit et nu, sembla incliner la tête avec satisfaction quand on rappela ces paroles de Jean XXIII. Là aussi les temps anciens et les temps nouveaux se trouvaient face à face.

Photographie de droite et double page suivante:
Les évêques – quoique au nombre de plus de deux mille, de toutes races et de toutes nations – ont réussi à instituer entre eux un dialogue qui ne dégénéra pas dans la manie d'avoir le dernier mot, qui ne provoqua aucune rupture, mais qui fut au contraire fructueux et qui, sans rejeter les liens qui les rattachaient à la tradition, dépassa en beaucoup de points des traditions séculaires. On ne peut que dire ceci: ils laissèrent tomber tous les masques et cherchèrent à se rencontrer en hommes et chrétiens véritables. Leurs conversations n'étaient pas un entrechoquement de systèmes, mais une rencontre authentique, et ils donnèrent ainsi un exemple d'unité – si insuffisant et lacuneux qu'il eût été – sur lequel il est facile d'ironiser, mais auquel personne ne peut refuser d'avoir fait surgir une unité comme il n'y en a pas ailleurs au monde.

Curie romaine – Espagne

Congo – Allemagne

Proche-Orient – France

France – Viet-nam

Curie romaine – Mexico

Indes – Etats-Unis

Tanzanie – Etats-Unis

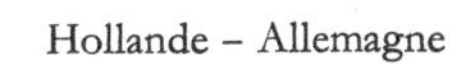

Hollande – Allemagne

Comment vivaient les évêques à Rome

Les cochers des vieux fiacres romains s'habituèrent peu à peu à l'aspect des nombreux cars pullman qui, chaque jour à midi, pendant toute la durée du concile, passaient devant eux, complètement remplis de robes violettes et de chemises de dentelle, bondés d'évêques. Les autobus transportaient les pères de la coupole de Pierre jusqu'à leurs logements. Pour un groupe d'Américains, c'était le Hilton, l'hôtel le plus distingué de Rome; pour un groupe d'évêques de l'Inde, un petit hôtel des faubourgs entièrement retenu par eux; et pour beaucoup d'autres, une modeste chambre d'étudiant dans une des nombreuses maisons de sœurs.

Evidemment, ils vivaient autrement que chez eux. Ils vivaient dans une ville qui est un mélange d'antique et de moderne. Rome voudrait être moderne et elle porte pourtant le fardeau de l'Histoire. C'est une ville de monuments. Presque chaque maison raconte un « souvenir ». C'est beau, précieux, et c'est pourtant d'une pesanteur inhibante. Elle est le lieu à la fois du relatif et de l'absolu. Mais chaque évêque apporte avec lui une tradition – une tradition divine qu'il n'a pas le droit de modifier et une tradition humaine dont il ne peut se séparer. Les voici tous maintenant arrachés à leur milieu et ils réfléchissent au sens que peut avoir pour l'Eglise le fait de procéder à l'« aggiornamento ». C'est le pape Jean qui a lancé au concile ce mot chatoyant. Ils ont le loisir d'y penser pendant que le moderne autobus les conduit dans la via della Conciliazione en dépassant l'antique fiacre où siègent les cochers qui bavardent et qui se demandent aussi combien de temps encore Rome maintiendra ce voisinage du fiacre et de l'automobile. Dans l'Eglise, qu'est-ce qui est auto, qu'est-ce qui est fiacre et qu'est-ce qui est patrimoine inaliénable ? On devrait être à la page et, en même temps, un homme véritable. Mais là, on s'empêtre déjà dans les habits ecclésiastiques du triomphalisme. Il faut supporter avec sérénité la pluie et le vent des tempêtes. Une jeune fille tout à fait moderne ne peut-elle être aussi une chrétienne authentique ? Les murs doivent-ils tomber, qui font apparaître un évêque comme un demi-dieu ? Ne doit-il pas être accessible aux jeunes et aux vieux et ne pas inscrire son nom seulement sous des documents solennels ? Ainsi naquit la devise : « Chercher l'homme là où il est réellement. »

OGGETTI SACR
RICORDI DI ROMA

De nombreux évêques protestèrent en vain contre l'obligation de porter chaque jour le vêtement solennel réglementaire pendant l'assemblée générale quotidienne (congrégation générale). On en serait presque venu un jour à une bataille dans la perspective du mouvement contre le triomphalisme. Mais Jean XXIII y mit bon ordre. On se soumit, et le temps veilla à ce que les choses ne fussent pas trop «solennelles»: un vent frais souffla sur les têtes de l'Eglise.

Photographie de gauche :
L'église de Saint-Pierre ne comportait pas de pièce où l'on pût se vêtir et se dévêtir. Il ne restait donc rien d'autre à faire que de monter tout habillé des «ornements de guerre» dans un des autobus à l'attente – ou bien de s'extraire de la parure solennelle sur l'emplacement des voitures, dans l'arc des colonnades.

Photographie de droite :
Parfois, ils allaient au concile à neuf heures, par un soleil encore rayonnant, pour le quitter vers treize heures par une pluie battante. Il y eut là de très étonnantes transpositions de l'ancienne parabole des Vierges sages et des Vierges folles : au lieu de l'huile pour les lampes, les manteaux de pluie.

Photographie de gauche :
Les évêques eux-mêmes se soumettent «au signe de l'époque». Le soir, ils se rencontraient en de nombreux endroits pour des entretiens privés: c'étaient les «parties» du concile. Souvent, elles se combinaient avec la conférence d'un grand théologien sur un thème conciliaire. «On» devait l'écouter, parce que de nombreux évêques, en «régnant», avaient négligé la théologie proprement dite – et la théologie s'était rapidement développée. Après la conférence, il y avait une collation en des maisons hospitalières – comme ici, au Foyer Unitas de la piazza Navona, qui était tenu par les pieuses «dames de Béthanie». Les pieuses dames sont très modernes – même dans leur vêture. Ce qui réjouit les jeunes, mais étonne quelques anciens. Autres temps...

Photographie de droite :
On vécut pourtant l'essentiel quand la conversation commença en petit comité, par exemple sous la fumée d'un cigare qui emplissait toute la pièce. Au demeurant, les Néerlandais reconnaissaient beaucoup plus facilement leur cardinal Alfrink quand il n'était pas reconnaissable – c'est-à-dire derrière la fumée de son cigare. Il était alors tout humain, et ils savaient qu'il les défendrait si quelqu'un s'avisait de les attaquer, comme le fit dans la dernière session une presse italienne dirigée. «Ce n'est pas parce qu'ils seraient sans Dieu que les catholiques néerlandais sont à la recherche de nouvelles explications, mais parce que pour eux ce sont des questions vitales. Aucun peuple au monde ne fréquente aussi assidûment la table du Seigneur.»

Aussi loin que vont les colonnades, la place Saint-Pierre tout entière était barrée et gardée par des barricades de bois – pendant et après les congrégations générales – jusqu'à ce que tous les évêques – en autobus, en voiture privée, en taxi ou à pied – eussent quitté l'«Etat du Vatican». Seuls des papiers spéciaux de légitimation pour «des personnes particulières» comme des chauffeurs d'automobile ou des théologiens – évêques ou secrétaires d'évêques permettaient de franchir les barrages. Mais quand un évêque (comme ici le Suisse Hasler) traversait la barrière à pied, c'en était fait de lui. Comme une vedette de cinéma ou un champion de boxe, il était entouré d'une jeunesse qui chassait les autographes; il s'agissait surtout d'écoles et de pensionnats, qui avaient attendu à la barrière à partir de midi pour assister à la sortie. «Hélas! me disait un Américain, il n'y a rien là-dessus dans le *Baedeker.*» Mais les écoles étaient tout de même au courant et les évêques trouvèrent des contacts d'une immédiateté qui n'eût simplement pas été possible dans leur diocèse.

Message des pères conciliaires au monde

(le 20 octobre 1962, première session)

A tous les hommes et à toutes les nations, nous aimerions adresser le message du salut, de l'amour et de la paix que Jésus-Christ, le fils du Dieu vivant, a apporté au monde et qu'il a confié à l'Eglise. Pour cette raison, nous nous sommes rassemblés ici sur le désir du Saint-Père, le pape Jean XXIII, nous, les successeurs des apôtres, en prière et harmonieusement unis avec Marie, la mère du Seigneur, nous qui formons un corps apostolique uni, dont la tête est le successeur de Pierre.

Que la face du Christ soit visible à tous les peuples

Dans cette assemblée, sous la conduite de l'Esprit saint, nous voulons chercher les voies de l'esprit pour nous renouveler nous-mêmes, pour nous trouver de plus en plus «fidèles à l'Evangile du Christ». Nous nous appliquerons à présenter aux hommes de ce temps la vérité de Dieu dans son intégrité et dans sa pureté, de telle sorte qu'elle leur soit intelligible et qu'ils y adhèrent de bon cœur.
Conscients de notre fonction de pasteurs, nous voulons répondre aux besoins de tous ceux qui recherchent Dieu afin de l'atteindre et de le trouver; aussi bien, n'est-il pas loin de chacun de nous (Actes 17:27).
Fidèles à la mission du Christ, qui se livra lui-même à la mort, pour se donner, à lui le Seigneur, une Eglise sans tache et sans ride: car «elle devait être resplendissante et sans tache» (Eph. 5:27), nous consacrons toutes nos forces, toutes nos pensées à nous renouveler nous-mêmes ainsi que tous les fidèles qui nous sont confiés, de façon qu'à tous les peuples apparaisse visiblement le doux visage de Jésus-Christ, qui brille dans nos cœurs comme un reflet de la sublimité de Dieu (cf. II Cor. 7:6).

L'Eglise est née pour servir

Nous croyons que le Père a tant aimé le monde qu'il lui a sacrifié son fils unique pour sa délivrance. Par ce fils qui est le sien, il nous a délivrés de l'esclavage des péchés. «Par lui, il a réconcilié tous les êtres en faisant la paix par le sang de sa croix» (Col. 1:20), si bien que «nous avons été appelés et nous sommes enfants de Dieu» (I Jean 3:1).
En outre, l'Esprit nous a été donné par le Père, pour vivre la vie de Dieu, aimer Dieu et nos frères, car nous sommes tous un dans le Christ.
Mais bien loin de nous détourner de nos tâches terrestres, notre adhésion au Christ dans la foi, l'espérance et l'amour nous engage entièrement au service de nos frères, à l'exemple de notre Maître divin qui «n'est pas venu pour être servi, mais pour servir» (Mat. 20:25).
C'est pourquoi aussi l'Eglise n'est pas faite pour dominer, mais pour servir. «Il a donné sa vie pour nous. Nous devons donc à notre tour livrer notre vie pour nos frères» (I Jean 3:16).
Comme nous espérons maintenant que, par les travaux du concile, la lumière de la foi brillera plus claire et plus forte, nous attendons un

renouveau spirituel. Puissent d'heureuses initiatives en jaillir pour l'encouragement des valeurs humaines: pour les conquêtes de la science, pour le progrès de la technique et une vaste extension de la culture.

La dignité de l'homme est sa prière

Nous apportons avec nous, de toutes les parties de la terre, les détresses matérielles et spirituelles, les souffrances et les aspirations des peuples qui nous sont confiés. Toute l'angoisse de la vie, qui tourmente les hommes, brûle dans notre âme. C'est pourquoi notre premier souci veut s'étendre aux plus humbles, aux plus pauvres, aux plus faibles. Comme le Christ, nous nous sentons émus de compassion à la vue de ces foules qui souffrent de la faim, de la misère, de l'ignorance. Nous nous sentons solidaires de tous ceux qui, faute d'une entraide suffisante, n'ont pu encore parvenir à un développement vraiment humain. Aussi, dans nos travaux, donnerons-nous une part importante à tous ces problèmes terrestres qui touchent à la dignité de l'homme et à une authentique communauté des peuples. L'amour du Christ nous presse (II Cor. 5:14): car «Si quelqu'un voit son frère dans le besoin et lui ferme son cœur, comment l'amour de Dieu serait-il en lui?» (I Jean 3:17).
Le pape Jean XXIII, dans son message radiophonique du 11 septembre 1962, a insisté particulièrement sur deux points.
Premièrement: le problème de la *paix entre les peuples*. Qui n'a point en horreur la guerre? Qui n'aspire à la paix de toutes ses forces? L'Eglise aussi, plus que personne, parce qu'elle est la mère de tous. Par la voix des papes, elle ne cesse de proclamer son amour de la paix, sa volonté de paix, sa collaboration loyale à tout effort sincère en faveur de la paix. Elle travaille de toutes ses forces au rapprochement des peuples, à leur compréhension et à leur estime réciproques.
Notre concile n'est-il pas lui-même le témoignage vivant, le signe visible d'une communauté d'amour fraternel à travers la diversité des races, des nations et des langues? Nous affirmons l'unité fraternelle des hommes par-dessus les frontières et les civilisations.
Secondement: le Saint-Père rappelle les exigences de la justice sociale. La doctrine présentée dans l'encyclique «Mater et magistra» montre à l'évidence que l'Eglise est plus que jamais nécessaire au monde moderne pour dénoncer les injustices et les inégalités criantes, pour restaurer la vraie hiérarchie des valeurs, rendre la vie plus humaine et plus conforme aux principes de l'Evangile.

En quoi met-elle sa confiance?

Nous ne possédons ni richesses humaines ni puissance terrestre, mais nous mettons notre confiance en la force de l'Esprit de Dieu, que notre Seigneur Jésus-Christ a promis à l'Eglise. C'est pourquoi nous en appelons non seulement à nos frères que nous servons comme pasteurs, mais aussi à tous ces frères qui croient en Christ, ainsi qu'à tous les autres hommes de bonne volonté que Dieu «veut sauver et faire parvenir à la connaissance de la vérité» (I Tim. 2:4), en toute humilité, mais aussi avec la plus grande insistance, pour qu'avec nous ils se mettent à l'œuvre, afin de construire dans ce monde une société et un ordre humain plus sains et plus fraternels. C'est en effet un décret de Dieu, que par l'amour, dans une première lueur, ici-bas sur la terre, apparaisse le Royaume de Dieu, comme une lumière cachée de l'éternel Royaume de Dieu.
Au cœur de ce monde, très éloignés de la paix désirée, menacés par un progrès des sciences, admirable en soi mais pas toujours orienté par une plus haute loi morale, nous prions pour que la lumière d'une grande espérance rayonne sur Jésus-Christ, notre unique Sauveur.

Le peuple de Dieu

(Constitution sur l'Eglise, chapitre 2, paragraphes 9, 10, 12)

A toute époque et en toute nation, Dieu a tenu pour agréable quiconque le craint et pratique la justice (cf. Actes 10:35). Cependant, le bon vouloir de Dieu a été que les hommes ne reçoivent pas la sanctification et le salut séparément, hors de tout lien mutuel; il a voulu, au contraire, en faire un peuple qui le connaîtrait selon la vérité et le servirait dans la sainteté. C'est pourquoi il s'est choisi Israël pour être son peuple avec qui il a fait alliance et qu'il a progressivement instruit, se manifestant, lui-même et son dessein, dans l'histoire de ce peuple et se l'attachant dans la sainteté. Tout cela cependant n'était que pour préparer et figurer l'alliance nouvelle et parfaite qui serait conclue dans le Christ, et la révélation plus totale qui serait apportée par le Verbe de Dieu lui-même, fait chair. «Voici venir des jours, dit le Seigneur, où je conclurai avec la maison d'Israël et la maison de Juda une alliance nouvelle... Je mettrai ma loi au fond de leur être et je l'écrirai sur leur cœur. Alors je serai leur Dieu et eux seront mon peuple. Tous me connaîtront, du plus petit jusqu'au plus grand, dit le Seigneur» (Jér. 31:31-34). Cette alliance nouvelle, le Christ l'a instituée. C'est la nouvelle alliance dans son sang (cf. I Cor. 11:25); il appelle la foule des hommes de parmi les juifs et de parmi les gentils, pour former un tout non selon la chair mais dans l'Esprit et devenir le nouveau peuple de Dieu. Ceux, en effet, qui croient au Christ, qui sont «renés» non d'un germe corruptible mais du germe incorruptible qui est la Parole du Dieu vivant (cf. I Pierre 1:23), non de la chair mais de l'eau et de l'Esprit saint (cf. Jean 3:5-6), ceux-là deviennent ainsi finalement «une race élue, un sacerdoce royal, une nation sainte, un peuple que Dieu s'est acquis, ceux qui autrefois n'étaient pas un peuple étant maintenant le peuple de Dieu» (I Pierre 2:9-10).
Ce peuple messianique a pour chef le Christ, «livré pour nos péchés, ressuscité pour notre justification» (Rom. 4:25), possesseur désormais du nom qui est au-dessus de tout nom et glorieusement régnant dans les cieux. La condition de ce peuple, c'est la dignité et la liberté des fils de Dieu, dans le cœur de qui, comme dans un temple, habite l'Esprit saint. La loi, c'est le commandement nouveau d'aimer comme le Christ lui-même nous a aimés (cf. Jean 13:34). Sa destinée enfin, c'est le royaume de Dieu, inauguré sur la terre par Dieu même, qui doit se dilater encore plus loin jusqu'à ce que, à la fin des siècles, il reçoive enfin de Dieu son achèvement, lorsque le Christ, notre vie, sera apparu (cf. Col. 3:4) et que «la création elle-même sera affranchie de l'escla-

vage de la corruption pour connaître la glorieuse liberté des enfants de Dieu» (Rom. 8:21). C'est pourquoi ce peuple messianique, bien qu'il ne comprenne pas encore effectivement l'universalité des hommes et qu'il garde souvent les apparences d'un petit troupeau, constitue cependant pour tout l'ensemble du genre humain le germe le plus fort d'unité, d'espérance et de salut. Etabli par le Christ pour communier à la vie, à la charité et à la vérité, il est entre ses mains l'instrument de la rédemption de tous les hommes, il est envoyé au monde entier comme lumière du monde et sel de la terre (cf. Mat. 5:13-16).

Et de même que l'Israël selon la chair cheminant dans le désert reçoit déjà le nom d'Assemblée de Dieu (II Esdras 13:1; cf. Nomb. 20:4; Deut. 23:1), ainsi le nouvel Israël qui s'avance dans le siècle présent en quête de la cité future, celle-là permanente (cf. Héb. 13:14), est appelé lui aussi l'Eglise du Christ (cf. Mat. 16:18): c'est le Christ, en effet, qui l'a acheté de son sang (cf. Actes 20:28), empli de son Esprit et pourvu des moyens adaptés pour son unité visible et sociale. L'ensemble de ceux qui regardent avec la foi vers Jésus, auteur du salut, principe d'unité et de paix, Dieu les a appelés, il en a fait son Eglise, pour qu'elle soit, aux yeux de tous et de chacun, le sacrement visible de cette unité qui apporte le salut. Destinée à s'étendre à toutes les parties du monde, elle prend place dans l'histoire humaine, bien qu'elle soit en même temps transcendante aux limites des peuples dans le temps et dans l'espace. Marchant à travers les tentations, les tribulations, l'Eglise est soutenue par la vertu de la grâce de Dieu, à elle promise par le Seigneur pour que, du fait de son infirmité charnelle, elle ne défaille pas à la perfection de sa fidélité mais reste la digne Epouse de son Seigneur, se renouvelant sans cesse sous l'action de l'Esprit saint jusqu'à ce que, par la croix, elle arrive à la lumière sans couchant.

Christ, le Seigneur, prêtre pris d'entre les hommes (cf. Héb. 5:1-5), a fait du peuple nouveau «un royaume, des prêtres pour son Dieu et Père» (cf. Apoc. 1:6; 5:9-10). Les baptisés, en effet, par la régénération et l'onction du Saint-Esprit, sont consacrés pour être une demeure spirituelle et un saint sacerdoce, de façon à offrir, par le moyen des activités du chrétien, autant de sacrifices spirituels, en proclamant les merveilles de celui qui des ténèbres les a appelés à son admirable lumière (cf. I Pierre 2:4-10). C'est pourquoi tous les disciples du Christ, persévérant dans la prière et la louange de Dieu (cf. Actes 2: 42-47), doivent s'offrir en victimes vivantes, saintes, agréables à Dieu (cf. Rom. 12:1), rendre au Christ leur témoignage sur toute la surface de la terre, et rendre compte, à tous ceux qui le demandent, de l'espérance qui est en eux d'une vie éternelle.

Le peuple saint de Dieu participe aussi à la fonction prophétique du Christ: il répand son vivant témoignage avant tout par une vie de foi et de charité, il offre à Dieu un sacrifice de louange, le fruit des lèvres qui célèbrent son nom (cf. Héb. 13:15). La collectivité des fidèles, ayant l'onction qui vient du Saint (cf. I Jean 2:20 et 27), ne peut se tromper dans la foi; ce don particulier qu'elle possède, elle le manifeste moyennant le sens surnaturel de foi qui est celui du peuple tout entier, lorsque «des évêques jusqu'aux derniers des fidèles laïcs» elle apporte aux vérités concernant la foi et les mœurs un consentement universel. Grâce en effet à ce sens de la foi qui est éveillé et soutenu par l'Esprit de vérité, et sous la conduite du magistère sacré, qui permet, si on lui obéit fidèlement, de recevoir non plus une parole humaine mais véritablement la parole de Dieu (cf. I Thess. 2:13), le peuple de Dieu s'attache indéfectiblement à la foi transmise aux saints une fois pour toutes (cf. Jude 3), il y pénètre plus profondément en l'interprétant comme il faut et la met plus parfaitement en œuvre dans sa vie.

Le caractère eschatologique de l'Eglise en marche et son union avec l'Eglise du Ciel

L'Eglise à laquelle nous sommes tous appelés dans le Christ, et dans laquelle nous acquérons la sainteté par la grâce de Dieu, n'aura sa consommation que dans la gloire céleste, lorsque viendra le temps où toutes choses seront renouvelées (Actes 31) et que, avec le genre humain, tout l'univers lui-même, intimement uni avec l'homme et atteignant par lui sa destinée, trouvera dans le Christ sa définitive perfection (cf. Eph. 1:10; Col. 1:20; II Pierre 3:10-13). Le Christ élevé de terre a tiré à lui tous les hommes (cf. Jean 12:32 grec), ressuscité d'entre les morts (cf. Rom. 6:9); il a envoyé sur ses apôtres son esprit de vie et a constitué par lui son corps, qui est l'Eglise, comme le sacrement universel du salut; assis à la droite du Père, il exerce continuellement son action dans le monde pour conduire les hommes vers l'Eglise, se les unir par elle plus étroitement et leur faire part de sa vie glorieuse en leur donnant pour nourriture son propre corps et son sang. La nouvelle condition promise et espérée a déjà reçu dans le Christ son premier commencement, l'envoi du Saint-Esprit lui a donné son élan et par lui elle se continue dans l'Eglise où la foi nous instruit même sur la signification de notre vie temporelle dès lors que nous menons à bonne fin, avec l'espérance des biens futurs, la tâche qui nous a été confiée par le Père dans le monde et que nous faisons ainsi notre salut (cf. Phil. 2:12). Ainsi donc, les derniers temps sont arrivés pour nous (cf. I Cor. 10:11). Le renouvellement du monde est irrévocablement acquis et, en toute réalité, anticipé dès maintenant: en effet, déjà sur la terre l'Eglise est parée d'une sainteté encore imparfaite mais véritable. Cependant, jusqu'à l'heure où seront réalisés les nouveaux cieux et la nouvelle terre où la justice habite (cf. II Pierre 3:13), l'Eglise en pèlerinage porte dans ses sacrements et ses institutions, qui relèvent de la figure du siècle qui passe, elle vit elle-même parmi les créatures qui gémissent présentement encore dans les douleurs de l'enfantement et attendent la manifestation des fils de Dieu (cf. Rom. 8:22 et 19).

Renouvellement interne

A l'époque de l'athéisme

Le Dieu qui règne sur l'homme
devient en nous un Dieu agissant

La Révélation
est l'instrument du salut

Dessin : Dans l'aula du concile

Sur cette assemblée ne doit briller qu'une seule lumière, celle du Christ, qui est la lumière du monde; aucune vérité ne doit intéresser notre esprit, hormis les paroles du Seigneur, notre Maître unique; aucune confiance ne doit nous soutenir, hormis sa Parole, qui nous rend forts.
(Paul VI.)

Rentré chez moi, je constatai chez des théologiens, chez des auteurs qu'on lit beaucoup aujourd'hui, une certaine déception à l'égard du concile. Leur critique visait le centre même, le tréfonds du christianisme: Dieu. Ils disaient: «La question caractéristique de l'homme d'aujourd'hui – et même du chrétien et du catholique – est la question que l'on se pose au sujet de Dieu, sans lequel toute «Eglise» perd sa raison d'être.»
Avons-nous donc encore besoin d'un dieu? N'est-il pas une exigence des Temps anciens, de l'époque où presque à chaque instant de l'existence on affrontait un monde de mystères? Une seule réponse s'imposait: Dieu. Ce fut autrefois ainsi; cela fut peut-être toujours ainsi. Mais aujourd'hui, il en est autrement. Pour la première fois dans l'histoire de l'humanité, nous n'avons plus besoin de Dieu pour maîtriser la vie. Au fond, il ne fait que déranger. Nombreux sont ceux qui tiennent à lui: par habitude, par une certaine paresse d'esprit, parce qu'on le considère comme une planche de salut dans des situations désespérées, autrement dit dans des cas limites! Peut-être aussi pour un motif de convenance sociale, parce que même aujourd'hui il sied encore de croire à un dieu. Mais au fond, ce dieu est mort depuis longtemps, et peu à peu on sera forcé de constater l'évidence, à savoir qu'on ne le hait plus et qu'on ne l'aime plus, puisqu'il est devenu indifférent de connaître s'il existe ou non, qu'il n'était qu'une construction utile permettant aux hommes une vie commune honnête et décente. Il est hors de doute que le monde d'aujourd'hui est recouvert par cette vague d'éloignement de Dieu. Le concile devait donc s'en occuper. Il devait traiter la question: «Qu'est-ce que Dieu signifie encore aujourd'hui?» «Or, disaient les théologiens que je viens de mentionner, c'est de cela précisément que le concile n'a pas parlé.» Aucun des décrets conciliaires ne porte le titre «Sur Dieu». La question mérite d'être considérée: à lire l'allocution du pape Paul VI du 7 décembre 1965, on voit que ce reproche est déjà venu jusqu'à lui, probablement par le canal de la Curie romaine: «On dira que le concile s'est peu occupé de vérités divines, mais qu'il s'est occupé d'autant plus de considérations sur l'Eglise, sa nature, sa structure, sa tâche œcuménique, son activité apostolique et missionnaire... C'est exact.»
On pourrait donc se contenter de ces deux petits mots tout secs et dire: c'est se faire une idée fausse d'un concile que de penser qu'il a l'obligation de s'exprimer sur tout ce qui est important à l'heure actuelle; contentons-nous de ce qu'il s'est pour le moins saisi des questions les plus importantes, à propos desquelles un changement s'avérait nécessaire. Une telle réponse ne serait pourtant pas satisfaisante. Y a-t-il pour une Eglise une question plus importante que la question de Dieu et y a-t-il pour elle quelque chose de plus important que de changer la forme de la proclamation de Dieu, quand la manière de l'exposer n'est plus «efficace»? L'objection est très sérieuse.

L'époque de l'athéisme

Il ne peut aussi être fait abstraction du fait que l'on dit à peu près ceci: le concile a traité le problème de l'athéisme, aussi bien dans la troisième que dans la quatrième session. Les principaux orateurs se sont exprimés à ce sujet, tels les cardinaux Meyer, des Etats-

Unis, Silva Henriquez, du Chili, König, d'Autriche, Alfrink, des Pays-Bas, Seper, de Yougoslavie, l'archevêque de Cracovie Wojtila, l'évêque allemand Spülbeck de Meissen, pour ne citer seulement qu'un petit nombre de noms parmi les plus importants. Leur but n'était pas de prononcer un anathème contre l'athéisme. Bien entendu, l'Eglise récuse l'athéisme. Ce qui les préoccupait plutôt, c'est le langage à utiliser aujourd'hui pour parler de Dieu aux hommes, de façon qu'il ne leur apparaisse pas comme chose accessoire, dont on peut se passer. Ils se demandaient si le témoignage que délivre l'Eglise sur Dieu dans leur vie ne serait pas insuffisant, et par conséquent si ce n'était pas elle-même, du moins en partie, qui serait responsable de ce que souvent les hommes d'aujourd'hui ne trouvent pas le chemin de Dieu. «N'oublions pas, s'écria l'évêque de Metz, que pour la première fois nous avons à proclamer la parole de Dieu à une époque d'athéisme.»

A la suite de quoi trois paragraphes – il n'y en avait originairement aucun – furent introduits dans la constitution pastorale sur l'Eglise dans le monde présent, trois paragraphes qui ne concernent que cette question, et l'on dit volontiers, et à juste titre, qu'ils sont la partie la mieux réussie de toute la constitution. La commission spéciale qui les a élaborés avait pour présidents les cardinaux König et Seper, et, à côté des évêques Aufderbeck (Fulda), Kominek (Breslau) et du Tchèque Hnilica, figuraient aussi – et «enfin» – des théologiens de premier ordre comme le Père de Lubac S.J., le Père Danielou S.J. et le Salésien Miano, secrétaire du Secrétariat pour les incroyants, tous des spécialistes véritables. Les théologiens avisés et bougonnants que je retrouvais dans mon pays, qui écrivent sur le chemin transcendantal vers Dieu, sur le chrétien inconscient et «anonyme», et qui cherchent dans l'homme d'aujourd'hui les points d'application qui pourraient être utilisés pour une sorte de théologie fondamentale qui serait comme un vestibule de la foi – ceux-là donc se trompent quand ils pensent que leurs grandes questions, au concile, étaient «tabou». Elles ne l'étaient pas.

Et tout de même ! Qu'est-ce que trois petits paragraphes dans un concile qui comporte quatre sessions ; trois petits paragraphes pour traiter précisément du grand problème, à côté de centaines d'autres, et souvent fort bavards ! Je conviens que la réponse ne suffit pas.

Mais on peut répliquer d'une manière plus profonde et meilleure. Si je cherche à le faire, ce n'est pas dans une intention apologétique, car il est tout à fait possible qu'un concile passe à côté d'une question, et même de la question décisive. Ce serait une insuffisance humaine, voire même une démission. Nous devrions le reconnaître après coup, avec humilité et modestie. Personne ne prétendra sérieusement que ce concile a été le meilleur des conciles imaginables. Toutefois, il m'apparaît que le problème de Dieu et des «choses divines», ainsi que s'exprime le pape Paul VI, n'a nullement été traité en passant, comme on pourrait le croire de prime abord. Il est vrai que cela se produisit en dépit du programme et seulement grâce à l'embarras de certains milieux.

Je n'ai rien contre une stratégie pastorale fondée sur la théologie ! Nous en avons plus que jamais besoin, au temps de la «planification», et nous n'y sommes que trop peu enclins, à une époque où chaque évêque, et même chaque prêtre, tend à «réussir», dans la mesure de ses moyens. Voilà qui est déjà une lourde faute, sans aucun doute.

Mais un tel défaut peut être une occasion de mieux reconnaître *la main de Dieu*. Surtout lorsque, malgré une absence manifeste de planification, il se produit cependant quelque chose que seul un génial planificateur aurait pu trouver. Tel fut précisément le cas. Je pense au premier thème traité par le concile.

La constitution de la sainte liturgie

C'était un des sept projets du commencement du concile, que la Commission centrale préparatoire avait soumis à tous les évêques. A proprement parler, c'était le cinquième projet, car quatre schémas pour les constitutions dogmatiques l'avaient précédé. Il eût mieux valu commencer par eux, car, vis-à-vis d'eux, les trois derniers se comportaient, certes, comme des pions dans un jeu d'échecs. Naturellement, l'entourage du cardinal Ottaviani poussait dans cette direction. Toutes les requêtes de «la plus haute» congrégation pour le maintien de la pureté de la foi furent ici passées en revue – dans un ordre systématique. Tous les dangers furent soigneusement notés. Le ton à prédominance négative se sentait déjà dans les titres: «Maintien de la pureté», «Ordre moral», «Chasteté»; et suivaient aussi les catalogues des condamnations.

Ces textes ne réjouissaient pas les évêques. Ils leur paraissaient contenir la condamnation à mort du concile. Non pas que tous les énoncés fussent inexacts! Très certainement non, abstraction faite toutefois de quelques points importants sur lesquels on pouvait même encore discuter. Mais la pensée qui s'y trouvait incluse voyait toutes choses *juridiquement*, *analytiquement*; quand on en venait à la pratique, les énoncés étaient le plus souvent *négatifs*. Le patriarche Maximos IV d'Antioche a exprimé cela plus tard en disant: «Je crois que tout ce qui est dit là est exact, mais la vérité n'y est pas.»

Le pape Jean XXIII, lui aussi, avait lu les textes; lui non plus n'en était pas content. Il ne voulut pas intervenir directement. Le motif de son silence n'était pas, comme plusieurs journaux l'écrivirent, qu'il fallait considérer le concile comme une période de «folie en liberté». Concile n'est pas synonyme de carnaval – mais pas non plus de dictature ni de ligne du parti, ni de férule de grammairien. Il choisit donc une méthode indirecte et prononça le fameux discours d'introduction qui excluait, «pour cette fois», toute condamnation et toute *répétition* d'énoncés antérieurs, et qui, d'une manière générale, mettait en garde contre les «questions de détail» de nature théologique. Il fallait dégager l'*essence* positive de la vie chrétienne selon une méthode adaptée à l'homme d'aujourd'hui. En faisant l'analyse du discours du pape, on avait le plus souvent trop peu remarqué ce dernier point, qui était tout de même le plus important, et qui comporte une double signification: premièrement que Dieu, dans sa révélation aux hommes, n'est pas seulement un Dieu de la Parole, mais aussi, et même avant tout un Dieu agissant. C'est ce que les juifs appelaient le Dieu «vivant». Il est donc plus que le «Dieu des philosophes» que ces derniers, en réfléchissant sur la nature des choses, interprètent comme éternel, immuable, infini. Le Dieu des chrétiens est celui qui s'intéresse sans cesse activement aux hommes, jusqu'à devenir un homme, en Jésus-Christ. Voilà qui est au premier chef un événement, et cet événement se continue dans la vie de l'Eglise. Elle est la communauté des «vivants», de ceux d'entre eux qui portent en soi la vie du Christ. Cela aussi est un événement, ou la continuation de Dieu dans l'humanité. Secondement, il me semble que cette conception de Dieu est un point de départ pour l'homme d'aujourd'hui, qui est tellement axé sur «ce qui se passe». Mais où «se passe» l'action de Dieu sur les hommes, sinon principalement là où un événement public, tombant sous le sens, se produit, c'est-à-dire précisément dans la liturgie: le culte public divin dans l'Eglise... On est très frappé, quand on lit la constitution sur la liturgie, de voir que cette liturgie n'y est pas considérée en premier lieu en tant qu'adoration de Dieu. Elle situe au premier plan l'action de Dieu sur les hommes: il les change, dans la liturgie il «*construit* sans cesse son Eglise et nourrit leur vie au cours de l'Histoire» jusqu'à la plénitude des temps. C'est donc ici que l'Histoire se fait.

Dieu est de bonne foi

Il y a quelques années, l'évêque anglican de Woolwich, Robinson, écrivit un livre intitulé HONEST TO GOD (Dieu est autre). Il eut un invraisemblable succès sur le marché du livre, et précisément parce que l'évêque y déclare que le Dieu annoncé aujourd'hui par les Eglises chrétiennes est un Dieu qui est «au-dessus» et «en dehors» de nous. Il n'intervient pas dans les événements réels, il ne change rien à la vie, laquelle pourrait sans lui tout aussi bien suivre son cours. Mais, dit l'évêque, Dieu n'est pas ainsi! Pourtant, l'Eglise elle-même contribue en partie à donner cette impression, à cause de la liturgie qui a été jusqu'ici la sienne. Cela ne sert donc naturellement à rien d'«affirmer» seulement que Dieu agit sur les hommes, quand les hommes ne sont pas en mesure de l'éprouver, parce qu'on leur présente des gestes et des rites qui leur sont incompréhensibles, qui en tout cas ne leur parlent pas d'une manière spontanée et vivante. La constitution de la liturgie concerne précisément la vague d'athéisme dont j'ai déjà parlé et qui intéresse aussi Robinson (nous n'aborderons pas ici les points de vue étroits et les propos aigres qui se trouvent dans son livre): «Dieu est autre chose» que ce que vous croyez, «Dieu est avec nous», Dieu est «événement» et pas seulement au passé, mais un événement qui se produit aujourd'hui, ici et maintenant! Voilà ce que la liturgie veut de nouveau montrer d'une façon vivante aux yeux des hommes d'aujourd'hui, ce dont elle veut qu'ils reprennent conscience. Et l'on osera dire que le concile n'a pas parlé de Dieu!
Assurément, cette constitution devient ainsi un énoncé hautement dogmatique, même si le mot «dogmatique» ne lui a pas été attribué. On ne le fit pas, parce que tout cela n'est pas formulé au moyen de définitions abstraites, mais plutôt par des explications et des descriptions. Il est vrai que la constitution contient un premier chapitre sur des principes généraux qui traitent en premier lieu de l'«essence de la sainte liturgie et sa signification pour la vie de l'Eglise». Tout y figure concernant

l'action de Dieu sur l'homme, les effets de cette action dans la vie quotidienne, concernant le peuple de Dieu, la fonction sacerdotale universelle, si longtemps et honteusement laissée de côté, et qui est la condition préalable pour l'exercice de la fonction de prêtre, bref: toute cette conception de Dieu essentielle et propre au christianisme, qui répond aux préoccupations d'aujourd'hui mais qui n'était que difficilement perceptible dans la formulation liturgique d'hier. Mais, ce qui est très significatif, c'est que ces énoncés plutôt théoriques ne figuraient pas du tout, originellement, dans le schéma! Ils ne furent élaborés, par une commission spéciale, qu'à la *fin* de la période préparatoire, pour expliquer à tous le sens et le but de toutes les dispositions et suggestions particulières.

Histoire du mouvement liturgique

Mais d'où vinrent les dispositions particulières? Eh bien! elles ont elles-mêmes une longue histoire, qui remonte jusqu'au pape Pie X, si particulièrement soucieux de charge d'âmes. Il s'agit, comme pour l'œcuménisme, d'un «mouvement» à l'intérieur de l'Eglise, qui s'est développé à partir de la pratique de la charge des âmes et qui a connu, il est vrai, des crises et des détours; il courut un certain temps le danger de devenir la seule affaire de certains «élus»; il fut menacé par l'esthétisme et la mise en œuvre très raffinée de l'idée étroite selon laquelle «il suffit de louer Dieu». Il se détachait en même temps de la vie réelle et en arrivait presque à protester consciemment contre celle-ci. Mais ce courant, surtout après la seconde guerre mondiale, rentra dans son lit et devint un mouvement universel. Peut-être ne convenait-il pas tout à fait au style personnel de Pie XII, mais ce dernier était trop intelligent et trop pieux pour ne pas y reconnaître l'action du Saint-Esprit. Par ses circulaires sur la liturgie: MYSTICI CORPORIS (1943) et MEDIATOR DEI (1947), il le reconnut officiellement et solennellement. Bien plus, il donna des preuves nombreuses de cette reconnaissance, témoin les nouvelles réglementations de certains actes liturgiques, dont voici la liste: fête de la nuit de Pâques, liturgie des semaines saintes, autorisation des messes du soir, allégement des prescriptions pour le jeûne eucharistique, publication de nouveaux rituels accordant une place plus grande à la langue vernaculaire, nouvelle traduction de psaumes, commencement d'une réforme du bréviaire.

Que tout cela fût encore envahi par la manie de «rubriquer», cela ne doit étonner personne. Avec amour et zèle, les membres de la congrégation des rites ont tissé la tapisserie des rubriques. Elle devait être toujours plus belle et harmonieusement concertée jusqu'en ses moindres recoins. Aucun être humain ne peut plus faire tenir tout cela dans sa tête; la masse des prescriptions particulières empêchait plus qu'elle ne favorisait la relation vraie du cœur avec Dieu; il y avait là un chef-d'œuvre de l'art qui, précisément, demeurait étranger aux hommes d'aujourd'hui, abstraction faite d'une mince couche d'éléments de culture; son caractère rayonnant, missionnaire, s'y perdait de plus en plus; mais de tout cela les rubriqueurs n'avaient cure. L'œuvre «belle en soi» – comme une tapisserie intemporellement parfaite – au lieu de la présence de Dieu! Mais on ne voyait de plus en plus en Dieu que celui qu'on adore, et de moins en moins le Dieu agissant, efficace, de l'histoire du salut. Le vêtement rigide dans lequel il était engoncé laissait supposer qu'il était lui-même complètement immobile, présent certes mais également inactif. Naturellement, tout n'est pas absolument faux dans ce mouvement des rubriqueurs. Mais, tout d'abord, il ne peut se dépasser lui-même qu'en inventant toujours de nouveaux détails. Ensuite, la contemplation du Dieu, qui n'est que présent mais tout à fait immuable, n'est pourtant qu'un *aspect* de l'image chrétienne de Dieu; on n'y tient pas un compte suffisant de l'incarnation.

Il fallut maintenant veiller à ce que l'autre aspect ne s'imposât pas d'une manière aveugle et également étroite. En fait, la direction du mouvement liturgique était assez équitablement partagée en pasteurs et en scientifiques. J'appellerai pasteur par exemple le cardinal Lercaro, scientifique le professeur Jungman. La collaboration entre ces deux groupes était tout à fait harmonieuse. Dans tous les continents surgirent des centres liturgiques, jusqu'à Manille. Les scientifiques veillèrent à l'accord organique avec l'histoire et surtout avec les sources du christianisme. L'idée conductrice était: plus la source est proche, plus l'onde est pure. C'est là que devaient se montrer les facteurs les plus imprescriptibles et en même temps les plus profondément essentiels de la liturgie. Des adjonctions pouvaient ne pas être injustifiées, mais c'était alors déjà des adaptations aux circonstances d'époque – lesquelles se modifient! Un *développement* et une *structuration* du germe à partir de l'intérieur étaient certainement nécessaires; pourtant, ils devaient subir des points de vue étroits qui, dans d'autres circonstances, exigeaient une compensation. Les scientifiques avaient à réfléchir à cela. Les pasteurs, de leur côté, apportaient les éléments qui étaient tirés de l'expérience pratique actuelle.

Tout cela se produisit déjà avant le concile! Rien d'étonnant donc si la Commission préparatoire de liturgie put proposer un texte qui convint aux évêques dès le premier coup d'œil. Ce fut le seul texte. Il fut le seul aussi à conserver pour l'essentiel sa forme primitive. Ne se dressèrent contre lui que quelques groupes isolés d'évêques dans les pays desquels le mouvement liturgique n'avait pas encore vraiment pris pied, par exemple les Etats-Unis. Le cardinal Spellman appela les idées des centres liturgiques «des rêveries romantiques de savants enfermés dans un cocon», un autre parla même de «demi-fous». Le véritable foyer de résistance était la Curie romaine ou, pour mieux dire, une partie de la Curie romaine. Il s'agissait de ces gens pour qui liturgie et rubriques étaient synonymes. Ils sentirent quelle calamité les menaçait, et c'est pourquoi la congrégation des rites publia, «avec une rapidité pour Rome tout à fait inhabituelle», un nouveau code de rubriques pour bréviaire et livre de messe, le 25 juillet 1960, puis, le 5 octobre 1960, des directives pour les éditeurs de livres liturgiques, et enfin, le 14 février 1961, des dispositions particulières pour les almanachs des fêtes des évêques et des communautés des ordres religieux. Le tout constituait un simple cadre technique! On y parlait bien aussi des «grands principes de la réforme liturgique». C'est le concile qui devait en décider. Mais le *cadre* dans lequel ces principes devaient obligatoirement être contenus fut, de façon tout à fait insensée,

délimité à l'avance et en cinq cent trente articles! Le concile a balayé tout cela. Le pape Paul VI créa le «Conseil de liturgie», présidé par le cardinal Lercaro, archevêque de Bologne, qui réforme pas à pas la liturgie selon les points de vue que nous avons mentionnés.
Je n'ai jusqu'à présent presque rien dit de l'utilisation de la langue vernaculaire, bien que, au concile précisément, elle ait fait l'objet d'une très violente controverse. Il me paraissait plus important de dégager la ligne principale et le but de la réforme de la liturgie. L'emploi de la langue maternelle n'est qu'un *moyen*, un moyen parmi d'autres! Si le regard demeure fixé aux moyens, comme s'ils étaient le but, on peut en disputer sans fin. Il n'y a aussi aucun doute que, par-ci par-là, quelques valeurs réelles sont abandonnées à cause de la réforme de la liturgie. On renonce à elles pour en acquérir de plus importantes! Cela ne devrait pas inquiéter celui qui sait de quoi il s'agit. Aujourd'hui encore, la voie du renouveau n'est pas arrivée au but. La plupart des réformes s'occupent jusqu'à présent à écarter les ornements. On n'en restera pas là! La partie difficile, positive, est encore à venir. Seul le résultat final permettra de juger le tout.
Toutefois, à tous les jugements qui parlent de «chaos déclaré» ou de «retour à la barbarie», manque une vue d'ensemble, manque une compréhension pour le renouveau religieux qui est dans l'intention du concile. On doit au fond se réjouir de ces cris de douleur, non parce qu'on a fait souffrir quelqu'un, mais parce qu'on est entré effectivement dans quelque chose de vivant.

La constitution dogmatique sur la Révélation

Mais cela ne suffit pas. Ce renouveau très concret et très intérieur est complété par une deuxième publication du concile qui, dans sa forme actuelle, montre exactement la même direction, mais qui possède, déjà par son titre, un poids encore plus grand: LA CONSTITUTION DOGMATIQUE SUR LA RÉVÉLATION DIVINE. On sait que la version primitive, proposée à la première session, avait pour titre: «Sur les sources de la Révélation», et là déjà s'alluma la lutte entre les opinions. Il s'agissait du rapport entre l'Ecriture et la tradition qui, au Concile de Trente déjà, n'avait pu être entièrement éclairci – mais tout autant des méthodes modernes de l'exégèse que Pie XII, dans certaines limites il est vrai (dans la mesure où elles recouvraient une science authentique), avait reconnues et défendues par sa circulaire AFFLANTE SPIRITU. Mais, ce faisant, il n'avait pu briser la résistance de certains milieux, surtout romains. Avant le concile déjà, tout Rome retentissait de la lutte qui se menait entre des adversaires groupés autour des deux instituts pontificaux, l'Université de Latran et la «Gregoriana» ou, plus exactement, l'Institut biblique qui lui est annexé. Le premier institut était dirigé par le clergé séculier, le second par les jésuites; le premier servait avant tout à la formation du clergé romain, le second avait un caractère plus international. Jusque peu avant son élévation à la dignité de cardinal, Augustin Bea (un Allemand) avait été le directeur de l'Institut biblique. On lui attribuait une influence déterminante sur la circulaire de Pie XII. Mais il serait faux de rapporter le conflit aux seuls antagonismes nationaux, si grand qu'ait été le rôle qu'ils ont joué: par exemple dans un pamphlet de Spadafora contre un exégète allemand et un exégète français de l'Institut biblique, où il était dit qu'on ne voulait pas, à Rome, laisser la foi être obscurcie par les «idées de nébuleux pays nordiques». Deux professeurs de l'Institut biblique furent relevés de leurs fonctions peu avant le commencement du concile, sur ordre de la Commission biblique pontificale! Au concile même, on vit que le schéma, qui avait été rédigé dans l'esprit de l'Université de Latran, ne plut pas à la grande majorité des pères. Néanmoins, plus d'un tiers n'étaient pas pour l'abrogation du schéma. C'est à la seule intervention du pape Jean XXIII que l'on doit que la discussion ait été néanmoins interrompue et le texte renvoyé à une commission mixte, composée de membres de la Commission théologique et de membres du Secrétariat pour l'unité des chrétiens, et présidée par les cardinaux Bea et Ottaviani.

Je ne vais pas aborder maintenant les questions litigieuses, parce que, dans la nouvelle version, on les a volontairement laissées ouvertes. Paul VI, au cours de la deuxième session, a mis fin, par des propos sans ambiguïté, à toutes les polémiques non scientifiques et peu reluisantes. Il rendit leurs postes aux professeurs déposés. La Commission biblique pontificale fut composée d'une manière plus équilibrée.

Mais les esprits étaient très excités et profondément émus, ce que démontre une lettre adressée au pape Jean XXIII dès avant la fin de la première session, et signée par dix-neuf cardinaux. Elle est datée du 24 novembre et fut remise le 4 décembre 1962 par le cardinal secrétaire au président de la Commission mixte, le cardinal Ottaviani. Les cardinaux y expriment leur crainte que la tradition de l'Eglise ne soit montrée par les novateurs dans une lumière fausse. Ils mettent leurs normes en relief: le sens de l'Eglise, l'accord unanime sur les questions de foi et l'analogie de la foi. Cinq cardinaux retirèrent plus tard leur signature, après avoir compris que leur crainte n'était nullement fondée. Voilà qui montre d'autant plus clairement le désarroi qui régnait alors.

Lorsque la lutte fut à son plus haut période, le 14 novembre 1962, Jean XXIII perdit patience et déclara, dans une audience générale (pour le monde entier): «On ne doit pas croire que tout a été fait en prononçant quatre mots. Il est nécessaire qu'existe une bienveillance mutuelle, que chacun sache écouter les autres et formuler avec exactitude ses propres pensées sur ces questions importantes. Et ensuite, il faut s'entendre suffisamment pour qu'il en sorte une doctrine, un encouragement, une louange du Christ, dans sa grâce et dans sa force.» Epouvanté par une affirmation aussi pleine de critiques, l'*Osservatore Romano* ne reproduisit pas ces propos dans le compte rendu du discours. Une telle censure s'appliquant au pape n'est pas rare dans ce journal. Elle visait toutefois le point vif du sujet. Le texte actuel de la constitution dogmatique le prouve. Il n'est en rien un simple compromis. Il représente réellement un progrès.

Parole de vérité ou proclamation?

Où résidait en dernier lieu le différend? D'un côté, on avait toujours plus considéré la Révélation comme une somme d'actes de foi. Ils étaient contenus, obscurément et sans ordre, dans la sainte Ecriture, ou aussi dans des enseignements apostoliques non formulés. Ils furent sauvegardés par la doctrine de l'Eglise et fidèlement transmis de génération en génération. C'était l'affaire des théologiens de les ordonner en un système et de les lier entre eux. Tout cela se jouait sur un plan purement intellectuel : le résultat fut une construction doctrinale. Elle en imposait par sa cohérence ; bien plus, elle était si grandiose, et l'on pouvait, d'autre part, si facilement la dominer du regard que l'on préféra plus ou moins cacher la sainte Ecriture aux moins savants. Cette dernière ne pouvait qu'apporter le trouble chez celui qui est privé d'une formation théologique. Il devait certes honorer la sainte Ecriture, car elle était la Parole de Dieu, mais comme elle était pourtant difficilement compréhensible et qu'elle n'était pas ordonnée systématiquement, le simple croyant, pour cette raison, devait préférer les interprétations approuvées par l'Eglise. Comme celle-ci était assurée par l'assistance du Saint-Esprit, qu'elle ne pouvait proclamer un article de foi qui n'en fût pas un, il ne devait pas craindre d'être dans l'erreur, et la lecture de la sainte Ecriture n'avait donc pas une grande signification pour lui.

Contre cette conception, que j'ai un peu simplifiée, mais que j'ai décrite dans son fond avec exactitude, les autres se dressaient et c'était la majorité. Ils disaient : « La Révélation n'est pas un simple système d'articles de foi mais, en même temps, une action et un enseignement. Le Christ ne *dit* pas seulement la vérité sur Dieu. Il est la vérité et, de plus, il est le chemin et la vie. Telle est la Révélation de Dieu, qui a atteint sa plénitude en Christ et au-dessus duquel il n'y en a pas d'autre ; c'est un patrimoine donné et vivant. Il a été confié par le Christ aux apôtres. En soi, il n'est susceptible d'aucune croissance – mais comme il est implanté dans l'histoire, se développe et doit se développer dans la mesure où les hommes en épuisent toujours davantage la signification et ne l'auront jamais tout à fait épuisée jusqu'à la fin des temps. Ce patrimoine a, certes, une cohérence interne qui se révèle au croyant, mais il n'est pas un système comme le serait une philosophie. L'activité du Saint-Esprit ne consiste pas du tout seulement à empêcher purement et simplement, comme le ferait un gendarme, que l'Eglise, en sa fonction enseignante, ne nie quelque chose de révélé ou n'invente quelque chose d'apparemment révélé ; elle consiste aussi, comme le ferait un maître ou un ami, à introduire les fidèles dans ce qui a été révélé, et précisément d'une manière qui réponde aux exigences du temps. Ainsi, l'Ecriture et la tradition ne peuvent être séparées. L'Ecriture elle-même peut être appelée tradition, dans un sens tout à fait vrai, et la tradition ne peut jamais se passer de l'Ecriture. Elles forment un ensemble vivant, qui n'est ni lettre morte, ni simple transmission d'articles de foi. »

L'une et l'autre conceptions peuvent être conduites à un point de vue extrême. Dans un cas, la Révélation devient un rationalisme de la foi, un système fermé, qu'il n'est que trop facile de ne plus retrouver réellement dans les sources (parce que certains textes de l'Ecriture, certains résultats de l'exégèse deviennent gênants pour le système) et qu'on ne peut plus confronter aux données concrètes, car les faits et les problèmes humains peuvent devenir encore plus gênants (qu'on songe à l'affaire Galilée). Mais dans l'autre cas, on court le risque de déprécier les concepts et les formulations dogmatiques. On peut sur cette voie tomber dans une conception relativiste de la vérité. En fait, les deux tendances contiennent quelque chose de vrai. Mais le progrès dans ce concile réside en ceci que la première conception, auparavant seule régnante, ne peut plus, après le deuxième Concile du Vatican, prétendre qu'elle est officielle. Auparavant, tous ceux qui parlaient d'un *développement* des dogmes, tous ceux qui disaient que la connaissance de la Révélation ne s'accroît pas à l'aide d'un enchaînement logique de vérités, tous ceux-là étaient considérés comme des destructeurs de la foi, menacés par la mise à l'index de leurs écrits. Ce temps est maintenant révolu.

Déjà dans le premier chapitre, nous lisons: «La Révélation se réalise par des actes et des paroles, conformément à un plan, en actes et en paroles qui sont intérieurement liés.» Mais il est dit de la tradition apostolique: «Elle marche en tête de l'Eglise avec l'assistance du Saint-Esprit.»

Le professeur Schillebeeckx a dit justement à ce sujet: «Des textes conciliaires antérieurs ont souligné constamment l'immutabilité des dogmes. Pour la première fois, on reconnaît un développement du dogme, car notre connaissance de la Révélation s'accroît au cours de l'Histoire.» Encore pendant le concile, une lettre pastorale des évêques néerlandais sur la Révélation fut pratiquement interdite, sa publication en Italie ayant été empêchée. Mais l'essentiel se trouve maintenant dans le texte de la Constitution: «La Révélation est en premier lieu une réalité, une histoire du salut, et non pas seulement une transmission de connaissance.»

Enfin, la sainte Ecriture elle-même: il est dit expressément que «l'enseignement de l'Eglise n'est pas au-dessus de la Parole de Dieu, mais qu'elle est à son *service*». Mais plus encore: dans le sixième chapitre, qui traite de la sainte Ecriture dans la vie de l'Eglise, on peut lire que «la religion chrétienne tout entière doit être nourrie et *gouvernée* par la sainte Ecriture». Elle constitue donc «la règle» ou la norme pour le fidèle. Et ce n'est pas tout: «Dans les saints Livres, le Père qui est au ciel vient plein d'amour à la rencontre de ses enfants et entretient avec eux une conversation.» Il en résulte que tout fidèle est admis à ce dialogue et que tous doivent lire la sainte Ecriture. Des définitions contiennent aussi, il est vrai, des révélations; elles sont leur version conceptuelle, mais non la Parole immédiate de Dieu. C'est pourquoi la sainte Ecriture ne doit jamais, en quelque sorte, être «remplacée» dans l'Eglise par les affirmations du magistère. Elles ne servent qu'à éclairer l'Ecriture. On veut dire par là que la Révélation chrétienne est une annonciation et non une systématique. Toute la sainte Ecriture est en effet une proclamation pratique: le kérygme. Mais notre enseignement est devenu largement un cours systématique, même dans la prédication. C'est pourquoi, à la première session, courait un mot selon lequel les théologiens et les pasteurs se tenaient face à face. Ce n'était pourtant pas le cas. Ce sont deux sortes de théologies qui s'affrontaient! Elles étaient enracinées dans deux conceptions de la Révélation divine et, en définitive, de Dieu lui-même, car nous ne le connaissons que par la manière dont il nous parle. Il est donc très vrai que le concile a parlé de Dieu et son renouveau intérieur sort précisément de là.

«Aggiornamento» ou renouveau

La ligne du pape Jean, qui voulait un «concile pastoral», fut dès le premier jour l'objet d'une violente controverse. Effectivement, il n'était pas si facile de comprendre ce qu'il avait voulu dire. Dans une première phase, la question se formulait à peu près ainsi: concile des technocrates ou des théologiens? «Pourquoi suis-je assis maintenant en cet endroit, pour écouter avec les autres comment les évêques trouvent encore preneurs pour leurs dogmes totalement pétrifiés pendant que je pourrais écrire chez moi un livre sur le catholicisme?» me demandait ces jours-là avec quelque humeur un théologien évangéliste. Ce fut sa première crainte, et aussi la nôtre. Des conciles de pure discipline avec de simples modifications du droit canonique, ou de l'homilétique sous le point de vue, par exemple, du «comment le dirai-je à mon enfant?», n'ont jamais encore soulevé de hautes vagues dans l'histoire de l'Eglise. Maints juristes, à Rome, voyaient aussi le concile tout d'abord dans cette perspective. Ils déploraient par conséquent, comme ils disaient, tout ce temps perdu et tout cet argent dépensé «en vain». Mais il s'avérait peu à peu que les changements allaient se faire en profondeur. Nombre de gens s'effrayèrent. Le mot «aggiornamento» paraissait résonner comme s'il signifiait: «Adaptation à tout prix!» Je reçus d'un célèbre théologien évangéliste une lettre: «N'est-ce pas la mission de l'Eglise d'adapter le monde à l'Evangile? Et non l'inverse!» On reconnut qu'à Rome aussi, que même dans l'Eglise, des réformes extérieures présupposaient un sentiment de vie, le sentiment de vie une théologie. Le concile menaçait de devenir une controverse entre théologiens «essentialistes», qui pensent en entités figées, et théologiens «existentiels», qui sont engagés dans la réalité concrète. Le professeur Schillebeeckx caractérisait ainsi la situation. Paul VI indiqua la solution: le Christ seul dans son Eglise en prière. C'est pourquoi la réforme découle de l'Evangile et de la liturgie.

Avant chaque congrégation générale (séance de travail), après la fête de l'eucharistie, l'Evangile, un livre ancien et précieux, était «intronisé», c'est-à-dire déposé sur l'autel entre deux cierges allumés. Cette cérémonie dénuée de formes souleva les protestations de nombreux évêques, ce qui fait qu'à partir du 23 octobre 1962 un évêque porta le livre de l'Evangile à travers la nef centrale, pendant que toute l'assemblée chantait: «Louez le Seigneur.» Ce n'est qu'au commencement de la quatrième session que le livre de l'Evangile fut déjà intronisé *avant* la messe et aussi *utilisé* pendant la fête pour les lectures. C'étaient de petites caractéristiques d'un arrière-fond hautement significatif.

Double page suivante: Pour montrer l'*unité* du clergé, la Constitution de la liturgie permit dans une plus large mesure la concélébration. A la première et à la deuxième session, on ne la pratiqua pas une seule fois. Les évêques, à la fin seulement de la première session (6 décembre 1962), avaient réussi à obtenir qu'il leur fût «permis» de célébrer une simple messe chantée. Les observateurs disaient: «Le concile a dit beaucoup de belles choses sur la liturgie, mais il n'a pas beaucoup fait.» Des concélébrations eurent pourtant lieu à partir du commencement de la troisième session, dans des occasions spéciales, ainsi surtout au commencement et à la fin d'une session, quand le pape lui-même, avec vingt-cinq évêques, célébrait l'eucharistie. Du papier à la réalité, le chemin est malaisé.

Mgr Pessoa Câmara Helder, évêque, avait, au concile, un genre à lui. Jusqu'à la troisième session, il était encore archevêque titulaire, subordonné comme évêque auxiliaire au cardinal Câmara, de Rio de Janeiro, et il s'occupait des «favelas», c'est-à-dire de la banlieue de la ville géante avec tous ses pauvres venus de l'intérieur du pays. Le 12 mars 1964, on lui confia, comme archevêque d'Olinda et Recife, un des diocèses les plus difficiles du Brésil, au nord-est du pays. Il avait maintenant huit suffragants à côté d'un évêque consacré. Son propre diocèse compte plus d'un million de catholiques et ne dispose que de trois cents prêtres à peine. Toutes les difficultés du précapitalisme dans son passage à l'industrialisation s'y trouvent réunies; l'évêque cherche à s'en rendre maître en prenant courageusement le parti de la population pauvre et analphabète. Au concile, il ne parla jamais dans une assemblée générale officielle. Mais, par des contacts personnels et l'ouverture de ses idées au point de vue œcuménique et social, son influence augmenta d'année en année, si bien qu'un journal put écrire, à la fin de la quatrième session, qu'il était peut-être le plus influent des pères conciliaires. A la fois idéaliste et réaliste, il développa avant tout l'idée d'une Eglise soucieuse de servir les hommes dans quelque état de détresse qu'ils fussent. A la fin du concile, il fut un des évêques qui s'engagèrent à des mesures radicales pour instaurer une vie personnelle toute de simplicité – sans aucun triomphalisme. Le pape Paul VI est un ami personnel de Câmara Helder, et certains de ses discours sont manifestement influencés par l'archevêque brésilien, qui montra à plusieurs reprises, devant la presse, et démonstrativement, comment satisfaire, à l'époque postconciliaire, aux exigences de l'opinion publique!

Le rôle des théologiens

Contrairement aux précédents conciles, dans lesquels des théologiens prenaient souvent la parole devant les pères réunis dans les assemblées plénières, cet honneur ne fut dévolu, dans ce deuxième Concile du Vatican, à aucun d'entre eux. Voulait-on par là souligner son caractère pastoral? Ou bien serait-on tombé dans l'embarras, si on l'avait essayé, parce que la minorité n'était guère en mesure de présenter de grands théologiens? Quoi qu'il en soit, le rôle des théologiens ne fut pas négligeable. Parfois, leur influence fut si forte que maints pères conciliaires s'élevèrent contre eux en termes violents. Officiellement, on leur ordonna aussi de ne pas faire de propagande pour des opinions déterminées et de se garder de critiquer le concile! (15 et 16 septembre 1964.) De telles motions de blâme du cardinal Tisserant ou de Mgr Felici furent la plupart du temps compensées immédiatement par les mots d'introduction de l'orateur: «Qu'est-ce que nous ferions sans les experts?»
Effectivement, plus il fut démontré que de pures questions pastorales impliquaient un arrière-fond théologique, plus on fut empressé d'inviter les théologiens du concile aux conférences des évêques. Les évêques n'eurent jamais l'occasion de connaître autant que dans ce concile, et d'une manière aussi circonstanciée, les travaux des théologiens. Un Américain m'a dit: «Avant le concile, il y avait des pays théologiquement sous-développés; après le concile, il n'y en eut plus! Ainsi les théologiens furent, en fait, les «cuisiniers» du concile: ils travaillaient là où on les appelait. Ils ne fixaient pas les thèmes. Mais ils influaient sur l'opinion des évêques et le véritable travail des commissions se faisait largement grâce à eux. Le cardinal Lercaro demandait aux évêques de redevenir de grands théologiens, mais peu d'entre eux seulement répondirent à ce vœu.»

A gauche: Le Père Henri de Lubac fut un travailleur de la première heure. Sous Pie XII, on lui avait reproché d'être le précurseur d'une prétendue théologie nouvelle. Il perdit à Lyon sa chaire professorale, bien que le cardinal Gerlier eût cherché à l'y maintenir. Il ne pouvait plus écrire de livres que soumis à la censure préalable de la Centrale des jésuites. Son activité dut aussi se borner à des travaux purement scientifiques d'histoire de la religion. A la suite d'une heureuse inadvertance des censeurs romains, il réapparut devant le grand public comme exégète du Père Teilhard de Chardin. Jean XXIII l'appela déjà au sein de la Commission théologique préparatoire (1961). Enfin, précisément grâce à ses livres, il était devenu célèbre en dehors de l'Eglise. Son influence augmenta lorsque la composition des commissions fut modifiée par le vote du concile, d'autant plus que, en outre, les Africains l'invitaient volontiers à leurs délibérations. Enfin, il fut un auxiliaire indispensable pour le secrétariat du cardinal König. *Entretien avec les Incroyants:* il avait écrit, en effet, ce livre célèbre sur le drame de l'athéisme humaniste. Cela même qui l'avait fait condamner faisait de lui, au concile, un homme important!

A droite: Il y eut aussi des théologiens qui ne furent pas des «théologiens du concile», autrement dit qui ne furent pas inscrits sur la liste recommandée officiellement au choix des commissions, et qui exercèrent pourtant une puissante influence, soit à travers les exposés qu'ils firent aux conférences d'évêques, soit par la collaboration qu'ils apportèrent à tel ou tel évêque, pour la présentation des «modi» (réserves) à l'occasion des divers schémas. Le plus important (et en même temps le plus modeste) parmi eux fut le Père dominicain Marie-Dominique Chenu. Une génération, la génération fameuse des modernes moines prêcheurs français, avait passé par son école. (Qu'il me suffise de nommer Congar, Féret, Schillebeeckx.) De 1932 à 1942, Chenu fut recteur de l'Université théologique de Saulchoir. C'était un penseur systématique de grand style. En 1937, il écrivit un livre sous le titre: *Une Ecole de Théologie*, qui ne vint jamais dans le commerce, car son langage était très personnel. Mais il se répandit discrètement loin au-delà des frontières de la France. En 1942, il fut introduit dans l'«Index des livres défendus»! Cela ne le paralysa pas. Son intérêt se portait – à côté de la théologie du Moyen Age – sur la liaison entre la théologie et les «événements» de l'histoire. Les semaines sociales de la France, les JOC, les prêtres ouvriers, le mouvement des familles, la Mission de France ont tous subi l'influence déterminante de Chenu. Il était ainsi l'homme prédestiné pour le schéma *L'Eglise à l'Epoque actuelle*. Ce qui s'y trouve de meilleur témoigne de son influence, mais elle ne put se déployer au-delà de certains chapitres.

John Courtney Murray S.J. – Parmi les experts du concile désignés par le pape, on cherche en vain son nom jusqu'en 1964. Et c'est pourtant précisément à lui que le concile doit la déclaration sur la liberté religieuse, surtout dans ses trois dernières rédactions. Il fut même, pour les deux précédentes versions, exclu du Secrétariat pour l'unité des chrétiens, quoiqu'il fût connu aux Etats-Unis comme le grand spécialiste de cette question. Bien plus, dans les années 50, ses écrits et ses articles étaient aussi connus et très estimés en Europe – en Allemagne avant tout. Il avait été délégué au concile en qualité de conseiller du cardinal Spellman. Toutes les conférences d'évêques l'invitèrent pour des exposés, et la presse également, bien entendu. Plus il s'avérait que le secrétariat ne réussissait pas à mener à bonne fin la présentation non historique de la question, plus déterminante fut l'influence qu'il accorda à Courtney Murray. C'est ainsi qu'il devint le sauveteur de cette déclaration. A la fin de la troisième session, il eut un infarctus du myocarde, mais à la quatrième, infatigable, il fut de nouveau à son poste.

Le Père Sébastien Tromp prit déjà une position décisive pendant la période préparatoire du concile. Il était le cerveau théologique du cardinal Ottaviani, le juriste et père spirituel. Le Néerlandais Tromp avait un grand passé. En effet, l'encyclique de Pie XII sur le corps mystique du Christ (1946) était son œuvre. Si, du point de vue économique, elle témoignait d'une étroitesse effrayante, même pour l'époque, ce qui fut aussitôt remarqué, elle représentait pourtant une étape sur le chemin du dépassement de la pensée juridique pure. On reconnut la plume de Tromp dans tous les projets dogmatiques qui furent présentés au début du concile. Il disait alors : «Cette fois-ci encore, nous tenons le gouvernail», donnant à entendre qu'il savait ce qui allait se produire. En fait, aucun des schémas ne trouva grâce devant le concile ; mais Tromp travailla infatigablement, sans aucune intrigue, ce qui lui valut la haute estime de ses adversaires eux-mêmes.

Le Père Yves Congar O.P. fut peut-être le plus lu de tous les théologiens français de l'après-guerre. Les études historiques étaient sa véritable spécialité. Mais les étudiants de Paris avant tout invitaient le savant professeur de Saulchoir pour discuter toutes les questions brûlantes. L'Eglise, les laïcs, la vraie et la fausse Réforme dans l'Eglise, les chrétiens séparés, les juifs, les fins dernières, autant de thèmes qui le firent connaître aussi des Allemands spirituellement affamés d'après 1945 comme un «homme prophétique». Puis il fut victime, en même temps que les prêtres ouvriers, de la réaction des catholiques français que le Saint-Office considéra sans déplaisir et qui fut même soutenue par lui. Aucun de ses livres, il est vrai, ne fut mis à l'«Index», mais les rééditions furent interdites. Quant à lui, on l'éloigna de Paris. On le vit alors continuer ses travaux à Jérusalem, à Londres et finalement à Strasbourg. Lui aussi fut appelé par Jean XXIII à la Commission théologique préparatoire du concile (1961). A Rome, il n'est guère de père conciliaire qui n'ait rencontré cet infatigable conseiller. Mais à Paris, lorsqu'il expliqua la nouvelle liturgie, les conservateurs le bombardèrent d'«œufs pourris».

Le Père Karl Rahner S.J., que l'on voit ici disputer violemment avec le professeur Hans Küng (Tubingue), fut sûrement un des grands conseillers des évêques allemands. Lui aussi avait été brimé et «muselé» au temps des gelées printanières qui précédèrent le concile. Mais lui aussi fut appelé par le pape Jean XXIII à siéger dans les commissions préparatoires, non toutefois dans la Commission théologique, mais dans la Commission pour les sacrements où, d'ailleurs, on ne demanda aucun conseil à ce conseiller. Quant à Hans Küng, l'honneur d'être un théologien du pape au concile ne lui fut conféré que dans la deuxième session, sous Paul VI. Mais la grande heure de Rahner sonna déjà dans la première session, lorsqu'un contre-schéma, élaboré surtout par lui pour l'essentiel, sur «la Révélation de Dieu et de l'Homme dans Jésus-Christ», circula officieusement dans la salle du concile, destiné qu'il était à remplacer éventuellement cet autre schéma sur les «deux sources». Les présidents des conférences épiscopales d'Autriche, de Belgique, de France, d'Allemagne et des Pays-Bas voulurent le proposer au concile. Mais cela ne put se faire par suite du malheureux vote du 20 novembre 1962, qui contraignit le pape à intervenir. D'ailleurs, lesdites conférences épiscopales ne furent nullement unanimes sur le texte de Rahner. Chez les Français, il n'y eut qu'un seul oui sans réserve, trente voix exigèrent des modifications essentielles, quatre-vingts se prononcèrent contre lui.

En haut à gauche : Le franciscain yougoslave Karl Balic faisait déjà partie de la Commission théologique pendant la période préparatoire. C'est un grand mariologue et il a une vénération particulière pour le cardinal Ottaviani. A l'Institut de mariologie, dont il est, à Rome, le directeur, se trouve une photographie du cardinal qu'il montre à tous les visiteurs. Balic, au concile, lutta passionnément pour un décret marial selon ses vues propres. Il voulait que le concile honorât en Marie, tout au moins indirectement, la médiatrice de toutes les grâces et la corédemptrice. C'est au concile que les protestants virent pour la première fois son institut.

En haut à droite : Le jeune augustinien Gregory Baum était, avant le début du concile déjà, conseiller au Secrétariat pour l'unité des chrétiens. Il était devenu célèbre par un livre de quatre cents pages, *Les Juifs et l'Evangile*, dédié à sa mère, qui mourut à Berlin en 1943, lorsque fut ordonné l'anéantissement de tous les juifs. Gregory Baum est aujourd'hui citoyen des Etats-Unis. Naturellement, la Déclaration sur les juifs, avec son destin mouvementé, lui tint particulièrement à cœur. Il se montra, pour l'essentiel, satisfait du résultat final, quoique les spécialistes, au panneau de presse américain, n'eussent pas peu à souffrir de ses attaques.

En bas à gauche : Le professeur néerlandais E. Schillebeeckx O.P. était un brillant théologien, bien qu'il n'eût jamais été expert du pape. Il exerça son influence sur les conférences d'évêques par de nombreux exposés sur de profonds thèmes théologiques comme la foi en la justice, l'eucharistie, l'Eglise dans le monde, et, de cette manière, fit en sorte que le concile ne se reposât jamais sur ses lauriers. C'est ainsi que les théologiens officieux comme Schillebeeckx, Chenu, Küng aussi, au début, se donnaient pour tâche, parce qu'ils avaient plus de liberté que les autres, de maintenir le concile en haleine, car ils disaient toujours, ainsi que l'exprima l'évêque Pessoa Cãmara Helder, «ce que le concile ne pouvait pas dire».

En bas à droite : Le professeur silésien Hubert Jedin, actuellement sexagénaire, était un habile conciliateur. Auteur de l'*Histoire du Concile de Trente* dont il passe pour le meilleur connaisseur, il est, depuis 1949, professeur à l'Université de Bonn. Des hommes comme lui, dont personne ne pouvait contester le savoir extraordinaire, et à l'esprit pondéré – ne perdirent jamais, à l'égard de tout ce qui se passait au concile, la «distance» de l'historien, et ils formaient ainsi un pont entre les conservateurs et les progressistes. Sans eux et leur efficacité calme mais infatigable, le concile se fût probablement disloqué.

Extraits de la Constitution de la sainte liturgie

Préambule

But de la constitution

Puisque le saint concile se propose de faire progresser la vie chrétienne de jour en jour chez les fidèles ; de mieux adapter aux nécessités de notre époque celles des institutions qui sont sujettes à des changements ; de favoriser tout ce qui peut contribuer à l'union de tous ceux qui croient au Christ, et de fortifier tout ce qui concourt à appeler tous les hommes dans le sein de l'Eglise, il estime qu'il lui revient à un titre particulier de veiller aussi à la restauration et au progrès de la liturgie.

Dans la liturgie «s'exerce l'œuvre de la rédemption»

En effet, la liturgie, par laquelle, surtout dans le divin sacrifice de l'eucharistie, «s'exerce l'œuvre de notre rédemption», contribue au plus haut point à ce que les fidèles, par leur vie, expriment et manifestent aux autres le mystère du Christ et la nature authentique de la véritable Eglise. Car il appartient en propre à celle-ci d'être à la fois humaine et divine, visible et riche de réalités invisibles, fervente dans l'action et occupée à la contemplation, présente dans le monde et pourtant étrangère. Mais de telle sorte qu'en elle ce qui est humain est ordonné et soumis au divin ; ce qui est visible, à l'invisible ; ce qui relève de l'action, à la contemplation ; et ce qui est présent, à la cité future que nous recherchons. Aussi, puisque la liturgie édifie chaque jour ceux qui sont au-dedans pour en faire un temple saint dans le Seigneur, une habitation de Dieu dans l'Esprit, jusqu'à la taille qui convient à la plénitude du Christ, c'est d'une façon étonnante qu'elle fortifie leurs énergies pour leur faire proclamer le Christ, et ainsi elle montre l'Eglise à ceux qui sont dehors comme un signal levé devant les nations, sous lequel les enfants de Dieu dispersés se rassemblent dans l'unité jusqu'à ce qu'il y ait une seule bergerie et un seul pasteur.

Chapitre premier

La nature de la liturgie et son importance dans la vie de l'Eglise

Dieu, «qui veut que tous les hommes soient sauvés et parviennent à la connaissance de la vérité» (I Tim. 2 : 4), «qui jadis, tant de fois et de tant de manières, avait parlé à nos pères par les prophètes» (Hébr. 1 : 1), lorsque vint la plénitude des temps, envoya son Fils, le Verbe fait chair, oint par le Saint-Esprit, pour annoncer la bonne nouvelle aux pauvres, pour guérir les cœurs brisés, «comme un médecin charnel et spirituel», le médiateur de Dieu et des hommes. Car c'est son humanité, dans l'unité de la personne du Verbe, qui fut l'instrument de notre salut. C'est pourquoi dans le Christ «est apparue la parfaite rançon de notre réconciliation, et la plénitude du culte divin est entrée chez nous».
Cette œuvre de la rédemption des hommes et de la parfaite glorification de Dieu, à quoi avaient préludé les grandes œuvres divines dans le peuple de l'Ancien Testament, le Christ Seigneur l'a accomplie principalement par le mystère pascal de sa bienheureuse passion, de sa

résurrection du séjour des morts et de sa glorieuse ascension; mystère pascal par lequel «en mourant il a détruit notre mort, et en ressuscitant il a restauré la vie». Car c'est du côté du Christ endormi sur la croix qu'est né l'«admirable sacrement de l'Eglise tout entière».

Par la vertu de l'Esprit saint

C'est pourquoi, de même que le Christ fut envoyé par le Père, ainsi lui-même envoya ses apôtres, remplis de l'Esprit saint, non seulement pour que, prêchant l'Evangile à toute créature, ils annoncent que le Fils de Dieu, par sa mort et sa résurrection, nous a délivrés du pouvoir de Satan ainsi que de la mort, et nous a transférés dans le royaume de son Père, mais aussi afin qu'ils exercent cette œuvre de salut qu'ils annonçaient, par le sacrifice et les sacrements autour desquels gravite toute la vie liturgique. C'est ainsi que par le baptême les hommes sont greffés sur le mystère pascal du Christ: morts avec lui, ensevelis avec lui, ressuscités avec lui; ils reçoivent l'esprit de filiation «dans lequel nous crions: «Abba Père!» (Rom. 8:15) et ils deviennent ainsi ces vrais adorateurs que cherche le Père. Semblablement, chaque fois qu'ils mangent la cène du Seigneur, ils annoncent sa mort jusqu'à ce qu'il vienne. C'est pourquoi, le jour même de la Pentecôte où l'Eglise apparut au monde, «ceux qui accueillirent la parole de Pierre furent baptisés». Et «ils étaient assidus à l'enseignement des apôtres, à la communion fraternelle dans la fraction du pain et aux prières... louant Dieu et ayant la faveur de tout le peuple» (Actes 2:41-47).
Jamais, dans la suite, l'Eglise n'omit de se réunir pour célébrer le mystère pascal: en lisant «dans toutes les Ecritures ce qui le concernait» (Luc 24:17), en célébrant l'eucharistie dans laquelle «sont rendus présents la victoire et le triomphe de sa mort» et en rendant en même temps grâces «à Dieu pour son don ineffable» (II Cor. 9:15) dans le Christ Jésus, «pour la louange de sa gloire» (Eph. 1:12) par la vertu de l'Esprit saint.

La présence agissante du Christ

Pour l'accomplissement d'une si grande œuvre, le Christ est toujours là auprès de son Eglise, surtout dans les actions liturgiques. Il est là présent dans le sacrifice de la messe, et dans la personne du ministre, «le même offrant maintenant par le ministère des prêtres, qui s'offrit alors sur la croix» et, au plus haut, sous les espèces eucharistiques. Il est là présent par sa vertu dans les sacrements au point que lorsque quelqu'un baptise, c'est le Christ lui-même qui baptise. Il est là présent dans sa parole, car c'est lui qui parle tandis qu'on lit dans l'Eglise les saintes Ecritures. Enfin, il est là présent lorsque l'Eglise prie et chante les psaumes, lui qui a promis: «Là où deux ou trois sont rassemblés en mon nom, je suis là, au milieux d'eux» (Mat. 18:20). Effectivement, pour l'accomplissement de cette grande œuvre par laquelle Dieu est parfaitement glorifié et les hommes sanctifiés, le Christ s'associe toujours l'Eglise, son épouse bien-aimée, qui l'invoque comme son Seigneur et qui passe par lui pour rendre son culte au Père éternel.
C'est donc à juste titre que la liturgie est considérée comme l'exercice de la fonction sacerdotale de Jésus-Christ, exercice dans lequel la sanctification de l'homme est signifiée par des signes sensibles et est réalisée d'une manière propre à chacun d'eux, dans lequel le culte public intégral est exercé par le corps mystique de Jésus-Christ, c'est-à-dire par le chef et par ses membres.
Par suite, toute célébration liturgique, en tant qu'œuvre du Christ prêtre et de son corps qui est l'Eglise, est l'action sacrée par excellence dont nulle autre action de l'Eglise ne peut atteindre l'efficacité au même titre et au même degré.

Chapitre II

Le mystère sacré de l'eucharistie

Notre Sauveur, à la dernière cène, la nuit où il était livré, institua le sacrifice eucharistique de son corps et de son sang pour perpétuer le sacrifice de la croix au long des siècles, jusqu'à ce qu'il vienne, et en outre pour confier à l'Eglise, son épouse bien-aimée, la commémoration de sa mort et de sa résurrection: sacrement de l'amour, signe de l'unité, lien de la charité, banquet pascal dans lequel le Christ est mangé, l'âme est comblée de grâce, et le gage de la gloire future nous est donné. Aussi, le grand souci de l'Eglise est-il d'obtenir que les fidèles n'assistent pas à ce mystère de la foi comme des spectateurs étrangers et muets, mais que, le comprenant bien dans ses rites et ses prières, ils participent constamment, pieusement et activement à l'action sacrée, qu'ils soient formés par la parole de Dieu, se restaurent à la table du corps du Seigneur, rendent grâces à Dieu; qu'offrant la victime sans tache, non seulement par les mains du prêtre, mais aussi ensemble avec lui, ils apprennent à s'offrir eux-mêmes et, de jour en jour, soient consommés par la médiation du Christ dans l'unité avec Dieu et entre eux pour que, finalement, Dieu soit tout en tous.

Extraits de la constitution dogmatique sur la Révélation divine

(Chapitre VI: La sainte Ecriture dans la vie de l'Eglise)

La sainte Ecriture est la plus haute norme de la foi

L'Eglise a toujours vénéré les divines Ecritures, comme elle l'a toujours fait aussi pour le corps même du Seigneur, elle qui ne cesse pas, surtout dans la sainte liturgie, de prendre sur l'unique table de la Parole de Dieu et du Corps du Christ, le pain de vie pour l'offrir aux fidèles. Toujours elle eut et elle a pour règle suprême de sa foi les Ecritures, conjointement avec la sainte Tradition, puisque, inspirées par Dieu et consignées une fois pour toutes par écrit, elles communiquent immuablement la parole de Dieu lui-même et font résonner dans les paroles des prophètes et des apôtres la voix de l'Esprit saint. Il faut donc que toute la prédication ecclésiastique, comme la religion chrétienne elle-même, soit nourrie et régie par la sainte Ecriture. Dans les saints Livres, en effet, le Père qui est aux cieux vient avec tendresse au-devant de ses fils et entre en conversation avec eux; or, la force et la puissance que recèle la parole de Dieu sont si grandes qu'elles constituent pour l'Eglise son point d'appui et sa vigueur et, pour les enfants de l'Eglise, la force de leur foi, la nourriture de leur âme, la source pure et permanente de leur vie spirituelle. Dès lors, ces mots s'appliquent parfaitement à la sainte Ecriture: «Elle est vivante, donc, et efficace la parole de Dieu» (Héb. 4:12), «qui a le pouvoir d'édifier et de donner l'héritage avec tous les sanctifiés» (Actes 20:32; I Thess. 2:13).

Les traductions œcuméniques sont recommandées elles aussi

Il faut que l'accès à la sainte Ecriture soit largement ouvert aux chrétiens. Pour cette raison, l'Eglise, dès le commencement, reçut pour sienne cette antique version grecque de l'Ancien Testament, appelée des *Septante*: elle tient toujours en honneur les autres versions, orientales et latines, principalement celle qu'on nomme la *Vulgate*. Comme la parole de Dieu doit être à la disposition de tous les temps, l'Eglise, avec une sollicitude maternelle, veille à ce que des traductions appropriées et exactes soient faites dans les diverses langues, de préférence à partir des textes originaux des livres sacrés. S'il se trouve que, pour une raison d'opportunité et avec l'approbation des autorités ecclésiastiques, ces traductions soient le fruit d'une collaboration avec des frères séparés, elles pourront être utilisées par tous les chrétiens.

Etude de la Bible pour le pastorat

L'épouse du Verbe incarné, l'Eglise, instruite par le Saint-Esprit, a le souci d'acquérir une intelligence chaque jour plus profonde des saintes Ecritures, pour sans cesse nourrir ses enfants des divines paroles; aussi, favorise-t-elle également à bon droit l'étude des saints pères, tant d'Orient que d'Occident, et celle des saintes liturgies. Il faut que les exégètes catholiques et tous ceux qui s'adonnent à la théologie sacrée, unissant courageusement leurs forces, s'appliquent, avec des moyens adaptés, à si bien présenter, sous la vigilance du magistère sacré, les divines Ecritures, que le plus grand nombre possible de serviteurs de la parole divine soient à même de fournir utilement au peuple de Dieu l'aliment scripturaire, qui éclaire les esprits, affermit les volontés et embrase d'amour de Dieu le cœur des hommes. Le saint concile exhorte les fils de l'Eglise qui se consacrent aux sciences bibliques à poursuivre jusqu'au bout le travail heureusement entrepris, avec une énergie chaque jour renouvelée, une ardeur totale et conformément à l'esprit de l'Eglise.

L'étude des Ecritures est l'âme de la théologie

La théologie sacrée s'appuie sur la parole de Dieu écrite, inséparable de la sainte tradition, comme sur un fondement permanent; en elle aussi, elle se fortifie, s'affermit et se rajeunit toujours, en scrutant, sous la lumière de la foi, toute la vérité qui se trouve cachée dans le mystère du Christ. Les saintes Ecritures contiennent la parole de Dieu et, puisqu'elles sont inspirées, elles sont vraiment cette parole; que l'étude de la sainte Ecriture soit donc pour la sacrée théologie comme son âme. Que le ministère de la parole, qui comprend la prédication pastorale, la catéchèse et toute l'instruction chrétienne, où l'homélie liturgique doit avoir une place de choix, trouve, lui aussi, dans cette même parole de l'Ecriture, une saine nourriture et une sainte vigueur.

Avec zèle et dans la prière, tous doivent lire la sainte Ecriture

C'est pourquoi tous les clercs, en premier lieu les prêtres du Christ et tous ceux qui vaquent de façon légitime, comme diacres ou comme catéchistes, au ministère de la Parole, doivent, par une lecture spirituelle assidue et par une étude approfondie, s'attacher aux Ecritures, de peur que l'un d'eux ne devienne «un vain prédicateur de la parole de Dieu au-dehors, lui qui n'en serait pas un intime auditeur», alors qu'il doit faire part aux fidèles qui lui sont confiés, spécialement au cours de la sainte liturgie, des richesses sans mesure de la parole divine. De même, le saint concile exhorte de façon insistante et spéciale tous les chrétiens, et notamment les membres des ordres religieux, à apprendre, par la lecture fréquente des divines Ecritures, «la science éminente de Jésus-Christ» (Phil. 3:8). «En effet, l'ignorance des Ecritures, c'est l'ignorance du Christ.» Qu'ils abordent donc volontiers le texte sacré lui-même, soit par la sainte liturgie imprégnée des paroles de Dieu, soit par une pieuse lecture, soit par des cours appropriés et par d'autres moyens qui, avec l'approbation et par les soins des pasteurs de l'Eglise, se répandent partout de nos jours d'une manière digne d'éloges. Qu'ils se rappellent aussi que la prière doit aller de pair avec la lecture de la sainte Ecriture, pour qu'un échange se noue entre Dieu et l'homme, car «nous lui parlons quand nous prions, mais nous l'écoutons quand nous lisons la parole divine».

Il revient aux évêques «dépositaires de la doctrine apostolique» d'apprendre de manière convenable aux fidèles qui leur sont confiés à faire un usage correct des livres divins, surtout du Nouveau Testament et en tout premier lieu des Evangiles, grâce à des traductions des textes sacrés munies des explications nécessaires et vraiment suffisantes, afin que les enfants de l'Eglise fréquentent les Ecritures sacrées avec sécurité et profit, et s'imprègnent de leur esprit.

De plus, que l'on fasse des éditions de l'Ecriture sainte, munies d'annotations appropriées à l'usage même des non-chrétiens et adaptées à leur situation; que, de toute manière, pasteurs d'âmes et chrétiens, quel que soit leur état, veillent à les diffuser judicieusement.

Œcuménisme ne signifie pas «conversion»
et,
sans conversion, l'œcuménisme
n'est pas possible

L'Eglise se dépasse elle-même
et
l'Etat s'arrête devant la liberté religieuse

L'œcuménisme est un signe
de l'histoire du salut
et
la liberté religieuse est un signe des temps

Dessin: Ponte Milvio

«Si, dans la séparation, une responsabilité quelconque peut nous être attribuée, nous prions humblement Dieu de nous pardonner, et nous prions en même temps nos frères, s'ils devaient se sentir offensés par nous, de nous accorder la rémission de notre faute.» (Paul VI.)

Par son ouverture œcuménique, le concile a suscité l'intérêt du monde entier. Ni le pape, ni les évêques, ni les dirigeants des grands moyens de communication sociale (télévision, radio, presse) n'avaient escompté un écho mondial aussi durable. Il grandit même de semaine en semaine – en dépit du déplorable service de presse et du résultat apparemment inexistant de la première session. L'intérêt universel ne laissa pas de persister même lorsque, plus tard, apparurent les crises conciliaires et les chocs en retour, lorsque les faits et gestes du concile furent présentés par des opuscules de poche comme un jeu d'intrigues dans le style de la Basse Renaissance, et même lorsque bien des rêves se furent dissipés comme des nuées et qu'ils eurent fait place à une vue lucide des choses, décevante pour beaucoup.

Il faut se demander d'où cela vient. Certains disent que l'origine de cet écho mondial tient à la personnalité du pape Jean XXIII. Il y a beaucoup de vrai dans cette affirmation, sans aucun doute. Jean XXIII était un homme rare et singulier, d'une extraordinaire puissance de rayonnement – analogue à celle de Kennedy, le président des Etats-Unis. L'un et l'autre moururent. Ils eurent l'un et l'autre des successeurs auxquels manquait, malgré leurs grandes capacités, le don d'impact sur les masses. Aussi, je ne crois pas me tromper en disant que la cause de l'écho mondial suscité par le concile a été, et est encore, son ouverture œcuménique. Elle répondait au désir secret de nombreuses personnes. Je n'ose pas dire: à un espoir ou même à une attente. Ce serait déjà trop, car chacun tenait ce désir pour irréalisable. Et c'est là précisément l'élément de surprise. L'inattendu se produisit. Un rêve, une apparente utopie, devint réalité. Je ne veux nullement dire par là que, grâce au concile, l'union des Eglises se dessine dans un avenir immédiat. Ce n'est pas le cas, et l'on ne voit même pas comment cette union pourrait se réaliser, fût-ce en quelques siècles. L'honnêteté commande de le dire. La Réformation eut lieu il y a plus de quatre cents ans; même après quatre cents nouvelles années, elle n'en viendra pas à l'unité avec l'Eglise catholique, s'il ne se produit pas de nouveau quelque chose de tout à fait inattendu des deux côtés, aussi bien dans la communauté de la Réformation que dans celle de l'Eglise catholique.

Le mouvement œcuménique

On ne veut pas non plus dire par là que la surprise apportée par le concile tomba du ciel comme un météore, sans aucune préparation historique et tel un *deus ex machina*. Voilà qui serait aussi une exagération sans mesure.

Le mouvement œcuménique est sorti, comme on le sait, des missions protestantes, qui avaient pour but d'«implanter dans toutes les nations non chrétiennes une Eglise du Christ indivise» (Edimbourg 1910). Ce mouvement s'opposait quelque peu aux Eglises officielles; à la suite de son appel, deux grands mouvements, pourtant, se développèrent: «Faith and Order» et «Life and Work». Le premier, tout d'abord fortement influencé par les Anglicans, cherchait à dégager dans la doctrine ce qui unissait et ce qui séparait; première condition préalable d'un dialogue sérieux. Le second recherchait le rapprochement par une action

commune et laissait de côté les questions de doctrine et d'organisation des Eglises. Aujourd'hui, ces premières étapes sont largement dépassées. Depuis 1938 (ou 1948), il y a un «Conseil mondial des Eglises» qui ne veut certes pas être, et qui n'est pas, une «Superéglise» ou une *Una Sancta,* mais seulement le lieu dans lequel et le service grâce auquel les Eglises séparées peuvent accomplir une tâche commune, si elles reconnaissent qu'elle leur est commandée par le Christ. Les Eglises qui appartiennent à ce conseil gardent donc leur complète souveraineté. Elles se tiennent sur une base qui est la foi en «Christ comme Dieu et Sauveur conformément à l'Ecriture» et cherchent «à répondre ensemble à leur vocation commune d'honorer le Dieu unique en le Père, le Fils et le Saint-Esprit». Depuis le congrès de New Delhi (1961), près de deux cents Eglises font partie du Conseil œcuménique. L'ancien Conseil international des missions est devenu, dans le cadre de cette organisation, une «Commission pour la Mission mondiale», de même que «Faith and Order» constitue aujourd'hui une commission du Conseil mondial.
Personne, il y a cinquante ans, n'aurait tenu pour possibles ces approches et ces rencontres. Mais ce chemin conduit plus loin. A New Delhi, on a parlé de «l'unité que nous recherchons».
Du côté catholique, l'attitude officielle à l'égard de ce mouvement fut de grande réserve, voire même de rejet. L'Eglise catholique se considère comme institution visible, fondée par Jésus-Christ et n'ayant jamais perdu son unité. L'Eglise une du Christ n'est pas à attendre d'une réunification par la synthèse des parties aujourd'hui dispersées: l'Eglise catholique est elle-même déjà cette unité. Mais d'après la conception qui est à la base du Conseil œcuménique, cette unité a été perdue et ne vit plus qu'à l'état résiduel, dans la mesure où tous les baptisés et fidèles forment une communauté, qui doit se «manifester» en tant que telle.
C'est à partir de cette opposition provenant de points de vue respectifs qui, pour les uns comme pour les autres, sont considérés comme allant de soi, qu'il faut comprendre l'attitude glaciale de l'Eglise catholique officielle. Toutes les invitations à envoyer tout au moins des observateurs furent déclinées. Même un homme généreux et favorable en beaucoup de points à l'Eglise catholique, comme Söderblom, se sentit offensé. Il y eut certes des initiatives catholiques privées, qui allèrent en partie très loin. Mais là aussi le Saint-Office mit aussitôt des freins. On n'avait que le droit de prier pour que les «égarés» (et l'on ne voyait les chrétiens séparés que sous ce seul aspect) retrouvassent leur discernement et qu'ils désirassent se convertir. Car ils n'étaient que des hérétiques – sinon tous formellement, du moins en fait – avec lesquels aucune conversation véritable ne pouvait avoir lieu, et les fidèles catholiques devaient être empêchés de frayer davantage avec eux. On trouve encore cette attitude dans la circulaire HUMANI GENERIS du pape Pie XII, en 1950.
Il est vrai qu'ensuite la pression de la «base» s'accrut. Mais la tendance était toujours à une extrême circonspection. Et quand bien même l'Instructio ECCLESIA CATHOLICA (1949) reconnaissait que le mouvement œcuménique doit sa genèse aux «douleurs d'enfantement du Saint-Esprit», il n'y eut pas de relations officielles entre ce mouvement et l'Eglise catholique.

Il n'y eut un changement qu'avec la décision du pape Jean XXIII instituant pour la préparation du concile le Secrétariat pour l'unité des chrétiens, qui fut confié à la direction du cardinal Bea (1960). Naturellement, l'atmosphère n'en fut pas entièrement modifiée du jour au lendemain. En 1961 encore, dans une audience privée, le cardinal Ottaviani me mit en garde contre l'«euphorie» qui se répand dans le monde d'aujourd'hui en ce qui concerne l'œcuménisme : «Les sentiments d'euphorie sont toujours dangereux, disait-il, encore qu'on ne doive pas s'opposer au Saint-Esprit quand son action est établie sans équivoque.» Et pourtant, ces propos impliquaient pour la première fois dans l'histoire de l'Eglise, et *officiellement*, l'existence d'un lien avec les frères séparés !

Aujourd'hui, les événements ultérieurs sont universellement connus. Au-delà du Conseil mondial des Eglises, les Eglises séparées furent invitées à envoyer des observateurs au concile. Elles furent très nombreuses à le faire et, d'après les listes officielles, leur nombre monta de trente-neuf à soixante-quatre (auxquels s'ajoutèrent encore vingt-sept suppléants). C'est à leur influence qu'on doit non seulement le langage plein d'égards, sur ce point, de tous les discours conciliaires, mais aussi le contenu de plusieurs discours.

N'était-ce là qu'euphorie? Œcuménisme ne signifie pas seulement que les membres de confessions diverses se témoignent une amitié mutuelle. Dans le meilleur des cas, cela ne peut être que la première étape. Les craintes réciproques que l'on pouvait tout d'abord observer encore çà et là, au cours de la première session, se dissipèrent peu à peu. Bientôt, on cessa de croire à une simple tactique. Mais la question demeurait, d'ordre dogmatique, de savoir ce que pourrait être, finalement, un œcuménisme catholique. Le 23 octobre 1963, le professeur Edmond Schlink, délégué de l'Eglise évangélique d'Allemagne, s'exprimait encore ainsi : «Le caractère catégorique et exclusif de l'Eglise catholique, tel qu'il est exposé dans le schéma *Sur l'Eglise* (qui en était alors à sa deuxième version, et non à sa version définitive), nous contraint à poser la question : «Que signifie la formule devenue habituelle qui consiste à appeler «frères séparés» les chrétiens non romains, au lieu de les nommer comme jusqu'ici hérétiques et schismatiques? Que signifie la louange des récoltes spirituelles dans les Eglises non romaines... Tout cela ne serait-il donc pas au service d'une tentative d'absorption? Cet œcuménisme-là ne serait-il, comme certains chrétiens évangéliques le soupçonnent, qu'une continuation de la Contre-Réforme avec d'autres méthodes, c'est-à-dire en usant de manières très prévenantes?» La question est dure mais nécessaire, puisque les problèmes réels, les derniers problèmes, ne peuvent être noyés dans une atmosphère d'euphorie. Et quelle réponse le concile a-t-il donnée?

L'Eglise se dépasse elle-même

Eh bien ! il n'a pas caché et il n'a pas nié qu'il y a là un problème sérieux. «Seuls sont pleinement incorporés à l'Eglise du Christ, dit la constitution sur l'Eglise, ceux qui acceptent intégralement son organisation et les moyens de salut qui lui ont été donnés, et qui, en outre, grâce aux liens constitués par la profession de foi, les sacrements, le gouvernement ecclésiastique et la communion, sont unis dans l'ensemble visible de l'Eglise avec le Christ qui la dirige par le souverain pontife et les évêques. » La phrase se trouve presque textuellement dans la circulaire de Pie XII sur le corps mystique du Christ. On n'y a donc rien changé. On insiste de même, comme on l'a toujours fait, sur la nécessité d'être dans l'Eglise pour obtenir le salut.

Mais plus loin la porte s'élargit, et il est dit que l'Eglise «est en quelque sorte le sacrement, c'est-à-dire le signe et l'outil pour l'union la plus intime avec Dieu et pour l'unité de tout le genre humain», donc aussi pour ceux qui, en toute bonne volonté, se tiennent en dehors de l'Eglise visible organisée. Si le signe n'était pas là, l'unité avec Dieu et l'unité de toute l'humanité ne seraient pas données. Cela vaut pour tous les hommes! La phrase: «Hors de l'Eglise pas de salut» prend ainsi un sens beaucoup plus profond et non plus aussi étroit et exclusif que dans l'interprétation qu'on en a trop souvent donnée, sans prendre en considération la volonté de salut universel qui est en Dieu, lequel a rédimé tous les hommes. Le concile a fait table rase de toutes les théories artificielles et laborieuses qui vont de l'appartenance à l'Eglise «au gré du désir» jusqu'à celle d'une Révélation primitive continuée à travers des millions d'années.

Cela n'est pourtant pas encore l'œcuménisme. L'œcuménisme concerne les chrétiens qui croient en Jésus-Christ et qui sont baptisés. De ceux-ci, le concile ne dit plus seulement, comme Pie XII, qu'ils sont d'une certaine manière «incorporés». Il dit qu'ils «sont avec l'Eglise catholique en communion certaine, quoique non parfaite»; ils appartiennent «d'une certaine manière au peuple de Dieu». D'après la conception du concile, l'Eglise du Christ est donc plus vaste que l'Eglise catholique. Elle comporte plusieurs «couches».

De ce fait, il existe une véritable unité de tous les chrétiens, et elle n'est nullement quelque chose de simplement extérieur, car chez les autres aussi Jésus-Christ vit, le Saint-Esprit agit, la foi, l'espérance et la charité sont présentes, la célébration de la cène – quelles que soient les différences dans les conceptions – signifie pourtant la communion vivante avec le Christ. Ainsi, le «sacrement de l'unité» est agissant sur eux aussi. Et tout cela s'exerce non seulement en chaque chrétien séparé pris en particulier, mais aussi dans leurs communautés qui contiennent d'authentiques éléments ecclésiaux. C'est pourquoi le concile ne les privera pas plus longtemps du nom d'«Eglises».

Un signe de l'histoire du salut

Il suit de tout cela que, selon le point de vue catholique tel qu'il est exposé par le concile, les chrétiens séparés eux aussi appartiennent à ce signe qui est nécessaire au salut pour l'humanité tout entière! Il dit: «Les Eglises séparées... ne sont pas dénuées de signification et de poids dans le mystère du salut. Car l'Esprit du Christ n'a pas dédaigné de les utiliser comme moyen de salut.» C'est là que se cache, il est vrai, de nouveau un moment de l'*histoire du salut*. La séparation fut un péché «des deux côtés», comme l'établit le «décret sur l'œcuménisme». Cela ne veut pas dire «que la responsabilité de la séparation doive peser sur les hommes qui sont nés maintenant dans de telles communautés et qui reçoivent *en elles* la foi en Christ». On ne peut donc parler ici d'hérétiques. C'est pourquoi, répondant au professeur Schlink, le décret proclame: «L'Eglise catholique les considère comme des frères, dans le respect et dans l'amour.» Bien plus, il est même accordé que ces frères qui sont séparés de l'Eglise catholique peuvent contribuer, pour les catholiques, à une «édification supplémentaire». Le catholique peut donc apprendre d'eux quelque chose, parce qu'ils ont développé plusieurs éléments du patrimoine chrétien mieux qu'on ne l'a fait dans l'Eglise catholique.

Comme on le voit, le point de vue de l'Eglise catholique s'est considérablement approfondi. On n'a pas nié ce qui avait été dit jusqu'alors; on a écarté une interprétation de l'Eglise du Christ qui était usuelle mais injurieuse, étroite et exclusive. Ajoutons à cela ce que nous avons déjà dit plus haut, à savoir que l'Eglise, dans ce concile, s'est définie comme une Eglise «en chemin», comme une Eglise toujours à réformer, comme étant essentiellement une Eglise des pécheurs et, par conséquent, pécheresse elle-même, aussi longtemps qu'elle n'a pas encore atteint la fin dernière. Ce qui nous donne la voie libre pour une participation authentique à l'œcuménisme de notre temps. Il n'y a pas un œcuménisme catholique qui serait différent de l'œcuménisme des autres chrétiens, comme si l'œcuménisme catholique n'était qu'un autre mot pour la conversion à l'Eglise catholique, pendant que les autres veulent se rencontrer en une commune «conversion au Seigneur», laquelle commence, comme le pensait le professeur Schlink, «par la suppression la plus complète possible des hypothèques qui pèsent actuellement sur les rapports, à savoir le prosélytisme, les entraves à la liberté religieuse, la lutte entre les missions, les rigueurs dans la pratique à l'égard des mariages mixtes». Le concile n'a pas hésité à en parler. Il le reconnaît au deuxième chapitre du schéma sur l'œcuménisme: «Il n'y a pas d'œcuménisme authentique sans conversion intérieure», et il est vrai qu'ici, comme en d'autres passages, on entend par là la «conversion» des catholiques – conversion qui les détourne de leurs «péchés contre l'unité», de leur orgueil qui ne veut pas implorer le pardon, de leur dureté qui ne veut pas pardonner, de leur faiblesse qui fait qu'ils ne veulent pas admettre leurs propres lacunes morales, le caractère imparfait de leur propre éducation, la manière défectueuse dont ils pratiquent le magistère. Sur la liberté religieuse, le concile rédigea une déclaration particulière; le décret sur les Missions parle de la suppression et du prosélytisme, et de la «concurrence» sur les territoires de Mission – la Mission doit être transformée en délivrance d'un témoignage commun. Quant au problème des mariages mixtes, on peut dire qu'il fut tout au moins courageusement empoigné. Aucune personne renseignée n'est surprise du fait que sa solution n'ait pu être trouvée au concile même. Mais le concile a fait en sorte que quelque chose, sur ce point, doive se produire en transmettant la question au pape pour élaboration, au titre de «requête urgente ne souffrant aucun délai». Entre-temps, un premier pas a été fait pour résoudre ce problème dans l'*Instruction sur les mariages mixtes*, du 18 mars 1966. Cette publication n'est rien de plus qu'un premier pas. Car, premièrement, le concile a demandé au pape un «motu proprio», mais pour l'«instruction», le signataire responsable est la Congrégation pour la foi; deuxièmement, l'«instruction» se considère elle-même comme un «essai», qui doit encore être mis à l'épreuve des faits; troisièmement, sur presque tous les points, le texte demeure en deçà de la décision du concile! Les évêques ne reçoivent pas encore tous les pleins pouvoirs qu'ils ont demandés, la conscience du conjoint non catholique n'y jouit pas d'égards aussi larges que l'avait suggéré le concile, et le conjoint catholique est encore plus sévèrement astreint, en ce qui concerne l'éducation des enfants, que le concile ne le prévoyait. On comprend la prudence, car on ne rendrait service à personne si, par la nouvelle réglementation, on en arrivait à favoriser l'indifférentisme. Mais si l'essai réussit, on pourra, avec une conscience plus tranquille, se risquer à une deuxième étape et même à une troisième (allant au-delà des vœux du concile). On trouve dans l'«instruction» des éléments autorisant un tel espoir; ainsi lorsque, par exemple, sur la question de l'éducation des enfants, elle reconnaît la législation du pays de résidence comme un empêchement légitime d'exiger une éducation des enfants absolument rigoureuse d'un point de vue catholique. Ici apparaît tout à coup de nouveau, après avoir été repoussée, la formulation du concile: «Dans la mesure où cela est possible au conjoint catholique.»

Il serait déplorable que le regard demeurât achoppé à tous ces détails. On pourrait encore en citer d'autres! Les évêques sont invités à «favoriser avec zèle» la participation des fidèles catholiques à l'œuvre œcuménique; en des circonstances particulières, il est «permis et même *recommandé*» que les catholiques prient en commun avec d'autres chrétiens; dans les séminaires, les jeunes ecclésiastiques doivent recevoir un enseignement théologique «qui ne soit pas conçu dans un esprit polémique»; la Constitution sur la Révélation parle d'un commun travail d'exégèse de la Bible. Si l'on considérait la *masse* des prescriptions de «tonalité œcuménique» que l'on trouve dans presque tous les seize documents conciliaires, on pourrait vraiment soupçonner, avec le cardinal Ottaviani, une «euphorie» peu rassurante. Mais elle pourrait se dissiper aussi rapidement que le flux et le reflux de la marée. Toutefois, la nouvelle prise de conscience de l'Eglise, élaborée au concile, montre qu'il n'en sera pas ainsi.

Cela ne changera pas. On a fait sauter un roc d'où jaillit une source nouvelle.

Liberté religieuse

A l'origine, le schéma sur l'œcuménisme comprenait cinq chapitres, dont les deux derniers (sur les juifs et sur la liberté religieuse) étaient bien en rapport avec l'œcuménisme mais, en même temps, allaient au-delà de ce problème: les juifs ne peuvent pas être appelés chrétiens, quand bien même ils considèrent comme leur appartenant en propre une partie de la Révélation du salut reconnue par les chrétiens, à savoir l'Ancien Testament; quant à la liberté religieuse, elle se rapporte à toutes les religions, encore qu'elle soit d'une importance fondamentale pour la revendication œcuménique.

Deux demandes du pape Jean

Les deux thèmes étaient un vœu particulier du pape Jean XXIII. Si peu qu'il ait voulu donner ou qu'il ait donné au concile un «programme» – ce programme devait, pensait-il, et dans la mesure où un programme est vraiment nécessaire, sortir des discussions, des échanges d'idées entre évêques – il y avait pourtant certains points qui servirent de pierres de touche à sa pensée, laquelle était intuitive et en même temps historique – car il était historien. La *Déclaration sur les juifs* lui paraissait nécessaire pour mettre fin une fois pour toutes à la possibilité de reprocher à l'Eglise de propager ce mal sournois de l'antisémitisme. Il n'y était pas contraint par le résultat d'enquêtes analogues à celle qu'organisa plus tard l'«Anti-Defamation League of B'nai B'rith», pour établir «dans quelle mesure les enseignements de l'Eglise avaient involontairement contribué à favoriser l'antisémitisme». Il connaissait l'Histoire, il connaissait l'Orient et il connaissait son entourage. Cela lui suffisait. Cette tache sur la conscience de l'Eglise, même faible, devait, à l'heure de l'«aggiornamento», disparaître.

Voilà qui est valable aussi pour la liberté religieuse. Jean connaissait parfaitement la conscience, de nos jours croissante, de la dignité de la personne humaine, et son regard – qui s'intéressait profondément aux voies de Dieu à travers l'Histoire – admirait cette évolution. Il connaissait bien aussi les déclarations embarrassées et artificieuses des moralistes et des juristes catholiques, avec leur distinction de la «thèse» et de l'«hypothèse» selon laquelle la «thèse» représenterait une «image catholique idéale», où un Etat catholique accorderait à l'Eglise une liberté complète et opprimerait toute autre religion, et où l'«hypothèse» figurerait une «adaptation» permise à la société pluraliste, autorisant les catholiques à «tolérer les religions erronées» comme un moindre mal. Il savait que Pie XII, sans la désavouer ouvertement, s'était préparé à tenter le dépassement de cette doctrine «classique» – passionnément défendue par le cardinal Ottaviani – en faisant prudemment allusion à la dignité de la personne. Jean pensait qu'on devait prononcer sur ce point une parole claire et simple – accessible à tous sans les béquilles fabriquées par des théologiens et juristes orthopédistes en vue d'une image idéale devenue anachronique – si l'Eglise ne voulait pas apparaître désespérément vieillie et surannée. Déjà dans son encyclique PACEM IN TERRIS, il avait rassemblé presque tous les matériaux ou les avait fait rassembler par des hommes jeunes et intelligents – qu'il suffise de nommer Mgr Cardinale, âgé de cinquante ans, actuellement délégué apostolique en Grande-Bretagne, que Paul VI avait personnellement consacré comme évêque; mais une prise de position du concile lui-même devait pourtant produire sur l'opinion mondiale une tout autre impression et, ce qui était plus important, on ne pouvait dégeler les solides blocs de glace formés par les partisans de la pensée «classique» autrement que par le vivant contact avec les groupes progressistes, dont ils se trouvaient géographiquement séparés.

Un signe des temps

L'intention du pape Jean était de faire de cette *Déclaration sur la liberté religieuse* un exemple modèle de l'historicité de l'Eglise, de son intelligence croissante des vérités de l'« héritage » nommé « dépôt de la foi », de sa capacité de « tirer un enseignement » des « signes du temps », sans pour autant jamais renoncer à la substance de la tradition. Cela devait être démontré non par des considérations longues et abstraites sur l'évolution des dogmes et l'historicité, mais par un exemple concret; car ce n'est que de cette manière que la connaissance abstraite, intellectuelle, deviendrait une expérience vivante. Jean connaissait bien le prophète du siècle dernier John Henry Newman, et les idées de Newman correspondaient à la tournure d'esprit de Roncalli.
L'entreprise était hardie et ne pouvait réussir que dans les mains du cardinal Bea, directeur du Secrétariat pour l'unité des chrétiens. C'était un lutteur ingénieux, qui respectait, voire qui faisait siennes les formes polies de la Curie romaine, sans pour autant accepter l'immobilisme de sa pensée.

Deux opinions : la classique, l'existentielle

Encore une fois, il serait faux de croire qu'il y avait au concile deux manières de voir fortement organisées, se faisant face. Certes, un groupe composé d'Italiens, d'Espagnols, de Portugais et de quelques autres (parmi lesquels des Allemands), représentait l'opinion « classique ». Pour eux, l'erreur ne saurait procurer aucun droit et, l'Eglise catholique étant seule à posséder la vérité, elle est aussi seule à posséder le droit de propager sa foi. John Courtney Murray formule le point de vue : « Hors de l'Eglise, point de droit.» D'après cette thèse, on ne peut accorder qu'une considération personnelle et une certaine tolérance à d'autres communautés religieuses, particulièrement si elles ont une conscience « erronée mais droite », c'est-à-dire sincère. Là où le catholicisme est en minorité, on peut accorder la tolérance à tous les autres, pour éviter un plus grand mal. Mais la tendance doit être toujours la même : premièrement, obtenir la majorité; secondement, opprimer les autres religions autant que possible. Ce qui a valu à l'Eglise catholique le reproche de mener un double jeu. Derrière cette conception se profile le plus souvent l'image d'un Etat que l'on est contraint d'appeler paternaliste. L'Etat se tient en face d'une foule puérile et ignorante ; il doit la protéger contre les errements. Chez Léon XIII, cette conception est encore exprimée sans aucune nuance, malgré la distinction claire qu'il établit entre l'Eglise et l'Etat. A cette époque-là, cela correspondait entièrement aux faits, et Léon XIII était un réaliste. Mais ce qui chez lui répondait à son sens de la réalité, on l'a élevé plus tard à la hauteur d'un principe intemporel.
L'autre opinion défendait la « liberté religieuse » comme un droit civique. Cela n'a rien à voir avec la paulinienne « liberté des enfants de Dieu » (elle se situe sur un tout autre plan), ni avec la reconnaissance d'une conscience morale à fondement purement subjectif et non orienté sur une vérité objective : la conscience *ex lex* (hors la loi). Même la prétention de l'Eglise à l'autorité dans le domaine religieux n'est pas contestée par cette revendication de la « liberté religieuse ». Elle énonce purement

et simplement que ni l'Etat ni aucun pouvoir temporel n'ont le droit, ni directement ni indirectement, d'intervenir d'une façon contraignante dans les rapports religieux entre l'homme et Dieu – par exemple en défavorisant les adhérents de certaines religions dans les nominations aux fonctions publiques. Et l'homme et sa religion présentant un aspect social très important, il faut aussi que l'on soit autorisé à témoigner publiquement de sa religion, comme aussi à la répandre, sans que, de nouveau, l'Etat possède le droit de s'immiscer dans la structure interne de la communauté religieuse ou dans ses libres rapports avec l'étranger.
La justification de cette revendication politique et juridique est cherchée sur le plan éthique : la norme absolue du comportement moral est pour chaque être humain sa conscience. Dieu parle à chacun à travers sa conscience. C'est un devoir pour l'homme, à travers sa conscience, de rechercher la vérité et, finalement, Dieu. Là-dessus, il n'est pas libre moralement. Il a aussi le devoir d'obéir au jugement de sa conscience, même si elle devait, dans un cas concret, être dans l'erreur. Cette sphère de l'homme causant avec Dieu est donnée à chaque homme ; elle fait sa particulière dignité. C'est dans cette dignité de l'homme, qui lui est objectivement donnée – qu'il s'en inspire ou non dans son comportement – qu'est donc enraciné le droit à la liberté religieuse, qui est au fond un «non-droit» de l'Etat.

Etat et religion

Peut-on dire alors que la religion n'intéresse absolument pas l'Etat ? Point du tout, répondent les représentants de cette opinion. En effet, le rôle de l'Etat est de créer ce domaine de liberté, de le maintenir et de réaliser ainsi les conditions préalables au libre déploiement de la religion. Telle est sa contribution, tel est le témoignage de son respect pour la religion ! De la religion, il se refuse à être le juge. Il va de soi que cette conception de l'Etat diffère considérablement de celle qui a été mentionnée plus haut. Elle correspond à notre époque. Elle repose sur la distinction entre Etat et société, ainsi que l'a exposé lumineusement le cardinal Shehan (Etats-Unis) dans l'aula du concile. L'Etat est purement et simplement ce qui met de l'ordre dans la société. La puissance publique est chargée par la société d'assumer, pour le bien de celle-ci, certaines fonctions limitées.

Ecole française et école américaine

Il faut ajouter une chose qui rendait la situation encore plus compliquée : les champions de la liberté religieuse n'étaient pas unis dans la méthode d'exposition de leur point de vue. Tandis que l'école française voulait en faire un concept théologique formel, l'école américaine cherchait à décrire la liberté religieuse formellement comme un concept juridique ou constitutionnel, mais dont les racines résident dans la théologie, l'éthique, la philosophie politique et la science du droit. Les méthodes sont donc inverses : l'école française *commence* par reconnaître que la libre personnalité humaine exige la liberté religieuse. En seconde instance seulement, elle pose le problème constitutionnel. L'école américaine, au contraire, commence par une analyse exhaustive de la situation de la libre personne humaine sous un gouverne-

ment dont les pouvoirs auront été limités. La question constitutionnelle et les questions théologico-morales se voient attribuer une importance égale.
Tandis qu'au commencement le schéma du concile était presque entièrement influencé par l'école française et qu'il s'ensuivait une règle de conduite idéale (thèse) et l'adaptation de celle-ci à la réalité historique (hypothèse), l'accent se porta toujours plus nettement, d'une version à l'autre du schéma, en faveur de l'école américaine. Ici, la question de la «règle de conduite idéale» ne se pose plus, parce qu'on s'en tient au concret. Le véritable point de la controverse en devient aussi plus discernable. En fait, on parla longtemps au concile – la déclaration fut discutée *trois fois* (à la seconde, à la troisième et à la quatrième session, et il y eut quatre versions différentes, sans compter les simples améliorations des projets) – mais ce fut un véritable dialogue de sourds. Le Père Courtney Murray a bien raison de dire: «Les différences entre les deux points de vue étaient très profondes; elles étaient si profondes qu'il n'était guère possible d'aller encore plus profond. Elles reflétaient le conflit contemporain entre la mentalité classique et la conscience historique.»
Le premier point de vue reprochait au second les erreurs doctrinales du libéralisme, du subjectivisme, du relativisme, de l'indifférentisme, du rousseauisme, du laïcisme, du modernisme social et juridique, du personnalisme humaniste, de l'existentialisme, de l'éthique de situation et du faux irénisme. Mais il n'était pas difficile de démontrer l'inconsistance de toutes ces accusations. Le second point de vue reprochait au premier non pas des erreurs de doctrine, mais ses fausses conclusions, provenant d'un extraordinaire «fixisme», consistant à vouloir s'en tenir pour toujours à un certain point de l'évolution de la doctrine et à se refuser à distinguer entre ce qui est permanent et ce qui est conditionné par l'époque. Ce fixisme, à son tour, a ses racines dans une abstraction injustifiée. Il n'est pas possible de transformer ce qu'enseignait Léon XIII en une règle de conduite idéale abstraite qui serait obligatoire pour une abstraction appelée «Etat». C'est là qu'était le point névralgique. Il fallait enfoncer le mur de la pensée purement abstraite, archaïque, fixée, en faveur d'une pensée historique et orientée sur l'histoire du salut – et cela se produisit. Peut-être cela ne se fût-il pas produit si Paul VI n'avait pas laissé entendre çà et là qu'il tenait à cette déclaration. Ainsi, par exemple, lors d'une audience accordée à un séminaire des Nations Unies pour la liberté des services d'information, le 19 avril 1964: «L'Eglise aussi s'occupe actuellement d'un problème... qui est apparenté au vôtre: le problème de la liberté religieuse. L'importance et l'ampleur de la question étaient si grandes que le concile en a été comme fasciné. On peut nourrir l'espoir fondé que, sur ce point, un texte sera publié, qui sera d'une grande portée non seulement pour l'Eglise, mais pour tous ceux – ils sont innombrables – qui se sentiront concernés par une déclaration autorisée dans ce domaine.» Il est vrai que ce fut tout d'abord une controverse purement interne au catholicisme. Beaucoup d'observateurs en suivirent le déroulement avec perplexité. Ils ne savaient pas bien où on allait en venir. Mais, à la fin, ils l'ont peut-être reconnu: c'est *là* qu'a été bouché le trou d'où fût sortie sans relâche l'eau qui eût empoisonné l'œcuménisme.

La communauté des chrétiens non catholiques

On pouvait avoir parfois presque l'impression que deux conciles siégeaient l'un à côté de l'autre : le grandiose concile catholique officiel, que nous nommerons le concile violet, que le public découvrait chaque jour de la semaine, quand les pères quittaient Saint-Pierre. La couleur violette est celle qui convient tout à fait à la métamorphose mystique. Les anthroposophes ont su le mettre en évidence.
A côté siégeait le concile officieux des chrétiens non catholiques. On pourrait l'appeler le concile multicolore, encore que la tenue en noir distingué eût ses faveurs. Il est vrai que dans les circonstances solennelles les Orientaux n'étaient pas les seuls à être vêtus cérémonieusement et magnifiquement. Ici brillait l'habit blanc des Frères de Taizé, là étincelait la chaîne d'or d'un recteur ou d'un doyen d'Université. Et les coiffures aussi étaient diverses comme les oiseaux du ciel. On voyait onduler en foule les robes aux plis nombreux. Tout cela s'accordait très bien à l'atmosphère baroque du Vatican – de même que le décor de l'Eglise vaudoise ne le cédait en rien au style des «pieux» dans le domaine catholique. Tâches communes!
Plusieurs observateurs assuraient que les «problèmes» qui occupent aujourd'hui le Conseil œcuménique, que ce soit à l'intérieur des Eglises ou dans leur relation avec le monde, sont tout à fait semblables à ceux du concile. Eux aussi sont placés devant ces questions : le «Christ anonyme», les «fonctions» dans l'Eglise, l'«eschatologie», l'«histoire des formes», l'«histoire du salut», et il est encore bien plus difficile pour eux de trouver une solution commune que pour l'Eglise catholique. Ainsi, les observateurs n'apportèrent pas au concile seulement de l'animation, le concile lui-même «anima» la discussion entre les observateurs! Prémices d'un témoignage commun!

Depuis le commencement du concile, le cardinal Augustin Bea, directeur du Secrétariat pour l'unité des chrétiens, fondé en 1960 pour préparer le concile, voyagea dans les pays les plus divers de l'Europe et des Amériques, presque aussi souvent que tous les cardinaux de la Curie romaine ensemble. Comme ancien professeur d'exégèse et directeur de l'Institut biblique de Rome, il avait déjà professionnellement beaucoup de contacts avec les savants évangéliques. Aussi, le secrétariat à lui seul déclencha une publicité qui stupéfia tout le monde.
Le cardinal Bea avait aussi du courage: quand les Espagnols et les Portugais crurent que les œcuménistes du concile voulaient prendre une attitude ultra-réservée dans la question de Marie, Bea visita aussitôt ces pays et leur apporta des éclaircissements.
Son interlocuteur, sur la photo, est le professeur Oscar Cullmann, qui assista, comme observateur invité, aux quatre sessions. Alsacien d'origine, il est professeur aux Universités de Bâle et de Paris. Mais, en outre, il a donné souvent des cours à la Faculté vaudoise de Rome. Ses initiatives pratiques en matière d'œcuménisme ont été soulignées avec éloges par de nombreux pères conciliaires.
Le pape Paul VI apprécie le professeur Cullmann avant tout pour ses livres sur l'histoire du salut, dont le dernier est dédié au Secrétariat pour l'unité. «Dans la persuasion que ce qui nous sépare contribue également au progrès de l'histoire du salut, laquelle comporte aussi des détours.»

Du haut de cette tribune, les observateurs assistaient aux congrégations générales du concile. C'était une place privilégiée, plus près de l'autel et du présidium que les sièges des évêques. Au premier plan, à gauche, on voit la table des «secrétaires» du concile; à droite, le chœur des chanteurs pour la messe. Les théologiens du concile avaient sur les tribunes, par-dessus les têtes des évêques, des places beaucoup plus mauvaises. Un journaliste n'assistait qu'une fois ou l'autre, à l'occasion, à une congrégation générale, et non pas sur les banquettes désignées comme place d'honneur par un garde suisse – à moins, comme par exemple ici le Père Dupré, que ce ne fût pour servir d'interprète aux observateurs. Mais les invités, au fond, n'avaient pas besoin d'aide; ils s'aidaient mutuellement.

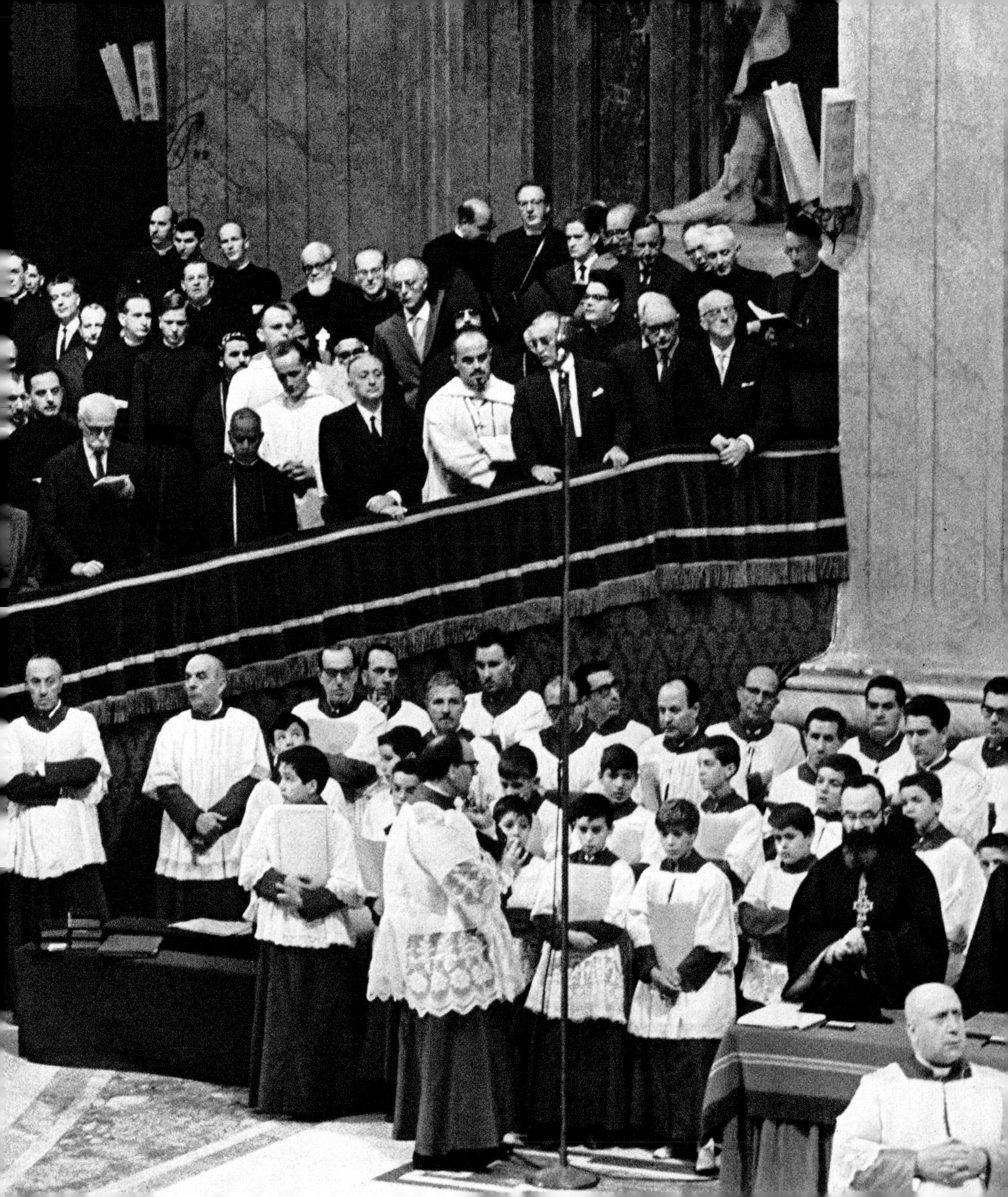

Une fois par semaine, le Secrétariat pour l'unité des chrétiens, conduit par Mgr Willebrands – que Paul VI, en raison de ses mérites, consacra évêque le 28 juin 1964 – se rencontrait avec les observateurs pour un dialogue sur les questions que le concile se trouvait en train de débattre. Au commencement, on disait que le Secrétariat voulait «informer» les observateurs sur les «arrière-plans théologiques». Mais très vite, cela se révéla inutile. En fait, des opinions très dissemblables se manifestèrent chez les observateurs eux-mêmes – et parfois le débat entre les observateurs ne le cédait en rien, en vivacité, à celui du concile! Les rencontres, tout d'abord un peu gourmées et cérémonieuses, se détendirent quand on eut transféré le lieu de réunion au Foyer Unitas de la piazza Navone. On y prenait d'abord le café, et une chaleur humaine commençait à animer l'atmosphère. On voit sur la photo, au premier plan à gauche, le professeur danois Kristen Skydsgaard en conversation avec l'Américain Warren Quanbock (Minnesota, E.-U.), au centre, et le professeur français Vilmos Vayta, à droite, de l'Institut de recherches œcuméniques de Strasbourg. Tous les trois représentaient au concile l'Union luthérienne mondiale. Un test de popularité, organisé parmi les journalistes, donna le plus grand nombre de points au professeur Skydsgaard. Les conférences qu'il tint devant la presse survivront au concile, car il sut gagner tous les cœurs.

Le public du concile remarqua à peine une assemblée qui réunit tout juste soixante personnes au Centre français de Rome (Saint-Louis-des-Français). Les premiers à y prendre la parole furent le cardinal Martin (Rouen), président du Secrétariat national français pour l'unité des chrétiens, et le pasteur Marc Bœgner, président d'honneur de la Fédération protestante de France (l'un et l'autre au premier plan sur la photo). Martin déclara qu'il s'agissait là d'une affaire modeste en regard des grands événements du concile. Mais Bœgner répondit qu'il ne pouvait se ranger à cet avis, car ce qui était pour le concile un vœu se trouvait devenir ici une réalité. De quoi s'agissait-il? Le professeur Casalis, de la Faculté de théologie protestante de Paris, et le jeune et ardent dominicain Refoule, expliquèrent l'entreprise : on est en train de réaliser une véritable Bible œcuménique pour tous, et de telle manière que chaque texte est traduit *en commun* par les deux confessions et révisé ensuite par des orthodoxes. On choisit comme premier texte l'Epître aux Romains ; et l'on n'eut pas besoin d'une «double» annotation (pour catholiques et pour protestants) ! On aura donc une Bible populaire établie selon de stricts principes scientifiques ; la Fédération mondiale des sociétés bibliques, puissante dans tous les continents, veillera à sa diffusion (ce qui est un phénomène des plus surprenants pour cette association plutôt conservatrice). L'œuvre devrait être achevée en dix ans : une Bible commune à tous les chrétiens !

Les frères de Taizé sont aujourd'hui universellement connus. Deux d'entre eux (le prieur Roger Schütz et le «théologien» du cloître, Max Thurian) furent les invités au concile du Secrétariat pour l'unité. Le pape Jean leur déclara, faisant allusion à leur blanche vêture: «Je ne vous considère pas comme une concurrence.» Ils avaient loué un appartement à Rome, au centre de la ville, et institué un cloître provisoire. Ils s'intéressaient principalement à l'Amérique du Sud. Personne ne peut dire combien d'heures ils ont passées en délibérations, prières et repas communs avec des évêques sud-américains, et le sociologue dominicain Père Lebret (avec la pipe sur la photo). Comme on le sait, les évêques sud-américains ne sont pas tous d'accord pour s'adapter au temps présent. Et pourtant, il s'agit ici d'une question de vie ou de mort, comme le pape l'a souligné dans un discours, à la fin de la quatrième session. De quoi faut-il le plus s'étonner: de la bonne volonté chrétienne des frères ou de l'acceptation reconnaissante des évêques? Il y a dix ans encore, on aurait parlé d'«intrusion» et d'«étroitesse d'esprit»!

Deux fois par session, les observateurs faisaient une excursion en groupe, saisissant l'occasion d'une des journées où le concile ne siégeait pas. Ils visitaient volontiers les vieux monastères bénédictins de Monte Cassino et de Subiaco, qui datent du temps des fondateurs de l'ordre. Les bénédictins sont un ordre extrêmement hospitalier. Les locaux, les hommes, la prière, la manière de vivre, les repas créent une atmosphère «œcuménique» décontractée. C'est une véritable joie de s'entretenir avec les moines. On voit ici, à Subiaco – lieu du premier séjour de saint Benoît, où naquirent, de son expérience personnelle, les règles de son ordre – le délégué de l'Eglise orthodoxe syrienne de l'Inde, l'évêque élu Abraham, en conversation avec l'un des moines érudits, dans le jardin du monastère, près du buisson sacré.

Le 4 décembre 1965, pour la séance d'adieu du concile, se produisit quelque chose d'inouï dans la sainte ville de Rome. Cela se produisit «hors les murs» *(fuori le mura)*, la chose débordant le cadre habituel. Les «observateurs» ne furent plus les spectateurs tranquilles, silencieux, «qui devraient rapporter à leurs Eglises ce qu'entreprend l'Eglise catholique romaine et son concile», ainsi que le prévoit leur statut. Eux et les évêques, les pères conciliaires et le pape tinrent un service divin commun dans ce qui est peut-être la plus belle basilique de Rome: Saint-Paul, servie par des bénédictins. On pensait non pas donner un spectacle, une démonstration pour le public, mais élever une prière commune et intime. Des représentants de l'évangélisme et du catholicisme lurent alternativement des passages de la sainte Ecriture. Les idiomes aussi étaient mêlés. On entendit des chants d'église anglais. Le pape prononça une allocution et cita Soloviev, le théologien œcuméniste, qui passa une fois toute la nuit dans les couloirs d'un monastère parce qu'il ne parvenait pas, dans le noir, à distinguer des autres la porte de sa cellule. «C'est ce qui souvent arrive, dit Soloviev, à ceux qui recherchent la vérité. Ils marchent de long en large, sans dormir, à côté d'elle, et ne la trouvent pas, jusqu'au moment où un rayon de soleil de la sagesse divine leur apporte très facilement l'heureuse et consolante découverte.» Le pape ajouta: «Frères, puisse ce rayon de la lumière divine nous faire reconnaître à tous la porte bénie.» De tels services divins communs «sont non seulement permis de temps à autre, mais souhaités», comme il est écrit dans le décret œcuménique!

Solennellement s'avance, avec sa longue traîne, le délégué du patriarche de Constantinople Athénagoras Ier, Son Eminence le métropolite Méliton d'Héliopolis. Il s'approche – le 7 décembre 1965 – du siège du pape Paul VI, qui tient déjà dans sa main le bref qu'il remettra, avec le baiser de paix, au frère séparé. Le bref déclare: «Nous (le pape) regrettons vivement les paroles et actions injustifiées d'autrefois. (Il s'agit de l'an 1054 et des insultes réciproques du cardinal légat du pape Humbert di Silva Candida et du patriarche Michel Caervlarivs de Constantinople.) Nous supprimons de la mémoire de l'Eglise l'excommunication fulminée à cette époque et la déclarons nulle; elle doit être oubliée et enterrée...» A la droite du pape, le cardinal Bea lit, d'autre part, une déclaration commune de Paul VI et d'Athénagoras Ier, qui dit la même chose. Au même moment, le patriarche Athénagoras recevait à Constantinople une délégation du pape, auquel, de son côté, il remit un «thomos» (mot grec signifiant «bref») qui levait l'excommunication du légat du pape. Ces faits et gestes ne signifiaient pas encore l'union des Eglises mais l'épuration d'une atmosphère qui avait été jusqu'alors empoisonnée. Aucun rapprochement ne peut se produire quand il y a au cœur de la méfiance et de l'amertume. C'est dans ce sens que l'acte solennel qui se produisit à la clôture du concile fut le symbole impressionnant du renouveau. Il montre par quoi doit nécessairement commencer tout œcuménisme.

En haut: Au dernier jour du concile apparut à Rome le métropolite de l'Eglise orthodoxe russe de Leningrad, Nicodème. Il ne participa point, comme certains l'avaient escompté, aux cérémonies de clôture. Nicodème joue un rôle mystérieux. Relativement jeune, il accéda rapidement à ses hautes fonctions dans l'Eglise russe, si bien que plusieurs en concluent que le pouvoir politique veut l'utiliser comme un instrument. Mais les connaisseurs de la situation – au Secrétariat pour l'unité et au Conseil œcuménique – apprécient extraordinairement le très intelligent et très prudent métropolite. On le voit ici en compagnie de Mgr Willebrands et du Père blanc Pierre Duprey qui, au Secrétariat pour l'unité des chrétiens, dirige la section orientale.

En bas: Et voici une séance du Secrétariat pour l'unité. Il a enfin abandonné les locaux vétustes et étroits qui étaient les siens jusqu'à la fin de la troisième session. Le nouveau siège n'est pourtant pas éloigné de l'ancien. «Juste au coin», pourrait-on dire. Depuis longtemps d'ailleurs, le secrétariat ne se consacre plus exclusivement aux travaux du concile, pour lesquels il avait été créé tout d'abord. C'est donc tout naturellement que, depuis la fin du concile, il fut érigé et qu'il continue son activité comme institution permanente de l'Eglise. En fait, le dialogue vient à peine de commencer. Les organismes romains ont reçu là un frère – et il ne serait pas juste de dire qu'ils le considéraient comme les fils de Jacob considérèrent (l'Egyptien) Joseph.

Les espoirs furent-ils comblés? Réponse d'un observateur protestant

Oscar Cullmann, professeur à Bâle et à Paris pour l'étude du Nouveau Testament
Extrait de son discours prononcé à Rome, le 2 décembre 1965

Les espoirs furent-ils comblés? Posée de cette façon, la question est peut-être prématurée. Car ce concile, beaucoup plus que les précédents, ne pourra être jugé que dans ses effets...

Espoirs légitimes

A quoi nous attendions-nous? Seule la définition qu'a donnée le pape Jean XXIII de son but dans le discours d'ouverture qu'il a prononcé le 11 octobre 1962 pouvait servir de ligne directrice aux espoirs légitimes, et il en fut bien ainsi. Il faut se baser sur les lignes suivantes: «L'enseignement authentique de l'Eglise doit être étudié et présenté selon les méthodes de recherche et les formes d'expression qui correspondent à la pensée contemporaine. Il faut distinguer le fond de l'enseignement de toujours, contenu dans la richesse de la foi, et la forme qui l'enveloppe.» Jean XXIII a précisé ensuite que cette forme devait tenir compte de l'aspect pastoral et œcuménique. Il a affirmé qu'aucune hérésie ne serait condamnée, aucun nouveau dogme promulgué ni aucun ancien dogme repris, car «pour cela il n'était nul besoin d'un concile». A cet égard, nos espoirs se sont révélés comblés...
J'aimerais insister particulièrement sur le fait que, lors d'un renouveau de l'Eglise chrétienne, il ne saurait s'agir uniquement d'une adaptation au monde moderne, et que par conséquent un «aggiornamento» ne saurait seul être un motif de renouveau. Jean XXIII l'a aussi ressenti qui parle de distinction à faire entre le fond inaliénable et la forme. Cependant, la question de la synthèse à faire entre ce fond inaliénable et la forme pose un problème difficile et complexe. Et pourtant, cette question n'a été traitée ni par Jean XXIII ni par le concile. Peut-être n'était-ce pas possible dans ce cadre? Il me semble que le concile a eu tort de considérer comme résolue la question de cette relation entre un noyau inaliénable et une forme qui exige une évolution. Je dois d'ailleurs avouer que nombre de théologiens protestants négligent totalement ce problème dans leurs efforts pour rendre le message biblique accessible au monde d'aujourd'hui. Le discours de Paul VI, prononcé le 18 novembre 1965, qui tentait avec raison de mettre le monde en garde contre une fausse conception de l'«aggiornamento», n'a pourtant pas été en mesure de donner une explication. Il faut avouer que la notion seule d'«aggiornamento» est insuffisante. Il ne sert à rien de dire que le fond et la forme doivent être distingués l'un de l'autre si l'on n'explique pas ce qu'ils représentent l'un et l'autre.

Comment modifier certaines valeurs au sein de fondements inaliénables ?

Le problème est encore plus complexe. La recherche de cette synthèse ne doit pas seule nous occuper; il faudra encore que la nouvelle formule adoptée ne revête pas qu'un aspect extérieur mais trouve aussi sa justification dans le fond même de ce noyau. Il nous faut aborder maintenant cet important problème, puisque la réponse à notre question citée plus haut y est liée.

La Réforme obtint de tels résultats parce qu'il ne s'agissait pas seulement à l'origine de supprimer les abus de l'Eglise, comme on se l'imagine souvent, mais bien de lutter pour des articles de foi. Ainsi, l'«aggiornamento» ne devrait donc procéder que des bases mêmes... Heureusement, il en a été effectivement ainsi au concile aussi bien que dans les textes. Tout le mouvement à l'origine du concile n'aurait guère pu exister sans que la volonté de renouveau n'ait eu un fond de foi et ne se justifie du point de vue théologique. Mais on peut regretter toutefois que n'ait pas dominé au concile un leitmotiv théologique. C'est ce que nous attendions du côté protestant, c'est-à-dire qu'on procéderait à une révision des formules et que naîtrait de ce fond inaliénable un changement des valeurs. On aurait pu y parvenir sans renoncer à quoi que ce soit de fondamental. Il se pourrait que des éléments fondamentaux soient avec le temps mis à l'écart au profit de principes auxquels on accorde aujourd'hui moins d'importance. Un renouveau peut souhaiter un changement rétabli selon les conditions d'origine, sans que les éléments de fond soient modifiés pour autant.

Il en a été d'ailleurs ainsi. Notre attente a été en partie récompensée, en ce sens que l'«aggiornamento» ne fut pas seulement un «aggiornamento», mais une conséquence directe d'une modification de ces valeurs fondamentales. Si l'on considère que, dans beaucoup de textes, des concepts tirés de l'histoire sainte ont remplacé certains concepts statiques de la scolastique, on constate que les fondements mêmes sont en cause. C'est dans ces passages que les espoirs des observateurs furent le mieux comblés, là où non seulement une pensée statique, mais le dynamisme même de l'histoire sainte apparaît. C'est aussi dans ces passages que la volonté de renouveau du concile apparaît le plus clairement. Car c'est là qu'apparaît la relation de l'histoire sainte avec le passé, le présent et le futur; on y voit comment l'Eglise réagit au milieu de ce courant et comment les problèmes s'y résolvent.

Les différents textes

Le schéma sur la *liturgie*, qui nous tenait fort à cœur dès le début, d'une part correspond à notre culte, et d'autre part est entièrement inspiré de la Bible. On le constate dans la langue, et surtout dans les concepts fondamentaux du culte chrétien. Personnellement, je peux dire que dans ce domaine mes espoirs n'ont pas uniquement été comblés, mais encore largement dépassés...

Le schéma sur l'*Eglise* apporte non seulement un nouveau langage propre mais contient des affirmations, là où il est question du peuple de Dieu en marche, qui rapprochent beaucoup la conception catholique de l'Eglise de la nôtre. De plus, le schéma sur les *laïcs*, le schéma sur les *missions* et son fond eschatologique, les différentes parties de l'important chapitre sur la *Révélation divine*, sur lequel nous reviendrons encore, sont tous inspirés directement de la Bible. Malgré ce terrain commun, nous nous trouvons pourtant devant des divergences profondes et persistantes. Nous pourrions néanmoins reprendre tels qu'ils sont plusieurs paragraphes tirés de ces textes. Mérite cependant une attention particulière un texte auquel on ne rend pas suffisamment justice: la *vocation sacerdotale*. Ce texte est à mon avis l'un des meilleurs et des plus importants. Là, l'étude de l'Ecriture revêt un aspect important. Ce texte est en outre, plus que n'importe quel autre, propre à influencer les effets du concile à l'avenir. Si la formation future des prêtres se poursuit selon ces principes, le progrès de l'Eglise catholique est assuré vers une intime pensée de la Bible. Dans ce cas, toute l'œuvre de l'«aggiornamento» se poursuivra dans une réflexion profonde sur la signification des fondements. C'est là que nous pouvons dire que nos espérances sont dépassées...

Dans le schéma sur la Révélation, on rencontre de vraies perles dans les affirmations sur l'Ecriture. Combien nous sommes éloignés des discours catholiques d'antan sur l'Ecriture, considérée alors comme lettre morte, alors qu'aujourd'hui nous lisons dans le schéma sur la liturgie que Dieu parle dans la Parole et dans les sacrements, et dans le schéma sur la Révélation que Dieu dans l'Ecriture va au-devant de ses enfants et dialogue avec eux... Nous nous réjouissons de ces affirmations d'après lesquelles l'étude de l'Ecriture est l'âme même de la théologie, que le prêche doit se nourrir de la Bible, et de façon générale nous sommes heureux de la plupart des affirmations du dernier chapitre du schéma sur la Révélation concernant la place de la Bible dans la vie de l'Eglise. En tant qu'exégète, je suis d'accord dans les grandes lignes avec les principes d'interprétation du cinquième chapitre concernant le Nouveau Testament. Dans le domaine de l'interprétation, l'unité est pour ainsi dire atteinte.

Attendions-nous davantage en ce qui concerne ce schéma? *Pouvions-nous* en attendre plus d'un texte catholique sur pareil sujet? Je ne le crois guère. Mais j'aimerais ici mettre tout de même nos amis catholiques en garde: ce n'est pas parce que nos espoirs ont été comblés que nous serons pour autant d'accord avec les conditions posées par l'Ecriture, la tradition et l'enseignement. Au contraire, c'est devant ces affirmations que nous sentons mieux l'opposition fondamentale qui nous oppose. Bien que nous avouions aussi que l'Ecriture doit être interprétée au sein de l'Eglise (et j'insiste: *au sein*) et que la tradition peut être une aide pour apporter ce qu'elle contient de positif, j'estime qu'il existe une fonction juridique de l'Ecriture, notamment lorsqu'il s'agit de distinguer de la tradition postapostolique les éléments légitimes de ceux qui ont subi des transformations. J'estime que dans ce cas l'Ecriture doit représenter vis-à-vis de l'Eglise une instance plus haute et une autorité plus décisive. En considérant la valeur précisée par dogmes de la tradition et de l'infaillibilité de l'enseignement, je ne crois pas qu'on ait pu en attendre davantage. Toutefois, il est regrettable que le mot autorité ait disparu du texte...

Du caractère œcuménique des textes, vous serez à peine étonnés de constater que le schéma sur l'*œcuménisme* a largement dépassé nos espoirs les plus téméraires. Au début du concile, nous osions à peine croire que dans un texte officiel les Eglises non catholiques seraient reconnues comme elles le furent, et qu'elles seraient valorisées en tant que charismes. Une toute nouvelle conception de l'œcuménisme fait ici son apparition, mais c'est aussi une nouvelle conception de l'Eglise au sein du catholicisme: l'Eglise romaine n'est plus celle qui aspire toutes les autres. Mais cet élan œcuménique devrait, selon la conception initiale, rayonner dans tous les textes. Cette aspiration apparaît le plus visiblement dans les textes sur les missions et sur la Révélation divine, là où la traduction de la Bible en collaboration avec les frères séparés est recommandée, et particulièrement dans le passage sur les laïcs signifiant que c'est par la collaboration avec d'autres Eglises que les laïcs représenteront un témoignage du Christ, sauveur du monde, et qu'ils seront témoins de l'unité de la famille humaine.

A ce sujet, j'aimerais encore attirer l'attention sur un passage au numéro 11 du schéma sur l'œcuménisme qui, si l'on en tire toutes les conclusions, permet les espoirs les plus grands à l'avenir, et qui semble être, quant au développement de cette tendance nouvelle et à la facilité du dialogue, le plus prometteur parmi tous les textes du concile, bien que, chose curieuse, on n'en ait que peu parlé. On y dit qu'«il existe un ordre de rang, une hiérarchie parmi les vérités de l'enseignement catholique, selon leur relation avec les fondements de l'Eglise chrétienne». De là ce changement au sein même des bases de l'Eglise catholique dont j'ai déjà parlé...

Les textes seuls sont insuffisants

De plus, j'aimerais faire une remarque générale: il n'est pas juste de ne se référer qu'aux textes de ce concile. Ce n'est en rien une méthode historique. Plus que lors d'aucun concile, il convient de considérer *tout l'événement* dans son ensemble, car il aura ses effets autant que les textes. Ainsi, nous sommes reconnaissants d'avoir pu être observateurs. Même le critique le plus blasé doit reconnaître que c'est une volonté de renouveau qui a animé ce concile. Et cette volonté n'est pas complètement étouffée dans les textes qui ont dû subir de nombreux amendements. Souvent les projets de textes, et non les textes eux-mêmes, respirent mieux l'esprit prophétique que ceux qui ont été modifiés. Bien sûr, l'inverse existe aussi...

L'enthousiasme de cette première session a disparu. Mais c'est toujours le cas lors d'un mouvement de réforme, et il en fut ainsi à la Réforme du XVIe siècle. Nous avons pu toutefois constater que, sans enthousiasme, les sessions suivantes sont parvenues à un approfondissement plus riche. Nous avons trop tendance à oublier que beaucoup de points, qui paraissaient révolutionnaires et à peine admissibles à la première session, étaient déjà considérés comme naturels à la seconde. De même lors de réactions à certains incidents pénibles, la volonté de renouveau était à l'œuvre. Il s'agit avant tout de ne pas oublier que tous les votes prouvent qu'une majorité très nette des pères du concile souhaitaient du début à la fin un renouveau dans ce sens. Nous l'avions espéré avant le concile, sans être pour autant persuadés que nous étions en droit de le faire. L'avenir n'oubliera pas cette majorité au concile. Plus encore que les textes, les interventions des pères révèlent cette volonté de renouveau. Celui qui a entendu certaines votations inspirées de la foi biblique la plus profonde ne les oubliera pas. Partout on sent quelque chose de cet Esprit saint de la Pentecôte dont Jean XXIII a parlé; on le sent particulièrement dans ces petits témoignages qui nous apparaissent comme des prédictions.

Conséquences et effets du concile

Quels seront les effets du concile? Ici, à nouveau, il ne s'agit pas de ne se référer qu'aux textes, bien qu'ils soient indispensables, mais plus particulièrement à l'esprit de ce renouveau qui brille à travers tous ces textes, bien que parfois de façon fugitive...

Le motif théologique, qui a été formulé lors de ce concile, devrait devenir la devise du renouveau postconciliaire. Il devrait être formulé de la façon suivante: *pénétration basée sur la Bible de la religion catholique.* Il me paraît nécessaire d'approfondir la distinction entre le fond de la foi et la forme.

J'en arrive enfin à ce qui touche de plus près les protestants: l'œcuménisme de la période postconciliaire. La mode est aujourd'hui à l'œcuménisme. C'est même le grand mot. Il existe bien un *triomphalisme œcuménique*, mais qui, comme tout triomphalisme religieux, ne procède guère de l'esprit du Bien, car il ignore les limites qui restent également cachées pour l'Eglise, et il méprise ce que j'appelle le désaccord entre ce qui a été déjà réalisé et ce qui ne l'est pas encore...

Le *sentimentalisme œcuménique* est aussi un danger. Durant ce concile, le rapprochement fut tel de part et d'autre que nous risquons, par amitié, de négliger les divergences qui subsistent. Nous rendrions par conséquent un prochain rapprochement difficile...

En conclusion, si nous jetons un coup d'œil rétrospectif sur le concile, nous pouvons dire de façon générale que nos espoirs ont été comblés, si ce n'est dépassés, dans la mesure où ils n'étaient pas faits de chimères, et si l'on exclut les différents points dans leurs détails; et si nous imaginons l'évolution future de l'Eglise catholique, nous la voyons poursuivre dans cette voie qui mène à notre rapprochement. J'en suis d'autant plus convaincu qu'indépendamment de toutes les influences, diplomatie ou esprit d'agitation, *c'est aussi l'Esprit saint* qui est à l'œuvre.

Structures de l'Eglise

Le pape n'est rien sans l'Eglise

L'horizon s'élargit
et les liens «horizontaux» se renforcent

Beaucoup de personnes unies sont plus fortes
qu'une seule personne
dont les autres ne sont que l'émanation

L'unité authentique s'exprime par la pluralité

Dessin : Place Saint-Pierre la nuit

L'ordre des évêques qui succèdent au collège apostolique dans le magistère et le gouvernement pastoral, bien mieux: dans lequel se perpétue le corps apostolique, constitue, lui aussi, en union avec le pontife romain son chef, et jamais en dehors de ce chef, le sujet d'un pouvoir suprême et plénier sur toute l'Eglise.

(Constitution dogmatique sur l'Eglise.)

Une circonstance souvent oubliée

Pour comprendre clairement le tournant qui caractérise le concile et qui va influer sur la période suivante, il serait utile d'examiner les sujets qui ont le plus violemment agité le concile, et dont il s'est occupé le plus longuement.

Ce ne sont pas nécessairement les thèmes les plus profonds et les plus importants.

La «liberté religieuse» est un des exemples à citer, la «Révélation» en est un autre. Pourquoi ces deux thèmes ont-ils fait l'objet d'aussi furieuses controverses, tandis que le texte sur l'«œcuménisme» s'est imposé sans donner lieu à des remous violents?

Une constatation, peut-être surprenante, nous facilitera la tâche: l'œcuménisme comme mouvement est d'une apparition très récente. Il ne tombe plus (même dans l'Eglise catholique) sur un contre-courant de controverse polémique ou «apologétique». Ces armes se sont peu à peu émoussées. Naturellement, elles existaient et elles existent encore. Mais ce ne sont plus que combats d'arrière-garde. C'est ainsi, par exemple, que le Père Sébastien Tromp S.J., secrétaire de la Commission théologique du cardinal Ottaviani, et certainement l'un des champions de la pensée «classique», disait à peu près, au début du concile: «Nous tenons encore fermement les commandes.» «Encore»: ce petit mot trahit la faiblesse d'une position.

Pour d'autres questions, la situation était fondamentalement différente. La pensée «classique» s'y heurtait aussi à la pensée «existentielle», mais ce n'était pas une rencontre du «mouvant» et de l'«inamovible», c'était la rencontre de deux mouvements. Prenons comme exemple le dogme des deux sources. Au Concile de Trente, comme les actes de ce concile en témoignent, il n'y eut aucune décision. A l'époque, on choisit à dessein une formulation qui laissait la question ouverte. Mais à notre époque, les représentants de la pensée classique trouvèrent que le temps était venu de proclamer les deux sources dogme catholique universel. Donc en le considérant comme un progrès!

De même en ce qui concerne la liberté religieuse, on pouvait estimer que Léon XIII représentait un progrès dans la doctrine parce que, après une longue période d'ambiguïté, il a clairement distingué entre l'Eglise et l'Etat. Mais on ne voyait pas aussi clairement si ce qu'il entendait par Etat était une conception intemporelle ou l'expression d'une situation historique donnée. Les champions de la pensée classique voulaient promulguer le concept de l'Etat selon Léon XIII comme doctrine intemporelle. Ils croyaient que les spécialistes avaient fait entre-temps les travaux préparatoires nécessaires. Ainsi, malgré la pensée classique, il s'agissait ici de beaucoup plus que d'un combat d'arrière-garde.

Aussi bien faut-il remarquer, en même temps, qu'aucune des deux tendances ne voulait intervenir «inorganiquement», c'est-à-dire en dehors de l'élan vital de l'Eglise. Remarque d'une importance fondamentale! Il s'agit ici de la question: révolution ou évolution? La révolution brise le donné historique, refuse la continuité et recherche quelque chose d'entièrement nouveau pour le mettre à sa place. L'évolution construit sans cesse, met pierre sur pierre, jusqu'à ce que l'édifice entier soit achevé. Mais notre problème n'est pas aussi simple.

Il y a une évolution qui laisse s'étioler lentement certaines bonnes dispositions primitives aux dépens de certaines autres qui, favorisées par les circonstances d'époque, se développent avec puissance. Je n'irais pas jusqu'à l'appeler une fausse évolution, encore que l'Eglise (selon la doctrine catholique elle-même) ne soit pas à l'abri d'une telle déviation. Appelons-la plutôt une évolution conditionnée par l'époque, une évolution qui est compréhensible et peut-être même nécessaire au moment où elle se produit. Elle développe et porte à maturité quelque chose d'authentique, mais elle exagère ce développement, tant et si bien que certains éléments négligés devront, plus tard, à leur tour, être développés, et qu'il faudra, au contraire, procéder à la suppression de certains autres éléments.

Au concile, la majorité elle-même se reliait au passé. Elle ne trouva pas simplement du neuf. Elle ne découvrit pas non plus dans la sainte Ecriture quelque chose qui eût été inconnu jusqu'à présent! Mais elle réussit à démontrer que le patrimoine scripturaire des débuts, après avoir peut-être longtemps prospéré, est devenu peu à peu un pâle «enfant des caves», et elle exigea qu'à notre époque ce qui avait dépéri dans l'Eglise et dans son enseignement retrouvât sa place au soleil. La minorité, au contraire, voulait que le courant continuât dans la même direction que «dans la période récente». On entendait par là parfois cinquante ans seulement, parfois aussi cent ans et davantage. Mais elle ne voulut jamais admettre l'existence des «enfants des caves», des germes avortés! Preuve en soit le discours d'ouverture de Jean XXIII, dans lequel il blâme les «prophètes de malheur» qui «n'ont rien appris de l'Histoire... comme si, dans les précédents conciles, avaient triomphé pleinement et *sans détours* la pensée et la vie chrétienne et la juste liberté religieuse».

Pape et concile

On trouve l'exemple le plus patent d'un courant contraire dans la question de la structure de l'Eglise. Je ne veux pas dire par là que l'on considéra l'organisation des fonctions comme plus importante que la cause de l'Eglise elle-même! Les fonctions sont des services, les services sont secondaires par rapport à la cause servie. Les services sont des échafaudages; un échafaudage sans maison est une absurdité, ce que n'est pas une maison sans échafaudage, cette dernière étant le but final.

Mais ce n'est pas de cela qu'il s'agit maintenant. C'est la structure elle-même qui est en question. La controverse entre concile et pape remonte loin. Au Concile de Constance (1414-1418), quand il y avait trois papes en même temps, l'opinion selon laquelle le concile était au-dessus du pape apparaissait prépondérante. Au Concile de Bâle (1431), cette tendance atteignit son point culminant. Toutefois, rien ne fut décidé, et la question continua de se poser. Trente n'apporta aucune solution. Au premier Concile du Vatican (1869-1870), le pendule parut pencher définitivement en faveur de l'unique pouvoir du pape, en vertu de la double définition du primat de sa juridiction, d'une part, et de son infaillibilité en matière de foi et de mœurs, d'autre part. Mais ce n'était qu'une apparence. A cette époque-là déjà, le cardinal viennois Rauscher avait fait remarquer qu'il s'agissait manifestement d'un rapport entre le pape et les évêques, mais qu'un rapport ne pouvait être exactement saisi et exposé que si les deux points à mettre en rapport se trouvaient embrassés d'un seul coup d'œil. Cette remarque pertinente ne fut pas prise en considération : on allait en effet parler d'abord de l'un des points et ensuite de l'autre ; du pape, et ensuite des évêques. En fait, on ne parla que du premier ; la confusion des événements historiques empêcha de parler des seconds. Ainsi, la question n'était pas seulement résolue imparfaitement, elle était résolue d'une manière unilatérale. Cela pourrait même s'appeler une fausse solution, si l'on n'avait pas expressément ajouté qu'il ne fallait jamais regarder le pape isolément, comme séparé des évêques et de l'ensemble de l'Eglise, qu'il ne fallait pas le considérer comme «à part». Bien plus, même à cette époque-là, au premier Concile du Vatican, on pouvait lire, dans le schéma *préparatoire* sur l'Eglise : «Ce qui a été donné à Pierre seul : la toute-puissance de lier et de délier, fut donné également et manifestement au collège des apôtres, en union avec la tête de l'Eglise.» Ce schéma, toutefois, ne put être soumis à discussion – et c'est ainsi que, aussi bien dans l'enseignement que dans la pratique, la tendance qui avait conduit aux définitions de la suprématie papale continua de prévaloir après Vatican I, sans le contrepoids nécessaire.

Sur le développement de la papauté

Accordons que, dans les premiers siècles chrétiens, la papauté ne jouait presque aucun rôle. Dans les conciles, les évêques étaient en évidence. Rome avait la première place, une certaine position particulière. Il n'y avait pourtant pas de «théorie» sur sa prééminence. Il n'y avait pas non plus de centralisation. L'idée de communauté dominait tout. Rome n'intervenait comme arbitre suprême que dans les controverses insolubles – et plutôt à titre exceptionnel que par l'exercice d'une puissance durable. Dans la conscience de l'Eglise, en ces premiers siècles, on décèle beaucoup plus facilement la collégialité des évêques que le primat du pape. Mais peu à peu se détacha toujours plus nettement la prééminence juridique du pape, justifiable par l'Ecriture, et qui fut toujours présente, sporadiquement, dans la conscience de l'Eglise. Le conflit avec la *puissance temporelle* joua un grand rôle dans ce processus : le pape devint le puissant défenseur de la fonction épiscopale.

Mais il y eut ensuite une controverse avec de puissants groupements d'évêques ; des motivations politiques intervinrent. Le schisme d'Orient produisit ses effets. Disons-le brièvement : la confiance diminua, la méfiance augmenta et cela conduisit à un durcissement du point de vue juridique romain, à une construction centralisatrice toujours plus vétilleuse, qui parut propre à «prévenir» les scissions. Les tendances, déjà mentionnées plus haut, du conciliarisme et du gallicanisme, du «fébronianisme» en Allemagne et, enfin, la Réformation, contribuèrent de leur côté à ce que Rome tienne toujours plus fortement les brides et tente une centralisation totale. Ajoutons à cela l'extension de l'Eglise depuis la découverte du Nouveau-Monde, la mission universelle et les moyens de communication toujours plus faciles et plus rapides ; enfin les bouleversements dans le domaine profane: d'une part, l'apparition des monarques absolus; d'autre part, le déclin de la pensée théologique, le développement de la pensée juridique. Tous ces éléments réunis contribuèrent grandement à dessiner une image de l'Eglise qui la faisait ressembler à une monarchie absolue, comme un œuf ressemble à un autre. Tout ce qui ressortit à une «Cour» fut soigneusement copié: les gardes, le trône, les couronnes (jusqu'à trois superposées), un cérémonial d'une perfection accomplie, réglant jusqu'aux boucles des souliers; distance, distance! Le pape ne peut manger que seul! On n'a le droit de s'approcher de lui qu'avec de nombreuses génuflexions. On n'a que le droit de baiser sa chaussure. C'est à genoux qu'il est permis de rester devant lui. Il ne doit être vu en public que planant au-dessus de la masse. Que subsiste-t-il là du «Serviteur des serviteurs», sinon un mot vide; que reste-t-il de la communauté fraternelle, sinon une pâle théorie; que reste-t-il du «droit divin» des évêques, sinon une prétention qui ne correspond à aucune réalité?

Absolument rien d'étonnant s'il y eut des gens qui, finalement, au deuxième Concile du Vatican, voulurent prolonger cette «ligne de l'évolution» jusqu'à son accomplissement dernier: le pape, seule source dans l'Eglise de quelque droit que ce soit; le pape, seul et unique garant de la vérité. Le concile, hommage démonstratif au souverain absolu. Le pape, principe, origine et source de l'unité, non pas seulement sur le plan de la société, mais aussi dans le domaine de la vie. C'est à cela pourtant qu'aboutissait l'évolution depuis des siècles!

Le dépérissement du pluralisme

C'est à cela que correspondait la marche vers l'uniformisation. Il y avait encore ce qui restait des Eglises orientales unies. Elles devaient, peu à peu, être mises au pas. Il y avait encore des langages liturgiques différents, diverses réglementations dans l'Eglise, diverses «spiritualités» et façons de penser théologiques. Tout cela devait être prudemment, organiquement, sans rupture, amené à l'unité et à l'uniformité, de façon qu'«una voce» (unanimement) l'Eglise du Christ, jusqu'à la plus infime expression d'une opinion personnelle, fût immédiatement reconnue comme étant rigoureusement semblable à elle-même, partout, dans le monde entier. De façon que tout membre de cette Eglise se trouvât partout et immédiatement «à la maison». Telle fut l'idée! Grandiose, et pourtant irréelle.

Grandiose dans le domaine de l'abstraction! Mais, en réalité, il y avait à craindre que le catholique se sentît dans le monde aussi peu «à la maison» que chez lui; que le caractère étranger de cet «uniforme» l'empêchât toujours davantage de s'implanter où que ce soit de manière vivante. Une Eglise séparée du monde par un monde proclamait qu'elle était l'unité désirée. Ainsi naquit pour elle le danger de n'être pas crue, le sinistre danger de rapprochement et de similitude avec les systèmes totalitaires!

Ajoutons qu'à l'intérieur d'elle-même l'Eglise menaçait de fonctionner comme un «appareil», et non comme un être vivant. Du sommet à la base, tout paraissait se dérouler sans heurt, mais les réactions de bas en haut manquaient de plus en plus. Seuls parvenaient les rapports annonçant que les ordres avaient été exécutés – ainsi que les appels toujours plus pressants en vue de nouvelles instructions ! Le sentiment de la responsabilité personnelle s'affaiblissait à vue d'œil.

Le contre-courant

Et toutefois, au deuxième Concile du Vatican, encouragée par le pape Jean XXIII, la *réaction* contre cette évolution unilatérale réussit à se frayer un chemin, et avec force. Les laïcs dont on ne s'occupait guère, les évêques sous-développés, les prêtres condamnés à être des rampants perpétuels revendiquèrent le droit à la vie ! Certes, il y avait déjà un mouvement mondial des laïcs ; certes, des conférences épiscopales se réunissaient çà et là, englobant même des continents entiers ; d'autre part, l'organisme central était tout à fait disposé à tenir compte, tout au moins provisoirement, des circonstances particulières aux différents pays. L'organisme central ne se refusait pas non plus à dépêcher, là où il fallait négocier rapidement, un plénipotentiaire qui pouvait agir sous sa responsabilité personnelle, dans certaines limites et pour un certain temps. Mais tout cela ne changeait rien au *principe* selon lequel, en règle générale et fondamentale, toute chose procédait du sommet à la base, toute puissance, toute initiative, toute grâce, toute vérité – et, de la base vers le sommet, il n'y avait rien que des requêtes et des appels à l'aide. En conséquence, les rapports «horizontaux» dans l'Eglise étaient paralysés. Il est incontestable que les bureaux romains étaient disposés à une certaine réforme. On admettait même qu'une certaine forme de décentralisation devenait une nécessité technique. Paul VI, à plusieurs reprises, a constaté, en l'approuvant, une volonté de réforme dans les milieux de la curie. Mais il faut distinguer, d'une part, les améliorations et les modifications purement techniques, qui laissent le système intact et semblable à lui-même pour l'essentiel – et, d'autre part, les changements qui découlent d'une conception de l'Eglise différente. Des aménagements extérieurs peuvent présenter certaines ressemblances et, pourtant, des significations différentes. La nouvelle conception de l'Eglise, on l'a appelée «tendance à la démocratisation». Cela y ressemble incontestablement, dans une certaine mesure, encore que des différences profondes, qui subsistent, ne permettent pas d'utiliser une telle formule. Dans une démocratie, tous les pouvoirs du gouvernement viennent du peuple. C'est le peuple qui a le droit de choisir sa constitution. Il n'en est pas ainsi dans l'Eglise catholique. Le pape et les évêques assument des fonctions que le Christ a créées pour eux. Leur devoir consiste à servir ; le Christ n'a laissé aucun doute sur ce point. Mais à ce service, rien ne peut être changé. C'est ce que l'on entend affirmer quand on dit que le pape et les évêques sont de droit divin. Le pape n'a donc certainement pas la possibilité de supprimer l'institution épiscopale. Personne n'a jamais tenté de soutenir pareille prétention ; de même que les évêques n'ont pas la possibilité d'abolir la papauté.

Il est vrai qu'on peut se demander si un évêque, du seul fait qu'il est placé à la tête d'une région déterminée, ne possède pas aussi, grâce à ses fonctions, la plénitude du pouvoir nécessaire pour diriger cette région ou cette communauté de fidèles. Le pape ne peut limiter ce pouvoir que provisoirement, et dans le seul cas où l'intérêt général de l'Eglise l'exigerait. Voilà un point controversé! En réalité, au cours de la centralisation, de nombreux pleins pouvoirs ont été retirés à un certain nombre d'évêques. Au concile, dans le premier projet du schéma sur les évêques, on proposa, en signe de grâce, d'étendre à nouveau leurs pouvoirs. Mais les évêques refusèrent: leurs pouvoirs, pensaient-ils, n'avaient pas à être étendus, mais il fallait qu'on leur rendît ceux qu'on leur avait retirés! C'est pourquoi il est écrit dans le *Décret sur la charge pastorale des évêques dans l'Eglise*: «Comme successeurs des apôtres, les évêques détiennent, dans les diocèses qui leur sont confiés, le pouvoir sacré ordinaire, propre et immédiat, que requiert l'exercice de leur charge pastorale.»

Le pape dans l'Eglise

L'autre aspect du problème est beaucoup plus important: Laurentin remarque très justement, dans son «bilan» de la deuxième session, qu'on ne doit pas croire que Vatican II aurait en quelque sorte écrit, par ses déclarations sur les évêques, un second chapitre, après le premier chapitre, constitué par les déclarations sur le pape, de Vatican I. Ces déclarations n'avaient pas été envisagées comme le premier chapitre d'une ecclésiologie! Les prérogatives du pape n'avaient pas été définies en vue de comprendre plus profondément la nature de l'Eglise, mais dans le dessein d'établir une autorité absolue, en raison de la crise qui résultait alors du conflit entre la raison et la foi. C'est cette seule circonstance, liée à l'époque, qui rejeta dans les ténèbres extérieures le schéma sur l'Eglise lui-même au premier concile du Vatican. Vatican II exprima au contraire la nette intention de donner maintenant une doctrine sur l'Eglise. Par conséquent – parlant du pape – il n'aurait pas dû seulement répéter indéfiniment la définition de Vatican I, mais il aurait dû montrer comment elle pouvait s'intégrer dans une conception générale de l'Eglise. Quelques évêques l'ont essayé. Avant tout le Turc Descuffi, qui fit deux tentatives dans cette direction en voulant montrer que le pape, dans ses déclarations d'infaillibilité, tout en ne dépendant pas juridiquement de l'assentiment formel des évêques, ne pouvait néanmoins qu'exprimer l'opinion de l'ensemble de l'Eglise. Mais on ne renouvela pas la tentative, parce que quelques-uns ne la comprirent pas et en furent tellement indignés que l'on préféra renoncer à cette position.

Le collège de droit divin

La doctrine de la «collégialité» des évêques parut encore plus importante. Elle énonce que la collectivité des évêques, de même que le pape seul, est le pouvoir suprême dans l'Eglise, aussi bien comme autorité doctrinale dans les questions de foi que comme autorité juridique. Il va de soi que le pape est lui aussi englobé dans ce collège; il en est même le chef. C'est ainsi que, d'un côté, la fausse opposition pape-évêques, dont l'Eglise, dans son histoire, avait si longtemps et si douloureusement souffert, fut délibérément supprimée, et que, d'autre part, fut abandonnée aussi la pensée mécanique et simpliste d'une autorité ne s'exerçant que du sommet vers la base, afin de restaurer l'unité horizontale en voie de disparition. On alla jusqu'à prétendre que c'est par la seule consécration épiscopale, qui est conférée légalement à l'intérieur de la communauté de l'Eglise, que la personne consacrée est incorporée au collège et reçoit, de ce fait, avec le collège, le pouvoir juridique de gouvernement sur toute l'Eglise. L'exercice de cette puissance collégiale s'exerce solennellement dans chaque concile, mais également dans tous les endroits où un «acte collégial» vient à s'accomplir. Le pape peut faire appel à de telles actions collégiales ; pour qu'elles prennent force de loi, il est nécessaire qu'il les «approuve ou les accepte librement», donc qu'il ne les contredise pas, sinon l'acte collégial ne serait pas complet.

Voilà qui fait apparaître une image de l'Eglise totalement différente de celle qui aurait dû résulter de l'évolution que nous avons décrite. Elle n'en est pas pour autant «révolutionnaire», car elle se fonde sur l'Evangile et l'histoire de l'Eglise des premiers siècles. Bien plus : les pères qui la défendirent démontraient que la conception collégiale dans l'Eglise ne s'était jamais tout à fait effacée, elle n'avait disparu que dans la pratique. Le moment de la plus grande surprise fut atteint lors des déclarations du jeune évêque auxiliaire Betazzi, de Bologne, qui démontra qu'encore à la fin du XVIIIe siècle ce furent précisément les jurisconsultes romains Christianopoulos, Bolgeni, Capellari (le futur Grégoire XVI), lesquels doivent être considérés comme les véritables défenseurs, en ce temps-là, de l'infaillibilité pontificale, qui furent également, et en même temps, d'énergiques champions de la collégialité. L'opinion selon laquelle toute juridiction dérive uniquement du pape ne date que de la seconde moitié du XIXe siècle.

Paralysie du concile

Nous sommes donc placés, ici également, devant une tendance très récente mais qui se présente comme le résultat d'une longue évolution, tandis que la tendance contraire embrasse la totalité de l'évolution.

Mais qu'on y prenne garde : cette opposition paralysa le concile, au cours de la deuxième session, pendant des semaines, sans pouvoir être résolue. Lorsque les modérateurs voulurent poser cinq questions pour savoir ce que pensait la majorité, ils en furent empêchés pendant quinze jours par l'opposition de quelques présidents et du directeur de la Commission de coordination, le cardinal secrétaire d'Etat Cicognani. Pour sûr, formellement, ce n'était qu'un conflit de compétences entre les plus hautes autorités conciliaires, mais le motif profond était pourtant celui-ci : la minorité ne voulait pas apparaître comme telle. On le constata immédiatement, après que les questions eurent été posées, le 29 octobre 1963, et que les adversaires de la collégialité n'eurent réuni que le cinquième des voix de ceux qui en étaient les partisans ; alors, et tout de suite, commença la campagne contestant la validité du scrutin, menée par les cardinaux de la curie Browne O.P. et Ottaviani, ainsi que par l'évêque Carli, porte-parole théologique de la minorité. Cela dura jusqu'au 13 novembre, sans qu'il fût d'ailleurs possible, au cours de cette session, de déterminer d'une façon autorisée si c'était aux évêques ou à la Commission théologique que le dernier mot devait appartenir. Au fond, cette chose-là était une monstruosité sans pareille!

Même Mgr Charrière, évêque de Fribourg (Suisse), qui ne se compte nullement au nombre des «progressistes», déclara dans une conférence publique: «Le Saint-Siège aura toujours besoin d'un organe qui contrôle tout ce qui concerne la foi et les mœurs. Mais si les dirigeants responsables de cet organe combattent aussi ouvertement qu'ils l'ont fait (dans ce concile) les décisions des cardinaux que le pape a désignés comme modérateurs, on ne peut alors éviter d'en conclure que l'attaque est dirigée contre le pape lui-même. Et quand ceux-là même qui, à la tête de cet organe, représentent le pape, se conduisent comme ils l'ont fait, on ne voit pas comment ils pourraient encore imposer à d'autres des décisions au nom du pape, ni comment, d'une manière générale, ils peuvent encore prétendre à être obéis. Pour la minorité du concile, maintenant connue, cela équivaut à une autodestruction. L'Eglise tout entière pâtit de cette opposition contre les modérateurs. C'est précisément parce que je tiens pour indispensable un organe à la fois fort et souple, en mesure d'agir au nom du Saint-Siège, que je ne puis dire à quel point je déplore l'attitude de ceux qui prétendent qu'ils défendent le pape contre les dirigeants du concile, installés par le pape lui-même, autrement dit qu'ils défendent le pape contre le pape. C'est un mal qui ne peut être toléré plus longtemps.»

En fait, Paul VI mit tranquillement de l'ordre dans cette affaire, par des voies indirectes – et cela caractérise sa manière d'agir, à la fois noble et résolue, que l'on a si mal comprise. Tout d'abord, par des nominations supplémentaires, qui eurent lieu à la fin de la deuxième session (le 21 novembre), il modifia la composition de la Commission théologique, de telle sorte que la minorité, là aussi, ne joua plus un rôle dirigeant. Ensuite, il fit savoir discrètement au cardinal Ottaviani que les commissions étaient les organes exécutifs du concile, et non pas ses juges. Enfin il souligna, dans son discours d'ouverture de la troisième session, qu'il avait prolongé ce concile en toute connaissance de cause et que, par conséquent, toute tentative d'éluder l'examen de la question par le concile était complètement erronée. Le public se serait épargné beaucoup d'agitation si l'on avait dès le commencement placé cette allocution dans le cadre qui vient d'être défini.

Les résultats

Mais revenons à l'affaire, qui est d'importance pour les résultats du concile. Même dans la forme affaiblie sous laquelle la collégialité des évêques fut admise dans le texte définitif comme réalité de foi (non comme définition), elle démontre que la pratique actuelle, qui met unilatéralement en évidence la seule autorité du pape, ne correspond pas aux principes inhérents à sa structure fondamentale. Non pas en ce sens que le pape aurait enfreint le droit qui lui appartient, mais bien que des droits qui sont prévus pour des cas exceptionnels ont été utilisés jusqu'à la limite du supportable, cette pratique étant devenue la norme. Il faut donc, tirant la conséquence de cette constatation, s'efforcer de reconstituer le visage normal de l'Eglise en ce qui concerne le fonctionnement de ses structures. C'est en premier lieu la tâche du pape lui-même. Il doit apparaître non plus comme un monarque absolu, mais comme la tête d'une organisation collégiale. C'est ainsi que Paul VI, à la troisième session, abandonna tout d'abord sa tiare, parut au concile, pour peu que les évêques fussent présents, à pied et accompagné d'une suite modeste, et souvent même tout à fait seul, et inaperçu. Il a déjà diminué le nombre des membres de sa garde et simplifié leur équipement, retiré ses armes à la Guardia Palatina. Plus essentielle est la transformation, déjà survenue, de la curie et de l'administration pontificales. Personne ne conteste que le pape ait besoin de ces organismes. La critique des évêques portait sur trois choses. Premièrement, on incriminait les méthodes, particulièrement celles du Saint-Office. C'est là-dessus que le cardinal Frings fit ressortir qu'il fallait distinguer spécialement pour toutes les congrégations, donc aussi pour le Saint-Office, entre la procédure administrative et la procédure judiciaire. « La manière de procéder du Saint-Office, dit-il, n'est plus, dans beaucoup de cas, en accord avec notre temps ; elle fait du tort à l'Eglise et scandalise les non-catholiques. La tâche de ceux qui, au Saint-Office, travaillent pendant des années à la protection de la vérité révélée est très difficile et pleine d'épines. Toutefois, cette autorité elle-même n'a pas le droit de condamner ou de faire passer en jugement un accusé pour des questions relevant de la foi, sans l'avoir entendu au préalable, lui ou son ordinaire (évêque) ; sans qu'il ait connaissance des motifs allégués contre lui et ses écrits ; sans qu'on lui ait donné, auparavant, l'occasion de se corriger. » Le cardinal Ottaviani, d'une voix tremblante d'indignation, repoussa ces accusations qui ne pouvaient être émises que «par ignorance, pour ne pas employer un terme plus grave».

En deuxième lieu, on critiqua *la structure de la Curie romaine* : ce que fit surtout le cardinal Lercaro. Il constata le manque d'une véritable synthèse (d'un organe de direction). En fait, deux des congrégations existantes ne remplissaient que fort peu cette fonction à quoi elles n'étaient point appropriées : le Saint-Office et le Secrétariat d'Etat. Le premier avait une tâche purement négative, le maintien de la pureté de la foi, tandis que l'Eglise doit proclamer la foi d'une façon positive ; le second est un reliquat du temps où il y avait encore des Etats de l'Eglise et, par conséquent, considère tout d'un point de vue politique qui ne saurait jouer le premier rôle dans la direction de toute l'Eglise. C'est pourquoi le cardinal Lercaro, de même que le cardinal Rugambwa (Afrique), proposa de repenser la structure générale des bureaux pontificaux et de placer ensuite à leur tête un nouvel organisme de synthèse orienté vers l'activité pastorale. Le pape a répondu à ce vœu en donnant au Saint-Office un but positif, la propagation de la foi et en lui donnant un nouveau nom conforme à ce but : «Congrégation pour la foi et les mœurs.» Le droit de diriger lui est clairement enlevé, puisque cette congrégation ne s'appelle plus ni «sainte» ni «suprême». Aucun changement, jusqu'à présent, ne s'est produit au Secrétariat d'Etat. Mais nombreux sont ceux qui espèrent qu'il y en aura un.

C'est la troisième revendication qui allait le plus loin.

Elle fut exprimée surtout par le patriarche melchite Maximos IV (Antioche). Elle consistait à demander que l'administration pontificale soit non seulement obligée d'accueillir également des membres étrangers (non romains), autrement dit de s'internationaliser et d'écouter, en prenant ses décisions, la voix des évêques résidents, mais à demander en outre que soit institué à côté et au-dessus de l'administration pontificale une sorte de synode ou de conseil des évêques, qui assiste le pape dans le gouvernement de l'Eglise tout entière, étant donné qu'il serait contraire à la structure de l'Eglise telle qu'elle a été fixée par Dieu, que des autorités romaines, fût-ce au nom du pape, soient placées au-dessus des évêques institués par Jésus-Christ. Les auxiliaires tout désignés du pape devraient être précisément les évêques. Ils représentent réellement la diversité de l'Eglise du Christ, rôle pour lequel on devrait, il est vrai, leur restituer une large autonomie, en créant des patriarcats de forme moderne avec une liturgie, un droit et une théologie qui leur soient propres. Il est vrai que cela irait beaucoup plus loin qu'une réforme de la curie.

Le pape réalisa ces désirs dans une certaine mesure. Il plaça à la tête de la «Congrégation des séminaires» celui qui avait le plus vivement critiqué cette institution, l'archevêque de Toulouse, Mgr Garrone; il envoya comme troisième homme au Saint-Office, maintenant appelé «Congrégation pour la propagation de la foi», le Belge Moeller qui fut, pendant de longues années, professeur de littérature moderne. Il plaça au-dessus de la Congrégation des rites le Conseil de liturgie, formé d'évêques résidentiels et présidé par le cardinal Lercaro. Le concile lui-même décida de subordonner la Congrégation «De propaganda fide» à un Conseil de mission, dont les membres sont nommés sur propositions des conférences épiscopales. Enfin, le pape fonda les «synodes», sous le triple aspect de synodes internationaux, de synodes territoriaux et de synodes pour les questions spéciales. Ils sont tirés de l'épiscopat séculier; les membres en sont élus par les conférences d'évêques. Ils ne réalisent pas encore ce qui avait été l'idée du patriarche Maximos IV (qui est maintenant cardinal patriarche), mais il faut néanmoins, leurs statuts étant expressément qualifiés de provisoires, les considérer comme un pas accompli dans cette direction. Les évêques et le pape décidèrent en outre d'instituer dans le monde entier des conférences épiscopales nationales et supranationales. De plus, chaque évêque régira plus «collégialement» son propre diocèse, par la nomination de «conseils». Mieux encore: chaque paroisse aura des conseils de paroisse formés de laïcs. Voilà qui donne sans aucun doute, à toute la structure de l'Eglise, un visage totalement autre. C'est dans ce domaine – ainsi que dans le renouveau de la liturgie – que les résultats du concile seront le plus clairement perceptibles, car les transformations viennent à peine de se produire. Mais un tel changement sera-t-il aussi de nature spirituelle? Verra-t-on apparaître ce dialogue du sommet vers la base et de la base au sommet, cette vivante pluralité de l'Eglise, qui l'écarterait nettement de tout système totalitaire et la rendrait d'autant plus séduisante aux yeux de l'Eglise orientale? Cela ne dépend pas seulement des formes extérieures mais du succès de l'esprit de collégialité et de l'esprit de renouveau.

L'œil regarde la réforme des structures

«Nous disions : des critiques. En effet, car il est connu que la Curie romaine a été couverte d'éloges et de reconnaissance pour ses mérites incontestables, mais qu'elle a été aussi l'objet de critiques... On n'a jamais fait tout ce qu'on devrait faire quand il s'agit de servir la cause du Christ et les âmes. Ce qui explique qu'un tel phénomène réapparaisse tout au long de l'histoire de l'Eglise. C'est un signe de la Providence.»

(Paul VI, au sujet de la réforme de la curie.)

Au concile, on a beaucoup et minutieusement parlé de la réforme des structures de l'Eglise. On alla au plus profond, et l'on tenta de mesurer le gouvernement actuel de l'Eglise à l'aune de l'Evangile et des temps les plus anciens de l'histoire du christianisme, quand la volonté de son Créateur était la plus vivante. On espérait par là séparer les adjonctions opérées au cours de l'Histoire, de ce qui fut voulu par le Seigneur de l'Eglise, Christ, et trouver des lumières sur ce que l'on devrait faire aujourd'hui pour répondre aux exigences de notre temps. On découvrit une surprenante concordance entre la volonté du Fondateur et ce que commande l'heure actuelle : simplification, dépolitisation, diversité dans le maintien de l'unité, tels sont à peu près les principes dont il fallait que la réforme s'inspire. Le retour à la simplicité s'imposait avant toute chose, en un temps où il n'y avait plus de princes ni de rois, plus de cours somptueuses, mais où les deux tiers des hommes étaient sous-alimentés et où la vérité ne pouvait être croyable que si elle était présentée sans apprêts et non plus solennellement dans l'emphase des paroles et du comportement. C'est pourquoi le pape Jean XXIII, dans son message du 11 septembre 1962, a proclamé «l'Eglise des pauvres»! Cette parole ne cessa plus de hanter l'esprit de nombreux évêques. «La bonne nouvelle est annoncée aux pauvres», avait proclamé le Seigneur en signe de l'avènement du Royaume de Dieu. Qu'en était-il, à regarder autour de soi, au Vatican ? L'œil en était frappé ! «Si ton œil te gêne, arrache-le.» Cela aussi est une parole du Seigneur.

A l'ouverture du concile et lors de chaque séance solennelle, la garde suisse apparaissait en formation de guerre. Certes, plutôt qu'une chose sérieuse, c'était un spectacle. Hallebardes et armures ne sont plus des équipements de guerre. La garde suisse fut créée en 1506 par Jules II, pour sa protection personnelle. Cent quarante-sept de ses hommes tombèrent lors du sac de Rome (1527). Jean XXIII a diminué l'effectif de deux cents à cent, et augmenté la solde. Mais, de même que l'Etat du Vatican n'est plus qu'un Etat symbolique, la garde aussi n'est plus qu'une garde symbolique. On se demande si l'on ne pourrait pas lui assigner une mission au service des pauvres, à l'instar du corps des volontaires de Kennedy ! Il y a de nos jours, à Rome, beaucoup de pauvres qui vivent encore dans des grottes.

CARABI

A gauche:
La fiction d'un «Etat» est maintenue opiniâtrement! A la «frontière» du Vatican, les «carabinieri» italiens attendent le cardinal secrétaire d'Etat, qui va rendre sa visite à un diplomate étranger. Les rues sont barrées, la circulation est détournée. L'*Osservatore Romano*, à la clôture du concile, dénombre avec précision les hommes d'Etat présents, et les cite nommément. Cet organe semi-officiel parle de l'«auguste» pontife, du «grandiose» rite sacré, de l'«imposant» cantique, de la société «choisie», de l'«impeccable» service des gardes – alors qu'on avait renoncé, au concile, à tout «triomphalisme»...

A droite:
Le 24 février, le cardinal secrétaire d'Etat Amleto Giovanni Cicognani fêtait son quatre-vingt-troisième anniversaire. Au concile, le cardinal Suenens avait énergiquement préconisé, pour les évêques résidentiels, la limite d'âge de soixante-quinze ans. Il apparaissait toujours plus nettement, de session en session, que le secrétaire d'Etat du Vatican, qui était aussi président de la Commission de coordination du concile, détenait beaucoup plus de pouvoirs que les «légats» du pape, et que les secrétaires du concile étaient, au fond, ses propres secrétaires. Maintenant encore, il est le premier président de la commission postconciliaire qui doit veiller à l'exécution des décisions. Cicognani est un habile homme d'Etat, mais il n'exerça jamais des fonctions de pasteur d'âmes.

A gauche :
Le souffle du vaste monde se répand sans aucun doute à travers toutes les pièces du Secrétariat d'Etat. Nombreux sont les chefs-d'œuvre qui témoignent de la splendeur papale – comme, par exemple, dans cette salle d'attente ou parloir pour visiteurs modestes, les compositions de Raphaël. « Je léguerais tout cela à l'Etat ; car nous devons nous détacher des vieilles civilisations », disait un archevêque d'Amérique du Sud, qui doit d'abord enseigner à ses ouailles à être des hommes. Peut-être aurait-il du succès si l'organe le plus élevé de la curie était un secrétariat pastoral. Mais il n'est encore maintenant qu'un secrétariat d'Etat !

A droite :
Mgr Dell'Acqua, «substitut pour les affaires ordinaires», est une sorte de ministre de l'Intérieur de l'Eglise. L'Eglise n'a pas de frontières. Le monde entier est le domaine de son service.

TERRA IN

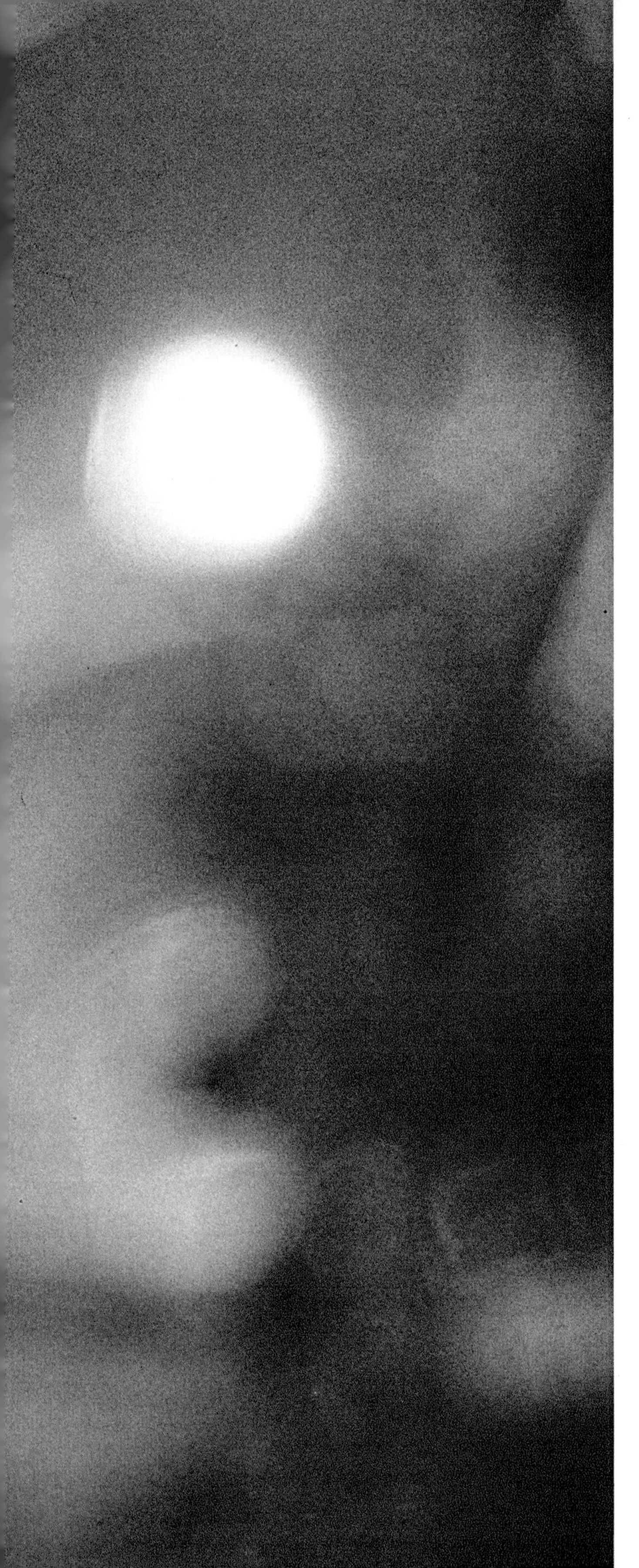

Le 29 octobre 1965, vers le milieu de la quatrième session du concile, le cardinal Alfredo Ottaviani atteignit ses soixante-quinze ans. Il n'y eut pas de grandes cérémonies, car le presque aveugle secrétaire de la «suprême et sacrée congrégation du Saint-Office», tel est le titre officiel (il est changé maintenant en celui de «congrégation pour la foi»), est personnellement un homme modeste, qui n'aime pas le faste. Un journaliste du libéral *Corriere della Sera* obtint cependant une interview ; car Ottaviani, qui a en horreur l'«ouverture à gauche» de la démocratie chrétienne, se comporte avec bienveillance à l'égard du «parti libéral». Le journaliste demanda quelle était la position du cardinal, si souvent attaqué, à l'égard des nouveautés que le concile apportait manifestement avec lui. Ottaviani répondit : «Je suis un vieux «carabinier», qui garde la réserve d'or. Croyez-vous que j'accomplirais mon devoir si je voulais commencer à négocier, si j'abandonnais mon poste, si je me bouchais un œil? Mon cher fils, soixante-quinze années sont soixante-quinze années ! Je les ai vécues en défendant certains principes et certaines lois. Si l'on dit au vieux carabinier que les lois se modifient, il pensera qu'il est un vieux carabinier, et il fera tout pour qu'elles ne se modifient pas. Mais si néanmoins elles changent, alors Dieu lui donnera certainement la force de défendre un nouveau trésor, en lequel il ait foi. Quand les nouvelles lois sont devenues le trésor de l'Eglise, un enrichissement de la réserve d'or, à ce moment-là ne compte plus qu'un seul principe : la fidélité dans le service de l'Eglise. Or le service déclare : «Il faut suivre les lois avec une obéissance d'aveugle – comme l'aveugle que je suis.» Nombreux pourtant sont ceux qui pensent que la «curie» va tout saboter : ils se trompent.

La gendarmerie pontificale assure très discrètement son service. Elle remonte à l'année 1816, date à laquelle le pape bénédictin Pie VII, rentré de captivité, l'institua afin qu'un Napoléon ne puisse plus, comme en 1809, le sortir de son lit et l'enlever. L'énergie de ce pape, modérée par la discrétion bénédictine, influe encore aujourd'hui sur la police vaticane, qui est considérée comme faisant partie de la «famille pontificale».

Un photographe ne pouvait pénétrer que difficilement dans cette haute assemblée. Elle comprend ceux qu'on appelle les «trois têtes» du concile, qui se réunissaient quand il y avait des difficultés ou lors de tournants décisifs: le Conseil de la présidence (avec le cardinal Tisserant – au milieu avec la barbe – comme président); la Commission de coordination, qui n'existe que depuis la deuxième session, dont le président était le cardinal secrétaire d'Etat Cicognani et à laquelle appartenaient aussi, avec cinq autres cardinaux, les quatre modérateurs; enfin le Secrétariat général du concile: Mgr Felici et cinq sous-secrétaires. A gauche et à droite, les présidents et les modérateurs, ensemble. Le système de haut-parleurs installé au centre permet au pape de suivre les débats et de jeter à chaque instant sa voix dans la balance. Commission de coordination et secrétariat général forment aujourd'hui la «Commission centrale» postconciliaire. Parmi les présidents, elle n'a recueilli que le Français Tisserant, comme deuxième vice-président.

Une des plus importantes nouveautés dans la structure de l'Eglise consiste dans les conférences épiscopales nationales et supranationales, qui doivent être instituées partout. Il y en avait seulement un petit nombre, au moment de l'ouverture du concile, et leur organisation manquait de cohérence. Elles doivent maintenant être instituées partout, avec des statuts précis, un secrétariat permanent et des assemblées régulières. Les évêques auxiliaires, non admis jusqu'à présent, y ont accès, et dans certains cas la conférence peut prendre aussi des décisions qui engagent tous les évêques. Les conférences épiscopales élisent leurs représentants aux «synodes» qui doivent être convoqués par le pape. Pendant le concile, des conférences d'évêques se formèrent spontanément. On voit ici une discussion animée à la conférence des évêques africains.

La disposition de l'esprit et du cœur à un comportement fraternel est plus importante que toute la structure juridique de la collégialité. Les prescriptions juridiques concernant les échanges de prêtres, les caisses de compensation, la délimitation raisonnable et congruente des diocèses, les séminaires centraux communs, l'entente supradiocésaine pour la prise en charge de la population nomade, les travailleurs étrangers, la collaboration des différents rites, ne seront finalement efficaces que si elles sont l'expression du véritable esprit de communion, qui dès les premiers temps du christianisme était déjà son bien le plus précieux. Voici deux Sud-Américains du Brésil. Qu'il en soit toujours ainsi. Les tâches sociales qui sont à accomplir là-bas donnent suffisamment matière à des opinions profondément divergentes.

Sur la réforme de la curie

Patriarche Maximos IV Saigh d'Antioche, le 6 novembre 1963

Lorsqu'il parle de l'entourage du pape et de ses auxiliaires dans l'exercice de sa primauté sur l'Eglise entière, le premier chapitre du schéma sur *Les évêques et le gouvernement des Eglises* ne considère que les congrégations, tribunaux et bureaux communément compris sous le nom de «Curie romaine». Sous le chiffre 5, à la vérité, il propose une modeste et timide réforme, selon laquelle on envisagerait d'inviter comme membres ou comme conseillers, dans les offices de la Curie romaine, des évêques du monde entier.

Limitée à la Curie romaine, cette participation de l'épiscopat catholique au gouvernement central de l'Eglise ne me semble correspondre ni aux besoins réels de l'Eglise actuelle ni à la responsabilité collégiale de l'épiscopat envers l'Eglise. Qu'il me soit donc permis de présenter une nouvelle solution, qui me paraît mieux en accord avec les exigences de notre temps et les principes théologiques.

A Pierre et aux apôtres correspondent le pape et les évêques. Le pape est aussi évêque de Rome, primat d'Italie et patriarche de l'Ouest. Au regard de sa primauté universelle, ces titres – tout réels qu'ils soient – passent au second rang. Cela admis, il résulte que le pape, dans le gouvernement général de l'Eglise, doit appeler au partage des responsabilités le collège épiscopal, successeur du collège des apôtres, et non pas les prêtres, les diacres et les autres membres du clergé diocésain de Rome. La cour romaine, en tant que telle, n'est qu'une institution du diocèse de Rome et n'a pas le droit de se substituer au collège apostolique, dont l'existence se prolonge dans celui des évêques.

C'est pourquoi le saint concile doit veiller à ce que cette vérité ressorte nettement. En effet, elle a été obscurcie par une pratique séculaire, qui s'enveloppait de nuages toujours plus épais. Au point que, même parmi nous, à la fin, beaucoup trouvaient la situation tout à fait normale – ce qui est loin de la vérité. Par le fait, la cour de l'évêque de Rome et le collège apostolique sont deux choses entièrement différentes. Des hommes qui ne font pas partie de l'Eglise catholique, ainsi que nombre de ses membres, ont peine à reconnaître l'œcuménicité de l'Eglise dans la cour pontificale d'aujourd'hui; ils y voient plutôt le particularisme d'une Eglise locale à laquelle des circonstances favorables, d'une manière tout humaine et temporelle, ont procuré une grandeur, une puissance et une richesse considérables. A elle seule, la corrélation établie entre les Eglises de Rome et le titre de cardinal montre bien que les cardinaux appartiennent à l'Eglise de Rome, en tant qu'Eglise locale, et non pas à l'Eglise universelle du Christ.

Il est évident que tous les évêques du monde ne peuvent pas, d'une manière durable, être rassemblés à Rome en concile. En pratique, la tâche d'aider le pape dans le gouvernement général de l'Eglise doit revenir à un groupe restreint d'évêques représentant leurs collègues. Ce groupe pourrait constituer le *véritable sacré collège* de l'Eglise universelle. Il comprendrait les évêques les plus importants de l'Eglise. Ce seraient d'abord les patriarches titulaires des sièges apostoliques reconnus comme tels par les conciles œcuméniques des premiers siècles, puis les cardinaux-archevêques – au titre de leur cathédrale et non pas au

titre d'une paroisse romaine – et, enfin, des évêques élus par les conférences épiscopales de chaque pays. Cette dernière proposition nécessiterait encore une étude approfondie. Universel, ce sacré collège pourrait être convoqué par le pape à date fixe, ou chaque fois qu'apparaîtrait la nécessité de discuter à fond les affaires générales de l'Eglise.
Cela, à la vérité, ne suffirait pas. Il faudrait également que quelques membres de ce sacré collège universel et apostolique résident à Rome. C'est ce que l'Eglise d'Orient nomme le «Synodos endimousa». Chacun à son tour, ces représentants se relaieraient auprès de leur chef, le pape, à qui le dernier mot revient toujours en vertu de sa primauté.
Tous les bureaux romains doivent être subordonnés à cet organe directeur. Conformément à sa constitution, il aura sa propre structure. Il fera rayonner la lumière du Christ sur la terre entière, et d'abord sur le monde païen. Ne se confinant pas étroitement en lui-même, jamais l'idée ne lui viendra de tout tirer à soi, de tout régir, de tout réglementer d'une manière uniforme et souvent mesquine. Il comprendra que les problèmes des peuples doivent être résolus par ces peuples eux-mêmes ou en collaboration avec eux, mais jamais sans eux.
En résumé, nous voudrions dire que le Saint-Père, pas plus que n'importe quel homme au monde, ne peut diriger avec les hôtes du Vatican une aussi grande institution que l'Eglise universelle, quand le christianisme du monde entier est en jeu. Ce fait, d'ailleurs, ressort de l'Evangile. Car, si l'Eglise a été spécialement confiée à Pierre et à ses successeurs, elle n'en a pas moins été confiée également aux apôtres et à leurs successeurs. Quand ce gouvernement est remis à des personnes non établies par le Christ, telles que les hôtes du Vatican et le clergé local, c'est au détriment du bien commun, et il peut s'ensuivre de véritables catastrophes. L'Histoire le prouve. Ces vérités théologiques, et leurs répercussions pratiques dans le domaine de l'organisation, acquièrent de nos jours une importance particulièrement pressante.
Dans les pays méditerranéens, cet état de choses pourrait subsister encore un temps indéterminé, au cas où l'on se contenterait d'accorder de grands pouvoirs aux conférences épiscopales qui, pour l'essentiel, présentent une forme moderne des anciens patriarcats. Mais il faut davantage dans les pays – telles la Chine et l'Inde – où la population atteint des proportions gigantesques, pays de haute et antique culture, qui n'ont rien de commun avec les peuples méditerranéens; et ce qu'il y faut doit être trouvé avec l'aide de la chrétienté. De même pour les Eglises d'Afrique, si diverses d'aspect dans leur dynamisme. Il y a là un travail énorme et fondamental à fournir, pour que ces Eglises se sentent à la maison parmi nous, à tous égards: langue, pensée, usages et mœurs. En rien, le christianisme ne doit signifier pour eux quelque chose d'étranger: il doit être l'âme de leur âme. Ces peuples devraient jouir d'une autonomie interne plus grande encore que celle des pays méditerranéens, tout en gardant par le haut la nécessaire liaison avec le saint siège de Pierre. Il ne faudrait leur imposer que ce qui est essentiel à la constitution de l'Eglise, comme il en fut déjà décidé par le premier concile de Jérusalem à l'égard des païens. Peut-on, après tant de travail, de dévouement, de dépenses et de sacrifices méritoires entre tous, peut-on dire que le christianisme ait gagné le cœur de ces pays? C'est au nouveau sacré collège qu'il revient de mettre la lumière dans ces vastes problèmes et, par la prière et l'étude, avec l'intelligence nécessaire, d'élaborer la bonne solution. Quand les membres du sacré collège proviendront de toutes les parties du monde, ils pourront donner à l'Eglise un organisme capable de diriger tous les peuples dans l'unité catholique.

La structure patriarcale de l'Eglise catholique

Johannes Hœck, abbé de Scheyern (Bavière), le 19 octobre 1964

La structure patriarcale de l'Eglise est au centre du problème que pose la réunion avec les Eglises orientales.
Cette structure a été, dès les temps primitifs, la *structure de l'Eglise entière*. Inébranlablement, elle est restée en vigueur durant tout le premier millénaire, alors que l'Eglise n'était pas encore divisée. Parmi les causes du schisme déplorable, on ne saurait négliger le fait que, vers la fin du premier millénaire, en Occident, on a peu à peu cessé de comprendre cette structure; cela, sous nombre d'influences: divers courants de pensée – parfois politiques; l'orientation du siège pontifical vers les Francs; l'accroissement du «Patrimonium Petri»; le développement de l'esprit juridique; les falsifications de documents, telles la trop fameuse «donation constantinienne» et les décrétales pseudo-isidoriennes...
Certes, on a rétabli l'Institut patriarcal à l'intention des petites Eglises d'Orient qui, dès le XVIe siècle, sont revenues à l'unité avec l'Eglise romaine; mais les droits de ces patriarcats n'étaient et ne sont plus que l'ombre des droits primitifs... Aujourd'hui, la situation juridique de ces Eglises au sein de l'Eglise catholique constitue un cas témoin pour les grandes Eglises d'Orient qui restent encore séparées de nous. Ces Eglises, à bon droit, nous demandent quels seront leur rôle et leur situation dans l'Eglise, lorsque enfin sera venue l'heure de la grande réconciliation. Qui d'entre nous pourrait concevoir une décision selon laquelle ces Eglises et leurs patriarches devraient se soumettre respectivement à la Curie romaine – en particulier à la congrégation et au collège des cardinaux?

La primauté et la manière dont elle doit s'exercer

Qui penserait que l'on puisse leur refuser cette autonomie dont, au temps de l'unité avec l'Eglise romaine, elles ont joui pendant un millénaire? Certes, elles seraient tenues de reconnaître la primauté du successeur de Pierre, telle qu'elle a été reconnue du temps de l'unité. Mais l'exercice actuel de cette primauté diffère complètement de celui qui était alors en usage. Il suffit de lire le livre *Rome et les Patriarcats de l'Orient*, où, sur la base de documents authentiques, toute cette question est traitée avec objectivité et droiture. De ces documents, il ressort que:
1. Durant les mille années d'unité, les Eglises orientales ont librement élu leurs patriarches et leurs évêques; elles ont également établi ou modifié leurs diocèses en toute liberté. 2. De leur propre autorité, elles ont réglé leur liturgie et leur droit canon. 3. Elles étaient pleinement

indépendantes en ce qui concerne la discipline du clergé et des fidèles. Elles possédaient donc une relative autonomie.
Personne, certes, ne mettait en doute le droit d'intervention du pape romain ; l'usage n'en fut fait que très rarement, à peine douze fois pendant le millénaire. Mais combien d'interventions n'ont-elles pas eu lieu jusqu'à nos jours ! Il suffit de consulter les registres pontificaux et les archives du Vatican, des Congrégations «De propaganda fide» et de l'Orient.
Puisque l'Eglise, mille années durant, a pu subsister sans que la primauté s'exerce de cette façon, pourquoi ne le ferait-elle pas aujourd'hui également ?
Assurément, les temps ont changé. Le monde a grandi de toutes parts, et les Eglises locales doivent et peuvent elles aussi s'unir plus fermement et collaborer plus étroitement aujourd'hui qu'aux époques depuis longtemps révolues ; mais elles le feront d'autant plus et d'autant mieux qu'elles agiront librement, et non pas sous la contrainte. Une diversité dans l'amour est plus productive qu'une unité de commande.
D'ailleurs, en invitant à s'unir de nouveau à nous les Eglises qui sont encore séparées de nous, n'est-il pas juste de leur offrir les conditions mêmes qui les liaient à nous avant la séparation ? Et, dans le décret sur *L'œcuménisme*, ne nous sommes-nous pas trouvés d'accord avec les apôtres en déclarant qu'«il ne faut rien leur imposer de plus que le nécessaire» ?
Il ne faut pas dire que toute la question doit être abandonnée au pape, car il ne s'agit pas de l'attribution de privilèges, mais de la structure fondamentale de l'Eglise entière. Et, puisque le pape lui-même a chargé le concile d'expliquer au monde ce qu'est l'Eglise, on ne peut en aucun cas passer ce trait caractéristique sous silence. Ce serait une négligence irréparable et une faute grave.
C'est au pape, naturellement, d'approuver et de confirmer ou non les décrets du concile, mais c'est à nous de délibérer et de voter sur ces questions. Et, quant à moi, je ne peux croire que le pape n'acceptera pas de telles propositions, puisqu'il a pris lui-même les devants et nous a donné un si bel exemple en rencontrant et en embrassant le patriarche Athénagoras.
Ou bien aurions-nous honte de le suivre ? Ou bien encore n'aurions-nous même pas honte de ne pas le suivre ? Sans doute, la structure patriarcale est-elle approuvée dans la constitution *De l'Eglise*, mais d'une manière si obscure – l'expression elle-même n'est pas employée – que les experts s'en aperçoivent à peine. Et, dans le schéma sur la *Fonction pastorale des évêques*, il n'en est fait aucune mention. Ce qu'il est dit à ce propos dans notre schéma ne constitue guère un pas en avant. Un progrès n'apparaît qu'en appendice, dans un projet d'amendement, où il est dit que les droits des patriarches doivent être rétablis aussi tôt que possible tels qu'ils existaient du temps de l'unité. Mais cette phrase aussi me semble trop vague et susceptible d'interprétations diverses.

Propositions en faveur d'une restructuration de l'Eglise

J'ose donc proposer que cette question qui, je l'ai dit, se trouve au centre du problème posé par la réunion avec les Eglises d'Orient, soit reprise encore une fois dans l'ensemble, certes pas uniquement pour notre décret, mais particulièrement en vue de la constitution *De l'Eglise* et du décret sur la *Fonction pastorale des évêques*.
Mais ce nouveau débat ne devrait pas avoir lieu uniquement dans notre commission, puisqu'elle se compose principalement de pères orientaux qui pourraient éveiller le soupçon de parler «pro domo». Il vaudrait beaucoup mieux former une nouvelle commission mixte, où, avec certains d'entre nous, se grouperaient des membres des commissions théologique, épiscopale et œcuménique, et des pères experts en cette question sans y être directement impliqués.
Cette commission pourrait aussi demander s'il ne faudrait pas établir de *nouveaux patriarcats*, par exemple pour l'Eglise ukrainienne, qui est aujourd'hui de beaucoup la plus grande des Eglises uniates et qui, précisément ces temps derniers, a tant souffert et se trouve exposée à de grands dangers par une dispersion mondiale.
Il serait même possible de demander s'il ne faudrait pas répartir l'Eglise latine en plusieurs patriarcats – des patriarcats effectifs, bien sûr – puisqu'elle ne cesse de s'étendre et menace toujours de «majoriser» et d'opprimer les autres Eglises. Ainsi, il serait plus facile de s'opposer à l'excessive centralisation contre laquelle s'élèvent tant de réclamations.
Au reste, notre décret contient beaucoup de bonnes choses et mérite par là notre pleine adhésion, surtout s'il est procédé aux corrections que d'autres pères ont proposées. Cependant, on peut douter qu'il revienne à notre concile presque exclusivement latin de trancher ces questions concernant les Eglises d'Orient, alors que, dans notre décret lui-même comme dans celui sur l'œcuménisme, il est solennellement déclaré que les Eglises d'Orient peuvent et doivent se gouverner elles-mêmes selon leur propre droit canon. Ne faudrait-il pas au moins, avant le scrutin général, demander aux Orientaux s'ils sont d'accord ou non avec une votation de tout le concile sur ces questions ?

Ne manquez pas l'heure historique du salut !

Mais la seule question, presque, qui concerne certainement tout le concile, c'est celle de la structure patriarcale de l'Eglise entière, et cette question, ainsi qu'il vient d'être dit, a été traitée d'une manière tout à fait insuffisante.
C'est pourquoi, mes révérends pères, je vous conjure de diriger votre attention avec autant de zèle que de sérieux sur la tâche historique qui nous est confiée, de la considérer avec exactitude, en sorte que ne passe pas une fois de plus le «Kairos», comme le cas s'est déjà produit si souvent dans l'histoire de l'Eglise, et de manière que nous puissions véritablement et honnêtement dire à nos frères en Christ : «Voyez, la commune maison du Père est prête ! La porte est ouverte, et plus encore le cœur ! *Dixi et salvavi animam meam.*»

Eglise – laïc – monde

Le laïc n'est pas un simple auditeur de l'Eglise
il participe au signe du salut
il est dans l'Eglise – il reste dans le monde

Eglise et monde
sont l'œuvre de la divine *Parole*

Le monde trouve l'Eglise
en se cherchant lui-même
En cherchant le monde
l'Eglise se trouve elle-même

Dessin: Urbi et orbi

Nulle volonté de puissance terrestre ne détermine l'Eglise, mais une seule chose: prolonger l'œuvre du Christ, qui est venu en ce monde... pour sauver, non pour juger; pour servir, non pour se faire servir. Pour accomplir cette mission qui est la sienne, il est du devoir de l'Eglise d'observer sans cesse les signes des temps et de les interpréter à la lumière de l'Evangile.

(Constitution pastorale sur *L'Eglise dans le monde actuel*, préambule.)

L'apport des non-Européens

Dans la longue série des conciles œcuméniques, le deuxième Concile du Vatican a été le premier à donner une réalité au sens original du mot «œcuménique»: qui englobe l'ensemble des régions «habitées» de la terre. Cela ne provient pas uniquement des progrès techniques qui ont permis aux pères conciliaires de venir des contrées les plus lointaines, et sans grande perte de temps, pour s'assembler à Rome; ce fut aussi la conséquence d'une profonde réorganisation du service des missions, commencée par Pie XI et poursuivie avec constance par ses successeurs. Elle consistait à remplacer par des sièges épiscopaux, dans le monde entier, les vicariats ou préfectures apostoliques qui, le plus souvent, étaient dirigés par la Congrégation des missions; les nouveaux évêques, dans la mesure du possible, devaient être des indigènes. C'est ainsi que, parmi les évêques ayant le droit de participer à ce concile, il y en eut 256 en Asie, 250 en Afrique, 96 dans le monde arabe, 70 en Océanie, 601 en Amérique latine, 332 en Amérique du Nord; et, pour la plupart, ils furent effectivement présents. Au premier Concile du Vatican (1869–1870), les 800 participants venaient principalement des pays européens; au Concile de Trente (1545–1563), les représentants des pays latins dominèrent le terrain.

Du point de vue théologique, cette fois-ci également les Européens ont joué un rôle prépondérant, et, bien qu'il y eût quelques grandes personnalités d'outre-mer, tels les cardinaux Léger, de Montréal, et Silva Henriquez, de Santiago du Chili, elles ne représentaient nulle théologie caractérisée. Au sein du concile, les divergences concernaient aussi des points de controverse européen. Peu nombreux, les Orientaux cherchèrent seuls à apporter ici et là leur contribution originale – mais le plus souvent sans effet durable. La situation ne sera plus la même lors d'un prochain concile, car, dans une ou deux générations, les non-Européens pourront ajouter la qualité à l'importance numérique sur le plateau de la balance.

A un égard, cependant, le rôle des non-Européens a déjà été déterminant dans ce concile: à propos des problèmes mondiaux d'aujourd'hui. Si les représentants des pays en voie de développement n'avaient pas été là, je ne crois pas qu'il eût été délibéré de la constitution pastorale sur *L'Eglise dans le monde actuel.* Un élément formel, cependant, permet déjà de reconnaître le sceau des évêques «étrangers»: la manière inhabituelle dont le concile a exprimé leurs désirs. Quand donc un concile a-t-il adressé des «messages» au monde? Cette fois-ci, un message apparaît dès le début. Aujourd'hui encore, on ignore s'il faut le mettre au nombre des seize déclarations conciliaires. Jusqu'ici, on nommait «décrets», «constitutions» dogmatiques les déclarations pastorales d'un concile. A beaucoup, l'expression «constitution pastorale» fit l'effet d'une contradiction. Jamais, dans aucun des vingt conciles dont l'histoire a pourtant été fort mouvementée, jamais rien de tel ne s'était produit. Ainsi s'ouvre une nouvelle catégorie de déclarations conciliaires, qui fait sauter le cadre de pensée classique des conciles. L'existence de tels documents conciliaires, s'adressant au monde et traitant de problèmes mondiaux, je l'attribue sans hésiter à la pression exercée par les non-Européens. On peut porter des jugements sévères sur le fameux «schéma 13» – en ce qui concerne le style, la structure et la profondeur du texte – mais cela ne change rien au fait que le concile a eu l'audace de publier un pareil texte; et ce fait, précisément, est dû aux non-Européens.

La situation du laïc dans l'Eglise

Avant d'étudier plus en détail les particularités de cette constitution, il nous faut jeter un coup d'œil sur ce point du développement de la doctrine catholique à partir duquel, conformément à la tradition, devait s'épanouir l'idée du «monde»: la notion de «laïc». Par excellence, le laïc semble être ce membre de l'Eglise qui jette un pont vers le monde. Il est «à la fois chrétien et citoyen de ce monde», dit le décret sur l'*Apostolat des laïcs*. Du laïc, il est abondamment question dans le quatrième chapitre de la constitution de l'Eglise et, en outre, dans trente-trois paragraphes du décret susnommé. Bien plus, des passages importants le concernent dans le décret sur les missions.

Or, depuis une trentaine d'années, un mouvement laïc n'a cessé de croître en importance à l'intérieur de l'Eglise. Au premier plan apparaît un motif souvent repris par les documents pontificaux: soulager d'une partie de leur travail les prêtres surchargés. Aussi, parlait-on de «collaboration à l'apostolat hiérarchique», et des laïcs généreusement disposés à accomplir cette tâche en recevaient souvent le mandat exprès. Le but de l'Action catholique, où Pie XI voyait plus qu'un simple mouvement, était d'évangéliser les hommes et de former la conscience des laïcs dans l'exercice quotidien de leur profession respective.

A elle seule, cependant, l'attribution d'un mandat spécial montre que le laïc assumait ici une tâche «accessoire» qui débordait le domaine véritable de son activité. Rien d'étonnant, dès lors, qu'il se soit mis à réfléchir de plus en plus à sa *propre* situation dans l'Eglise. Historiquement, on ne peut nier que dans l'Eglise, au long des siècles, une dégradation intellectuelle et spirituelle du laïc s'est lentement mais constamment accomplie. De plus en plus, le laïc était considéré dans l'Eglise comme un objet passif, et de moins en moins comme un sujet actif. Un abîme s'est creusé entre le clergé et les laïcs. A ce concile encore, il y eut quelques évêques – tel le cardinal Ruffini, Palerme – pour qui, à peu de chose près, le devoir du laïc ne consistait qu'à suivre les instructions du clergé! Dans les domaines de la politique, de la culture, de la vie économique et sociale, les laïcs n'étaient tenus, en ce sens, que pour «le bras prolongé» du clergé.

La grande majorité, cependant, a fait sienne la conception élaborée entre-temps par la théologie et devenue vivante parmi les laïcs, qui résulte de la nouvelle optique de l'Eglise, telle que nous l'avons présentée dans les chapitres précédents. Dans cette perspective, le laïc est un membre «à part entière» du peuple de Dieu, et non plus un éternel mineur. Ce peuple forme un tout, qui a une mission dans le monde. Tous les baptisés ont part à l'office sacerdotal, prophétique et royal du Christ. Le «sacerdoce universel» dont parle l'Ecriture et dont l'Eglise catholique, depuis la Réforme, ne faisait mention qu'à contrecœur, a retrouvé toute sa résonance. Somme toute, c'est à partir de lui (et non pas l'inverse !) que s'explique le sacerdoce conféré par les ordres. Tout laïc, par le témoignage de sa vie et par le service de sa parole, doit coopérer sous sa propre responsabilité à l'édification du corps du Christ «jusqu'à la pleine maturité». Chaque laïc est appelé à la sainteté – et certes pas une sainteté «de second rang» par rapport à celle des prêtres séculiers ou réguliers. C'est pourquoi le titre initial du décret sur le clergé régulier : *Des Etats qui recherchent la perfection* («perfectionis acquirendae»), fut d'abord changé radicalement en *Du clergé régulier*, puis, ultérieurement, en *Sur l'adaptation des religieux au temps présent*; il n'y a qu'une perfection chrétienne : l'amour de Dieu et du prochain, à quoi tous les chrétiens sont également appelés, même si les voies sont diverses. Il est aussi reconnu – malgré la protestation du cardinal Ruffini – qu'aujourd'hui encore le Saint-Esprit, «qui souffle où il veut», répand des grâces particulières (charismes) parmi les laïcs. Les laïcs, eux aussi, possèdent un «sens mystique» ! Par conséquent, on fait délibérément ressortir que, «selon leur savoir, leur compétence et la situation qu'ils occupent, ils ont la possibilité et parfois le devoir de donner leur avis sur ce qui touche le bien de l'Eglise». C'est pourquoi il faut constituer dans les diocèses des groupes consultatifs, aussi bien «sur le plan paroissial, interparoissial et interdiocésain que dans le domaine national et international» ; enfin, «auprès du Saint-Siège», il faut créer un secrétariat spécialement affecté au service de l'apostolat des laïcs (au sens le plus large du mot). Là devront être représentés les divers mouvements et œuvres du monde entier, et là devront collaborer clergé et laïcs. C'est ce que l'on pourrait nommer la valorisation du laïc à l'intérieur de l'Eglise.

Si l'on s'en était tenu là, le reproche fait par un évêque à la constitution de l'Eglise aurait été justifié : «Le chapitre a été conçu dans le péché de cléricalisme» ; par quoi il entendait cette vue hiérarchique trop peu attentive aux tâches réelles du laïc – tâches qui, précisément, le distinguent du clergé, lui confèrent une spiritualité *propre* et lui assignent un domaine de responsabilité personnelle.

Mais, en fait, ces limites ont été dépassées – avec une certaine timidité dans le chapitre de la constitution de l'Eglise concernant les laïcs, mais d'une manière beaucoup plus décidée et plus explicite dans le décret ultérieur sur l'*Apostolat des laïcs*. Nous pensons au «caractère séculier» qui est reconnu au laïc : «Ils vivent dans le monde, c'est-à-dire au milieu de tous les devoirs et travaux terrestres, dans les conditions ordinaires de la vie familiale et sociale dont se tisse en quelque sorte leur existence.» D'où il résulte que, «en vertu de leur vocation propre, ils recherchent le royaume de Dieu en administrant et en ordonnant les choses temporelles conformément à la volonté divine».

N'est-ce donc là qu'un humiliant destin? Ou bien, comme le dit le décret sur l'apostolat des laïcs, «la pénétration et le parachèvement de l'ordre temporel par l'esprit de l'Evangile» ne sont-ils pas une mission essentielle de l'Eglise? De l'Eglise, j'y insiste, et non pas de la hiérarchie ! La hiérarchie n'a pas à façonner le monde ni l'ordre temporel ; une erreur de la conception médiévale du monde consistait à croire que le pape avait reçu du Christ les deux «épées»: la double puissance spirituelle et temporelle, dont il devait ou pouvait remettre la seconde à l'empereur sans jamais abandonner par là son autorité directe. S'il ne fait pas de doute que le Christ est le Seigneur du monde aussi bien que de l'Eglise, aucun pouvoir temporel n'en revient pour autant à la hiérarchie ecclésiastique – même pas par le détour d'un commandement quelconque exercé sur le laïc dans le domaine séculier. Elle peut former la conscience des laïcs, mais cela, le plus souvent, ne définit qu'une délimitation des compétences, et le laïc garde la responsabilité de ses décisions et de ses actes. Il agit en tant que membre de l'Eglise – on parle volontiers de «responsabilité chrétienne» – mais il ne fait pas son choix sous les ordres de la hiérarchie. Le concile n'est pas allé jusqu'à dire cela distinctement. En revanche, il a nettement fait ressortir que la tâche particulière du laïc consiste à disposer toutes choses temporelles selon le Christ; cette forme primordiale de l'apostolat des laïcs est définie dans le décret qui les concerne et dans le décret sur les missions (où il est même question de leur collaboration avec les autres chrétiens); par là, le concile a du moins donné l'*élan* nécessaire à l'établissement d'un rapport substantiel entre l'Eglise et le monde – même si une étonnante pâleur caractérise les références concrètes à l'époque actuelle: situation de la femme, milieu social et sa complexité, solidarité des peuples, pays en voie de développement. Les rédacteurs ont-ils craint d'empiéter sur le «schéma 13»? Sentaient-ils que les laïcs, à eux seuls, formaient un pont trop étroit avec le monde?

Le sens du schéma 13

La signification d'un texte conciliaire sur *L'Eglise dans le monde actuel*, au départ, n'apparaissait clairement qu'à un groupe restreint d'évêques. Dans le discours-programme qu'il prononça à la fin de la première session, le cardinal Suenens, de Malines, avait assigné au «dialogue de l'Eglise avec le monde» la troisième place dans le plan général des débats. Qu'entendait-il ici par «le monde»? Le plan donnait la première place au dialogue des chrétiens entre eux – y compris les non-catholiques. La seconde revenait au dialogue avec les religions non chrétiennes. Il eût été conséquent de donner la troisième au dialogue avec les athées, de même que Paul VI, plus tard, ajouta au Secrétariat pour l'unité des chrétiens un Secrétariat pour les contacts avec les religions non chrétiennes (cardinal Marella) et un Secrétariat pour le dialogue avec les athées (cardinal König).

Cependant, le dialogue avec le «monde» suit une autre ligne. Monde: c'est la «scène de l'histoire du genre humain», selon l'expression de la constitution pastorale – la *famille humaine*, dans la mesure où elle mène son existence ici-bas, dans cet univers. L'Eglise a une mission proprement religieuse; elle n'a pas reçu du Christ la direction de l'existence temporelle. Là aussi, pourtant, elle a son mot à dire, dans la mesure où l'existence temporelle se rapporte à une fin religieuse; en définitive, l'Eglise est faite d'hommes.

Voulait-on écrire un traité doctrinal sur la relation de l'Eglise au monde? Je ne crois pas que personne y ait songé. Ou bien fallait-il exposer les thèses de l'Eglise sur l'ordre de la vie sociale? D'une manière générale, d'abord purement conceptuelle, puis en les appliquant aux problèmes du jour? Je ne conteste pas qu'au début beaucoup pensaient à une telle méthode d'exposition; ainsi, par exemple, l'évêque de Berlin Alfred Bengsch qui, à la quatrième session encore, proposa de modifier tout le texte en ce sens. Pourtant, la majorité des évêques n'était pas encline à adopter ce plan.

Pourquoi? Où résidaient les divergences de vue? L'évêque Bengsch déclara: «Il ne s'agit que d'une différence dans la méthode d'exposition. Le texte en cause suit la méthode inductive, mon projet préfère la méthode déductive; les deux, cependant, arrivent au même résultat.» On peut assurément ramener toute la différence à cette simple formule; mais le doute s'impose quant à l'identité des résultats. La méthode «déductive» (du général au particulier) n'aurait fait du schéma sur *L'Eglise dans le monde actuel* qu'un complément pratique à une doctrine précédemment établie. Comme beaucoup d'autres décrets, d'ailleurs, ce schéma est en rapport avec la constitution centrale *De l'Eglise du Christ*, LUMEN GENTIUM. Dès lors, on ne comprendrait pas du tout pourquoi il n'aurait pas reçu le simple titre de «décret».

En fait, il s'agissait de beaucoup plus! Je me bornerai à citer les paroles par lesquelles, dans la quatrième session, le grand théologien et sociologue français Dominique Chenu a terminé un exposé sur le schéma 13: «Ce texte sur *L'Eglise dans le monde actuel* n'est pas une simple «application» morale et sociale des commandements chrétiens; il *définit* l'essence de l'Eglise elle-même qui, par sa mission, est placée dans le monde»; et Chenu, pour consolider sa position, peut se référer au pape Paul VI qui, à l'époque où il était encore le cardinal Montini, s'adresse à de jeunes prêtres (janvier 1963) en ces termes: «En cherchant à se définir et à déterminer sa propre signification, l'Eglise recherche le monde pour être elle-même.» Ce qui veut dire que, pour l'Eglise, le fait d'«être dans le monde» n'a rien de fortuit, voire d'importun; il ne s'agit pas là d'une simple «coexistence» entre deux sociétés qui, étrangères l'une à l'autre, se seraient entendues sur une sorte d'accord frontalier; il y a ouverture réciproque, volonté de vivre ensemble – bien que les buts soient différents. Autrement dit, «être dans le monde» constitue l'un des caractères essentiels de l'Eglise, sans quoi elle ne serait pas pleinement intelligible; aussi n'est-ce pas quelque obscur rapport de réciprocité qui relie le texte sur *L'Eglise dans le monde actuel* et LUMEN GENTIUM. Il s'agit d'une seule et même constitution, qui se divise en deux parties architecturalement homogènes.

Ainsi, quand l'Eglise parle du monde actuel, elle ne procède pas à une «adaptation» des «vérités éternelles» à telles ou telles circonstances: elle manifeste la «présence» de l'Evangile, au sens propre du mot. Une réflexion du pape Jean XXIII éclairera peut-être cette idée. Dans l'encyclique PACEM IN TERRIS, chaque paragraphe s'achève par un «signe des temps». Le pape a la conviction que Dieu est à l'œuvre dans toute activité humaine; en effet, non seulement le Créateur a donné l'existence à l'univers, mais il ne cesse de le faire subsister; plus encore: par la grâce du Christ, il agit également en tous les hommes, même quand ceux-ci ne s'en doutent pas. Au fur et à mesure que l'humanité se développe, elle humanise l'univers, car elle le façonne à sa mesure en prenant possession de lui. Du même coup, l'homme grandit; il devient plus humain, homme au plein sens du mot. Par là, il s'ouvre en même temps à la grâce, il devient plus apte à lui faire accueil en lui-même. C'est la tâche de l'Eglise d'observer attentivement et de favoriser cette croissance de l'homme, et, ce faisant, elle approfondit sa propre compréhension du message de salut. Elle prolonge l'incarnation de la Parole divine. Qu'est-ce d'autre qu'une incessante croissance intérieure jusqu'aux dimensions de l'humanité accomplie? Les deux processus se soutiennent l'un l'autre.

Assurément, il n'est pas facile de reconnaître où et dans quelle mesure le «monde» croît effectivement vers une humanité plus accomplie – que ce soit au travers de la «socialisation» toujours plus étendue et plus complexe de notre époque, à quoi le plus solitaire des mineurs n'échappe pas; ou bien dans le passage de l'artisanat au machinisme, qui modifie de fond en comble le travail de l'homme et, bien plus, sa culture, son art, son attitude religieuse même. Il n'est que de penser à la «désacralisation» correspondante du monde: on a cessé de le considérer et d'y vivre comme dans un sanctuaire plein de tabous.

Tout cela constitue un moment du devenir et de l'accomplissement humains, mais aussi, pour l'homme, une menace ou une tentation. Car le mystère du péché, également, est à l'œuvre dans le monde. Il est inquiétant du fait que, précisément, cet agrandissement induit l'homme à se méconnaître et à se détruire lui-même par un véritable processus d'aliénation.

L'athéisme contemporain nous offre un exemple. On ne peut l'appeler «signe des temps» comme l'a fait le pape Jean. Il est probable, en revanche, que ses causes profondes et actuelles sont un «signe des temps». Si l'Eglise continue à proclamer sa foi en Dieu de la même manière que jusqu'ici, son appel restera sans écho, son message tombera dans le vide. Quand elle aura approfondi ce message de façon qu'il réponde à la situation de l'homme présent, qu'il satisfasse au besoin de Dieu qui sommeille au fond de l'homme actuel, alors elle aura des chances de voir sa parole accueillie. Mais cela ne lui est possible qu'à la condition d'avoir une connaissance intime, pour ainsi dire vécue, de l'homme aux prises avec la tentation de l'athéisme; aussi, l'Eglise doit-elle grandir avec l'homme. Essentiellement missionnaire, sa nature même lui impose de maintenir en permanence le contact avec les hommes, en tant que créatures temporelles – non pas pour les dominer (elle n'a pas été chargée de le faire), mais pour les aider. Ainsi que l'a dit le professeur Skydsgaard: «Dans un coin de notre cœur, nous sommes tous des athées, et c'est précisément ce qui nous permet d'annoncer à l'homme d'aujourd'hui la foi en Dieu!»

Le lecteur qui nous a suivi jusqu'ici s'aperçoit immédiatement que la conception de l'évêque Bengsch méconnaît le véritable propos de la constitution pastorale sur *L'Eglise dans le monde actuel*. Ce n'est pas un système plus ou moins abstrait de concepts, une «doctrine» immuable, que l'on doit appliquer aux questions «brûlantes» du jour; il faut chercher avec soin, avec amour, les «mains ouvertes», que le monde présent tend vers une condition plus authentiquement humaine, les préserver de toute prise illusoire et pernicieuse, y déposer le message de salut qu'elles sont à la fois capables et désireuses de saisir.

Cette «réponse», il se peut fort bien que l'Eglise ne la trouve pas tout de suite, mais seulement après un long dialogue avec le monde; seul, en effet, un dialogue lui permettra de comprendre d'une manière proprement sympathique les problèmes du monde. Telle est précisément cette constitution: un premier, un tâtonnant effort en quête des «mains ouvertes», afin d'y déposer le message chrétien – non pas par surprise, mais de manière qu'elles appréhendent en lui plus et mieux que ce vers quoi elles se tendent.

Dépassement du dualisme «matière-esprit»

Aussi, faudra-t-il prendre d'abord le temps et le soin d'expliquer que l'Eglise ne méprise pas le monde matériel ni le corps humain, et que le message chrétien ne donne aucun fondement à une dépréciation de ce qui est matériel et charnel. Effectivement, la culture actuelle se caractérise dans une large mesure par l'exploration de la terre, le développement de la technique, l'asservissement de la matière. L'homme est en train de se fabriquer son propre monde. «La nature devient l'enfant de l'homme», dit Karl Marx. L'Eglise, elle, sous l'influence du platonisme, et plus en pratique qu'en théorie, a presque entièrement détaché l'existence «matérielle» des hommes et des choses de sa part spirituelle. Longtemps, cette dévalorisation a rendu pour ainsi dire impossible une intelligence religieuse du développement économique et technique. A lui seul, le mot «spiritualité» est significatif! L'Eglise est hostile à la chair, hostile à la technique, se contentant de proclamer: «Sauve ton âme!» A ses yeux, toute activité et tout effort terrestres ne représentent qu'une «occasion d'exercer la vertu»: patience, bonté, maîtrise de soi.

Or, la constitution élimine ce dualisme plus ou moins prononcé, cette conception faussement angélique de l'homme. Ainsi, les insuffisances, voire les erreurs d'une certaine attitude chrétienne sont-elles corrigées au début du texte, dans la partie fondamentale. Il en ressort quelque optimisme. Celui-ci ne doit pas être rapporté à l'heureuse «disposition» du pape Jean, si soucieux de considérer toutes choses sous leur aspect positif; il correspond à une conception approfondie de la foi. Il montre que la constitution de l'Eglise ne reste pas lettre morte, quand elle enseigne que Dieu et la grâce rédemptrice sont effectivement à l'œuvre dans tous les hommes – les individus et l'humanité dans son ensemble; dès lors, on se demande sans ambages: «Où se manifeste aujourd'hui cette intervention?» Jusqu'ici, on s'était demandé de préférence, et presque exclusivement: «Où le monde s'écarte-t-il du droit chemin?» De là s'ensuivaient des condamnations. Certes, il arrive qu'elles soient nécessaires. Mais, si elles ne sont pas portées par la croyance en quelque élément positif, elles restent sans effet et méconnaissent la dimension historique du «salut», de la rédemption, dont l'origine remonte à l'incarnation de Dieu.

Je n'irai pas jusqu'à prétendre que le concile a pleinement réussi à dégager cette ligne directrice. Il y eût fallu une théologie des réalités terrestres, de solides travaux sur les relations entre l'histoire profane et celle du salut;

il y eût fallu aussi une théologie du péché et de son mystère. C'est pourquoi la première partie porte toutes les marques de l'inachèvement. Par endroits, le texte est opaque, puis verbeux et rempli de lieux communs; on distingue mal le lien entre les cinq chapitres; on y trouve de nombreuses redites. Malgré tout, l'intention profonde dont nous venons de parler est nettement perceptible.

Les questions particulières: mariage, culture, économie et unité des peuples

Sous cet éclairage, il nous faut maintenant considérer les questions particulières qui sont traitées dans la seconde partie. Elles ont été choisies en qualité de «signes des temps». L'importance de ce fait surpasse celle de ce que beaucoup attendaient: des «recettes» trop souvent inapplicables. Prenons quelques-unes des principales questions.

D'abord, le *mariage* et la *famille*. A lire les paragraphes 47 à 52, on ne peut qu'admirer la profonde compréhension qui apparaît ici à l'égard du mariage. La plus haute valeur est donnée à l'amour conjugal, en tant que rencontre authentiquement, intégralement personnelle. Voilà un fruit des découvertes de la psychologie et de la biologie modernes. La correction physiologique de l'acte est moins en cause que la maîtrise de l'instinct, sa pleine intégration à la personnalité individuelle, son achèvement dans la rencontre personnelle de l'amour. Dans l'union conjugale, il ne doit rien arriver qui prenne un caractère égoïste, rien qui puisse porter un grave préjudice à cette union. Cet aspect trop souvent négligé dans le passé, ce sont principalement le cardinal Léger (Montréal) et l'évêque suffragant Reuss (Mayence) qui l'ont fait ressortir. Tout cela, il va sans dire que l'Eglise est maintenant capable de l'approfondir par sa doctrine sur le sacrement du mariage, par la référence à l'union du Christ avec son Eglise. Mais il faut bien avouer que dans la chrétienté, si l'on considère son histoire, il a été passablement courant d'attribuer à l'acte conjugal un caractère avilissant; un moralisme étriqué n'a que trop fait obstacle à une vue d'ensemble sur ce sujet. Ici, les récentes découvertes de la science sont donc devenues un «signe des temps».

De là seulement résulte une prise de position sur la fécondité du mariage. Celui-ci n'est pas simplement l'instrument de la procréation, puis de l'éducation des enfants, mais au premier chef une communauté entre les époux. Sa fin ultime n'en demeure pas moins l'enfant. Avec un sens très sûr de la nuance, il n'est pas dit que le devoir de procréer incombe à l'acte conjugal en lui-même, mais au mariage et à l'amour conjugal. Voilà qui peut être de grande portée et délivrer la conscience des époux de bien des fardeaux! A cet égard, il est expressément souligné que seuls les parents ont à la fois la compétence et la responsabilité de déterminer le nombre de leurs enfants. Cela n'ouvre certes pas le champ à l'arbitraire, mais les époux, quand il s'agit de «lier à bon escient l'amour conjugal à la transmission de la vie», doivent «se laisser conduire par des critères objectifs, fournis par la nature de la personne humaine et de ses actes». Ici, le «signe des temps» réside moins dans l'actuelle «explosion démographique» qui nous contraindrait à réduire le nombre des enfants que dans un sens accru de la responsabilité qu'exige de l'homme sa situation de «planificateur» au sein de ce monde transformé, pour ainsi dire recréé par lui-même. L'Eglise, pour sa part, reconnaît cette responsabilité individuelle et ne veut plus soumettre toute décision à une morale trop exclusivement axée sur le «confessionnal»; il ne fait pas de doute qu'ainsi, comme le patriarche Maximos IV l'a démontré dans un lumineux discours, elle répond mieux et plus profondément à l'Evangile qu'elle ne l'a fait dans des périodes antérieures.

On sait qu'à la dernière heure les défenseurs de la doctrine traditionnelle ont encore essayé, dans une requête adressée au pape, de faire sanctionner les anciennes formules: premier et second but du mariage, condamnation expresse des moyens anticonceptionnels, citation littérale des déclarations de Pie XI et de Pie XII. Le pape transmit la requête à la commission. Celle-ci, se référant à la commission extraordinaire établie par Paul VI, s'abstint toutefois de prendre position à l'égard de «solutions immédiates et concrètes». Le cardinal Ottaviani aurait souhaité voir les choses prendre une autre tournure; aussi renvoya-t-il au pape les corrections atténuées de la commission, avec une lettre où s'élève la discrète prière de les refuser. Paul VI, pourtant, se contenta d'y apposer une phrase: «Les corrections sont acceptées sous la forme que propose la commission mixte. P.»

Un autre «signe des temps» serait *la science et la culture* actuelles qui, de plus en plus, reconnaissent et réclament leur indépendance. Au regard des époques où l'Eglise (plus précisément le clergé) était presque l'unique support de la culture occidentale, la différence saute aux yeux. Rien d'étonnant que l'Eglise ait de la peine à reconnaître ce qu'il y a de légitime dans cette indépendance du monde, dans cette «sécularisation». Comme l'a judicieusement remarqué l'évêque Elchinger, elle ne serait que trop encline, chez nombre de ses représentants, à «serrer la bride» aux sciences, aux arts, voire à l'existence entière des hommes. Or, ainsi que l'a dit le cardinal Lercaro, c'est précisément en accordant une juste liberté à la recherche, à la pensée et à l'expression – en admettant que l'on puisse renoncer à des systèmes déterminés d'idées, à des méthodes «éprouvées» d'enseignement, à des formes concrètes de l'art – c'est ainsi que l'Eglise manifestera son authentique «pauvreté»: celle d'une Eglise qui ne s'attache à aucune époque particulière, qui s'étend sur l'ensemble des peuples, qui sait s'allier à toute culture mais ne s'y fige pas! Sur tout cela, la constitution ne donne que de rares indications. Dans ce domaine, le «dialogue» ne fait que commencer.

Les nouvelles formes de la *vie économique et sociale* sont d'une actualité beaucoup plus grande. Ici, tout est encore en plein mouvement, certes. Mais il ne fait pas de doute que la haute dignité reconnue à la personne humaine – d'une manière très vive, en particulier, par Jean XXIII – prend racine dans cette évolution, quelles que soient d'ailleurs les discriminations et les servitudes de toute sorte qui, sous des formes parfois nouvelles, ne cessent de menacer les hommes. Le texte conciliaire reprend les déclarations de l'encyclique PACEM IN TERRIS, mais les dépasse courageusement par endroits; tel est le cas, par exemple, dans ce qu'il dit du travail et de la «participation active de tous à la gestion et aux bénéfices de l'entreprise». Ces déclarations, des cercles allemands de chefs d'entreprise ont essayé par tous les moyens de les faire supprimer. Mais en vain. Nous avons déjà mentionné les répercussions qu'une telle évolution peut avoir dans l'Eglise elle-même – y compris l'enseignement qu'elle dispense dans les séminaires et l'appel à des laïcs de toute sorte dans son activité pastorale.

Enfin, le grand problème de la *paix entre les peuples*. Ici, le «signe des temps» apparaît dans la formation graduelle d'une grande famille des nations, dans les restrictions apportées à la souveraineté des Etats. L'évolution en ce sens est irréversible. Ce fait, le concile l'a nettement constaté et s'en est réjoui.

Là non plus, on n'a pas le droit de séparer la partie du tout. Le tout, c'est le mouvement vers l'unité des peuples; ce développement se répercute sur l'Eglise qui, stimulée par lui, reconnaît et commence à transposer dans les faits, avec une profondeur et une vivacité uniques dans son histoire, l'extension de sa propre unité sur l'ensemble des peuples – sa catholicité. La partie, c'est le problème de la guerre. Il faut bien admettre qu'un progrès considérable s'est accompli, puisque le concile a enterré une fois pour toutes la classique distinction entre guerre juste et injuste. En outre, il s'est prononcé sans ambiguïté contre l'utilisation des armes «scientifiques». Il a désigné la course aux armements comme «une plaie exceptionnellement grave de l'humanité et une intolérable offense aux pauvres». Les armements, «au lieu d'écarter les causes de guerre, menacent de les multiplier». Bien plus: «Aujourd'hui, le danger particulier d'une guerre consiste en ce qu'elle offre pour ainsi dire aux détenteurs d'armes hypermodernes l'occasion de commettre des crimes (telle la destruction de villes entières) et que, par une sorte de réaction en chaîne (maintenant, on parle d'«escalade»), elle peut inciter les hommes à prendre les résolutions les plus effroyables.» Jamais un concile n'a dirigé d'aussi sévères paroles contre la guerre. Un groupe d'évêques, originaires des Etats-Unis pour la plupart, a bien tenté à la dernière minute de récolter des signatures pour faire tomber ce texte lors des scrutins finals. En vain. Si, contrairement aux vœux de beaucoup, le concile n'a pas strictement interdit tout recours défensif aux armes nucléaires, c'est précisément parce qu'il a compris qu'une telle interdiction n'apporterait pas de solution définitive: celle-ci ne peut être trouvée que dans un cadre plus vaste, c'est-à-dire par l'établissement d'une véritable autorité internationale.

Voilà donc que le concile s'achève sur une constitution pastorale qui n'a vraiment rien de grandiose. Il le sait bien! Pourtant, il ne la retire pas; car, dans cet humble balbutiement, il voit le chemin d'un nouvel avenir au service de l'homme.

Auditeurs et journalistes : les laïcs au concile

D'un point de vue dogmatique, les laïcs étaient représentés au concile par les évêques. Cette réponse fut maintes fois donnée aux questions des journalistes. Soit! mais je ne vois pas très bien, dans ce cas, comment les supérieurs des divers ordres religieuxar rivent au concile. Eux non plus ne sont pas « successeurs des apôtres » ; pourtant, dans les questions doctrinales, leur voix a exactement la même valeur que celle d'un évêque – selon la pratique actuelle. Puis, du simple point de vue historique! Ne parlons pas des complications politiques du Moyen Age ; mais, aux premiers siècles déjà, la position ecclésiastique des laïcs était beaucoup plus forte dans les conciles qu'aujourd'hui! Certes, les évêques ont constamment insisté sur le fait que les laïcs devaient être représentés. C'était dans la ligne du « dialogue » auquel on visait. A la première session, pourtant, seul M. Jean Guitton, de l'Académie française, pénétra dans l'assemblée. Grand fut l'embarras quand le bon Jean XXIII, cédant aux instances de quelques Français, lui accorda cette autorisation. Où allait-on le placer ? Il atterrit sur la tribune des « frères séparés »! Mais avant la deuxième session, le 12 septembre 1963, Paul VI annonça que des laïcs, représentant les organisations catholiques mondiales, seraient admis en qualité d'« auditeurs ». D'abord, il y en eut dix. L'Osservatore Romano *n'osa pas publier les noms, car, pour le public, ces messieurs étaient en général aussi inconnus que les organisations internationales qu'ils représentaient. On les appelait les « laïcs de vocation ». La même année, le nombre monta à treize. Puis, à la troisième session, des femmes s'y ajoutèrent. A la quatrième session, le nombre s'était porté à vingt-neuf auditeurs et vingt-trois auditrices. A la différence des observateurs, ils siégeaient également dans les diverses commissions en qualité de conseillers! Tout cela, il faut le considérer comme un début, dont on ne pourra guère freiner le développement ultérieur. Un autre groupe de laïcs, également formé de femmes et d'hommes, était encore plus important pour le concile : les journalistes. Le cardinal König a dit très justement : « Dans ce qui s'est produit au concile, l'un des facteurs déterminants a été l'opinion publique. Aujourd'hui, les journalistes jouent le rôle d'attachés et d'ambassadeurs, tandis que l'opinion publique elle-même a remplacé les rois et les princes. » On ne saurait dire que ce fait a été entièrement reconnu par le secrétaire général Felici, ni même par le comité de presse épiscopal qui a été établi durant la deuxième session, sous la direction du recteur du Collège américain de Rome, l'archevêque Martin O'Connor, président de la Commission pontificale du film, de la radio et de la télévision. Aux yeux de ces messieurs, les moyens de diffusion étaient des instruments de propagande au service du concile. Le modèle consistait dans l'organe du Vatican : l'*Osservatore Romano. *En sorte qu'il ne fut livré – pour commencer du moins – que des nouvelles bichonnées à souhait, souvent méconnaissables à force d'avoir été déformées. Ici, l'idée du « bras prolongé » de la hiérarchie restait extrêmement vivace. Encore à la quatrième session, Martin O'Connor refusa le laissez-passer au journaliste américain Duff, parce que celui-ci l'avait critiqué – en toute objectivité d'ailleurs – durant la deuxième session!*

Inversement, il est vrai aussi que les directeurs des grands moyens de diffusion n'avaient pas prévu un tel écho dans l'opinion publique et, de ce fait, n'avaient pas toujours donné assez d'attention au choix des personnes qu'ils envoyaient à Rome. Malgré tout, de plus en plus, aussi bien dans l'Eglise qu'audehors, un dialogue s'est institué entre la hiérarchie et l'opinion publique, si bien que les moyens de diffusion ont précisément réalisé ce qui, dans les textes conciliaires, reste encore sur le papier.

M. José et Mme Luz Alvarez Icaza, couple de riches Mexicains, furent nommés «auditeurs» du concile à la quatrième session. A Rome, tout près de la rampe espagnole, au 78*a* de l'étroite via della Croce, ils louèrent un étage entier, montèrent un bureau et étudièrent les aspects concrets de l'explosion démographique dans les pays en voie de développement. Ils soumirent aux commissions compétentes des milliers de lettres provenant du monde entier. Durant cette période, ils confièrent à une tante leurs douze enfants restés à Mexico. Lors de la rédaction définitive du chapitre concernant le mariage, dans la constitution pastorale de *L'Eglise dans le monde actuel*, Mme Luz Icaza montra à la commission que les femmes peuvent être parfois plus courageuses que les hommes.

Par l'assèchement des marais pontins, Mussolini a délivré la Ville éternelle des moustiques propagateurs de fièvre. Une engeance non moins agaçante les a remplacés: celle des photographes amateurs. Seuls, un règlement strict et l'intervention de nombreux agents en civil ont pu protéger le concile de ce fléau. Les policiers, cependant, ne se montrèrent pas impitoyables – ils savaient bien que nous vivons à l'«ère de l'image». Vers la fin de la quatrième session, il y eut même un concours qui récompensait les meilleures photos du concile. Pas un photographe de métier ne siégeait dans le jury. Peut-être était-ce juste, puisqu'il s'agissait de découvrir quelles photos plaisaient le plus aux visiteurs, et non pas celles qui répondaient le mieux aux règles de la photographie.

Cette photo montre les auditeurs laïcs au moment de la communion, durant la messe précédant une congrégation générale. Le fait ne s'est pas imposé sans difficulté, car il n'était «pas prévu» dans les rubriques confiées à la vigilance de Mgr Dante, le grand maître des cérémonies pontificales. La deuxième session avait commencé le 29 septembre 1963. Chaque jour, dès lors, des auditeurs laïcs y assistaient. Dans la constitution de la liturgie, il avait été décidé que le plus grand nombre possible des laïcs participant à la messe devaient recevoir la communion. Au concile, les auditeurs laïcs n'eurent la «permission» de communier qu'à partir du 11 octobre. Les évêques, en revanche, célébraient quotidiennement deux messes: une messe individuelle, puis celle du concile (sans communier). Cela avait-il grand sens? Beaucoup le contestaient.

Parmi les manifestations réunissant des journalistes, la plus intéressante de toutes était peut-être le «press-panel» quotidien des Américains. Des experts s'y tenaient prêts à des échanges de vues sur les questions qui venaient d'être débattues dans les congrégations générales. On s'exprimait ici avec une franchise inconnue en Europe (excepté la Hollande), sans jamais offenser personne. Quand le général des jésuites Arrupe parla d'une organisation «mondiale» de l'athéisme, régnant aussi en Occident, les remous furent particulièrement vifs; car beaucoup de journalistes catholiques travaillent aujourd'hui dans des journaux non catholiques.

Ci-dessous: L'ancienne communiste Dorothy Day, fondatrice du mouvement «Catholic Worker»; avec un désintéressement admirable, elle a pris fait et cause contre la discrimination raciale et pour le pacifisme. Chaque mercredi soir, les publicistes de langue allemande se rassemblaient dans ce qu'ils surnommaient le «cirque Kampe». Là, avec beaucoup de doigté, l'évêque suffragant Kampe (Limbourg) présentait les meilleurs théologiens ou évêques qui avaient pris la parole au concile. Des théologiens et des journalistes non catholiques, eux aussi, fréquentaient assidûment la salle comble. On voit ici, de face, Gottfried Marron, qui envoyait chaque semaine des comptes rendus au Service suisse de presse évangélique ainsi qu'aux publications de l'Union évangélique d'Allemagne (ces textes ont paru plus tard dans les *Bensheimer Hefte*); à sa droite, Hanno Helbling, correspondant de la *Neue Zürcher Zeitung*, dont les articles étaient appréciés même des catholiques.

Ici, les journalistes de langue française. Individualistes, bien qu'ils parlent volontiers de «communauté», les Français n'ont pu se résoudre à des rencontres régulièrement organisées. (Peut-être le catholicisme français se divise-t-il trop nettement en une «droite» et une «gauche».) En revanche, ils trouvaient chaque jour en la personne de Mgr Pierre Haubtmann un brillant rapporteur. Dans tout ce qui avait une allure progressiste, les journalistes de la «gauche» catholique prenaient la tête, contrairement à une part considérable de leurs évêques. Ici, ils questionnent l'évêque mexicain Mendez Arceo qui, dans son diocèse, protège un monastère où les moines sont psychanalysés. A droite, le Père Rouquette; à l'arrière-plan, M. F. Major; de dos, M. Fesquet; tout à droite, le Belge Jan Grootaers.

De quoi s'agissait-il pour les évêques qui, contre vents et marées, en dépit de toutes les traditions de l'Eglise, ont voulu un schéma sur l'Eglise dans le monde actuel? Lisons un Anglais, le supérieur général Mahon, des missionnaires « Mill Hiller » : « De la bouche de l'Eglise, dans le premier Concile du Vatican, pas une parole d'encouragement n'est sortie en faveur du prolétariat, de la classe souffrante des travailleurs. Pour ceux-ci, la définition de l'infaillibilité pontificale n'a été qu'une piètre consolation. Au deuxième Concile du Vatican, pendant deux années et demie, nous avons traité d'importants problèmes de la vie ecclésiastique ; mais aucun appel n'a été lancé par nous en faveur de la justice sociale parmi les nations. Et cependant... pleins d'espoir, les peuples prolétariens tournent leurs regards vers Rome, pour voir si l'Eglise du Christ prendra leur défense. Chaque année, trente-cinq millions d'êtres humains meurent de faim, quatre cents millions souffrent de la faim, quinze cents sont sous-alimentés. »

Ou bien l'archevêque africain Malula, de Léopoldville : « Il me semble de mise (je voudrais dire : de rigueur) que le concile condamne publiquement le racisme. Je pense à l'oppression ou aux persécutions subies par des groupes d'hommes en raison de leur couleur ou de leur race. 1. Une injustice raciale, où qu'elle soit commise dans le monde, est une injustice à l'égard de chaque personne humaine. Certes, nos peuples d'Afrique noire souffrent ici d'un certain complexe... Mais l'Eglise peut les aider à surmonter ce complexe. 2. Forme dérivée du racisme, les haines tribales constituent une plaie sanglante de l'Afrique. Elles contaminent même des chrétiens. Elles n'entraînent que terreur, violence, vengeances et tortures. Péché mortel que tout cela : le concile doit le dire. 3. On a souvent répété que l'Evangile a beaucoup contribué à tirer la femme de l'esclavage. Mais la conquête d'une entière liberté est une entreprise de longue haleine. Pourquoi le concile n'élève-t-il pas la voix pour reconnaître à la femme toute la dignité humaine et une pleine responsabilité ? »

Ou bien l'archevêque Athaide, d'Agra, en Inde : « Même de nos jours, l'esclavage clandestin dure encore. On achète des êtres humains, on vend des êtres humains. Il existe des régions, considérées comme faisant partie du monde libre, où la plénitude des droits civiques n'est pas accordée à tous les citoyens. C'est une honte, pour nous chrétiens, qu'un tel fait se produise dans des régions qui se flattent de leur tradition chrétienne. Des paroles de sympathie ne suffisent pas. Nous devons réveiller la conscience mondiale. Louons un mahatma Gandhi, louons un pasteur Martin Luther King, déjà loué par Paul VI. Ne craignons pas d'être courageux... »

Ou bien le Sud-Américain Helder Pessoa Câmara, de Recife : « Il nous faut parvenir au moins à ceci : dans chaque diocèse et presque dans chaque paroisse, il nous faut être présents à des mondes différents ; monde des pauvres et monde des riches ; monde des travailleurs et monde des employeurs ; monde des savants et monde des artistes ; monde des religions chrétiennes et non chrétiennes, monde des athées. Nous devons nous rendre compte de notre responsabilité particulière à l'égard des régions sous-développées, de manière que le développement s'accomplisse harmonieusement et sans rupture. Notre premier devoir est d'augmenter l'instruction du simple peuple. Il est absurde de croire que cela conduise au communisme. Nous devons parler ouvertement en faveur des masses qui ont un niveau de vie indigne de l'homme. »

Ces quelques exemples montrent pourquoi ce sont précisément les non-Européens qui réclamaient le schéma 13. Le texte répond-il à leur attente ?

Vers la fin de la quatrième session, le pape visita le bureau de presse du concile. Il fit une brève déclaration, puis les journalistes se pressèrent autour de lui. Ici, un jeune protestant de Heidelberg (il fait partie d'un groupe de treize étudiants qui voulaient se former une opinion personnelle du concile) lui transmet le message d'un moine orthodoxe d'Asie-Mineure: celui-ci prie chaque jour pour le pape et le fait cordialement saluer. Etonné, le pape écoute avec beaucoup d'intérêt. Un moment plus tard, une journaliste perdit connaissance au milieu de la foule. Le pape aida à la relever et, lorsqu'elle eut été étendue sur une table, lui passa doucement la main sur le visage. «Nous devons nous préoccuper de l'homme tel qu'il est», dit-il, quatre jours après, dans son allocution finale du 7 décembre.

Le discours prononcé par le pape devant l'ONU a été l'exemple de ce à quoi le concile visait réellement par sa constitution pastorale : reconnaître les signes des temps dans l'activité des peuples qui – même imparfaitement – permettent d'apercevoir l'œuvre de Dieu, et aider ces peuples à mieux se développer. Le pape considère l'ONU comme l'un de ces signes. Il veut indiquer à cette organisation la manière dont elle peut devenir un véritable instrument de la paix, rendant impossibles les guerres. Sur proposition du cardinal Liénart, le discours fut joint dans la suite aux actes du concile.

Pendant ce temps faisait rage au Viet-nam une guerre impitoyable, qui, entre les pierres meulières de la politique mondiale, menace de broyer sans recours un peuple pacifique en soi. Cet exemple incita les pères conciliaires à renoncer à toutes les théories d'antan sur guerre «juste» et «injuste». «Tout ce qui s'apparente d'une manière ou d'une autre à une guerre doit être condamné», s'écria le cardinal Ottaviani, d'une voix passionnée. Mais les pères conciliaires, eux non plus, ne pouvaient imposer une solution simple et immédiate.

Comme d'antan: telle fut l'impression de tous ceux qui, torche en main, le soir où s'ouvrit le concile, se tenaient sur la place Saint-Pierre, devant la basilique grandiosement illuminée. Jadis, l'Eglise était le seul support de la culture. Partout, Rome témoigne de ce fait. Une maison sur dix porte une plaque indiquant quel pape l'a fait construire, transformer, rénover. Tout ce travail, personne ne le conteste. Ce charme, personne n'y échappe. A l'époque, aucune séparation – pas même la moindre tension – ne semblait exister entre le message évangélique et les œuvres de culture. Il fallait être au courant de l'Histoire pour se dire: «Ces édifices ont été bâtis grâce au commerce des indulgences – l'une des causes de la division de l'Eglise.»

Et voici la situation actuelle: le Rockefeller Center, à New York, symbolise l'élan de la culture moderne. Devenue autonome, elle suit les lois immanentes qui lui sont propres. Image du temps passé, en regard, la cathédrale catholique de Saint-Patrick semble petite et démodée. Babylone et Jérusalem s'affrontent-elles ici sans réconciliation possible? Le concile a tenté de réduire la séparation à une épreuve – une épreuve voulue par Dieu. Il est bien vrai que la culture a son autonomie, et l'Eglise n'est pas maîtresse de l'activité culturelle. Mais elles ne restent pas, comme sur cette photo, sans rapports l'une avec l'autre. La cathédrale de Saint-Patrick est un anachronisme. L'Eglise doit reconnaître ce qu'il y a de créateur dans l'activité de l'homme – dans la mesure où celle-ci rend réellement l'homme plus humain – et, au-delà de cet effort, elle doit dévoiler à l'homme le sens ultime de son existence; c'est pourquoi elle parle de Révélation.

Le monde des riches

Certes, l'Eglise doit être présente aux deux mondes : celui des pauvres et celui des riches. Cela, aucun évêque ne l'a contesté. L'Eglise n'est pas une fleur qui ne saurait s'épanouir que sur le terreau de la misère, de la détresse et du sous-développement. Contrairement à ce préjugé fort répandu, l'Eglise doit être l'une des forces qui contribuent le plus à la promotion de l'homme. Mais elle risque toujours d'étouffer dans les salons. « Délivrez-nous de l'éclat de ces boutons, rubans et manteaux auxquels nous ne tenons pas du tout, et qui ne conduisent personne à Dieu », s'écria un évêque au concile. L'élément décisif, pour l'Eglise, c'est la liberté intérieure qui lui permet de renoncer sans regret à tout apparat et de revêtir l'aspect qui rend le plus digne de foi l'amour de Dieu pour les hommes. Plusieurs réceptions avaient lieu presque chaque semaine au concile : dans quelle mesure ont-elles confirmé la sincérité des déclarations sur l'Eglise servante ?

Le monde des pauvres

Durant tout le concile, il y eut un groupe d'évêques qui se vouèrent tout spécialement à la question de l'«Eglise des pauvres», telle que l'avait posée Jean XXIII. Ils voyaient s'étaler devant eux la monstrueuse misère qui existe encore aujourd'hui en maints endroits du monde – et souvent sous des formes nouvelles, comme le montre cette photo. Ici, on voit l'un des faubourgs qui entourent la féeriquement belle Rio de Janeiro. Dans de misérables cabanes qu'ils ont bâties de leurs propres mains, des gens venus de l'intérieur du pays sont contraints de mener là une existence indigne de l'homme. Ces évêques ne demandaient pas un schéma particulier; en revanche, dans la plupart des textes conciliaires, ils obtinrent l'adjonction de quelques phrases rappelant que le soin des pauvres doit être l'un des signes distinctifs de l'Eglise, et que tel n'est pas assez fréquemment le cas aujourd'hui. Dans ce groupe figuraient les cardinaux Montini et Lercaro, les évêques Ancel, de France, Angerhausen, d'Allemagne, Helder Câmara, du Brésil. La réapparition – sous une nouvelle forme – des prêtres ouvriers en France est leur œuvre. A la fin du concile, il se forma également divers groupes d'évêques qui s'engagèrent à éliminer tout superflu de leur train de vie, à se tourner «avant tout» vers les abandonnés, à leur consacrer plus de temps qu'aux autres, à s'occuper d'eux plus activement que des autres; à se passer de voitures luxueuses, à ne pas meubler richement leurs demeures – que ce soit dans le goût ancien ou moderne. Le nombre précis de ces évêques n'a pas été publié. Mais que de tels groupes se soient formés – en toute discrétion – voilà bien l'un des plus beaux fruits du concile.

Il serait simpliste de résumer le tournant du concile par ce que traduisent les deux expressions : détourné du monde, tourné vers le monde. A cette réserve près, d'ailleurs, une telle évolution ne pouvait guère devenir manifeste à Rome même, cette ville ouverte au monde et à la culture plus que nulle autre. Il n'en reste pas moins que, dans une large mesure, l'Eglise s'est tenue à l'écart de ce monde méchant et tentateur d'aujourd'hui, de ce monde tel qu'il est : concret et profane. Nulle part ce fait n'apparaissait plus nettement que chez les moniales. Souvent, elles vivaient comme des enfants mineurs. «En ce siècle de promotion de la femme, les religieuses doivent être avant tout un modèle valable et convaincant de femmes adultes, de chrétiennes adultes, après des siècles de minorité», a dit un archevêque. Mais la même remarque concernait les prêtres : «Le monde actuel veut des prêtres qui, pour vivre purs, ne considèrent pas la femme comme l'expression du péché ; qui, pour aimer le ciel, ne se sentent pas tenus de haïr la terre ; qui, dans l'amour envers les créatures humaines, découvrent la manière la plus efficace d'aimer Dieu», a dit le même archevêque.

Durant le concile, les cosmonautes s'élançaient les uns après les autres dans l'espace. Geste prométhéen vers le feu défendu, disaient maints esprits étroits, tandis que maints athées triomphaient : personne n'a rencontré Dieu au «ciel». La nouvelle image du monde semblait détruire les anciennes conceptions de l'Eglise. Non seulement le concile a reconnu ses torts à l'égard de Galilée, mais il s'est réjoui au sujet des cosmonautes, que le pape en personne n'a pas craint de recevoir même quand ils étaient Russes : «Nous devons montrer au monde Dieu tel qu'il est en vérité : large, grand et bon. Il n'a pas peur d'être rattrapé par l'homme ; comme un bon père, il se réjouit de voir les succès et les conquêtes de son fils adoptif. Nous devons bien saisir le sens du schéma 13 : il marque le début d'un dialogue avec tous.»

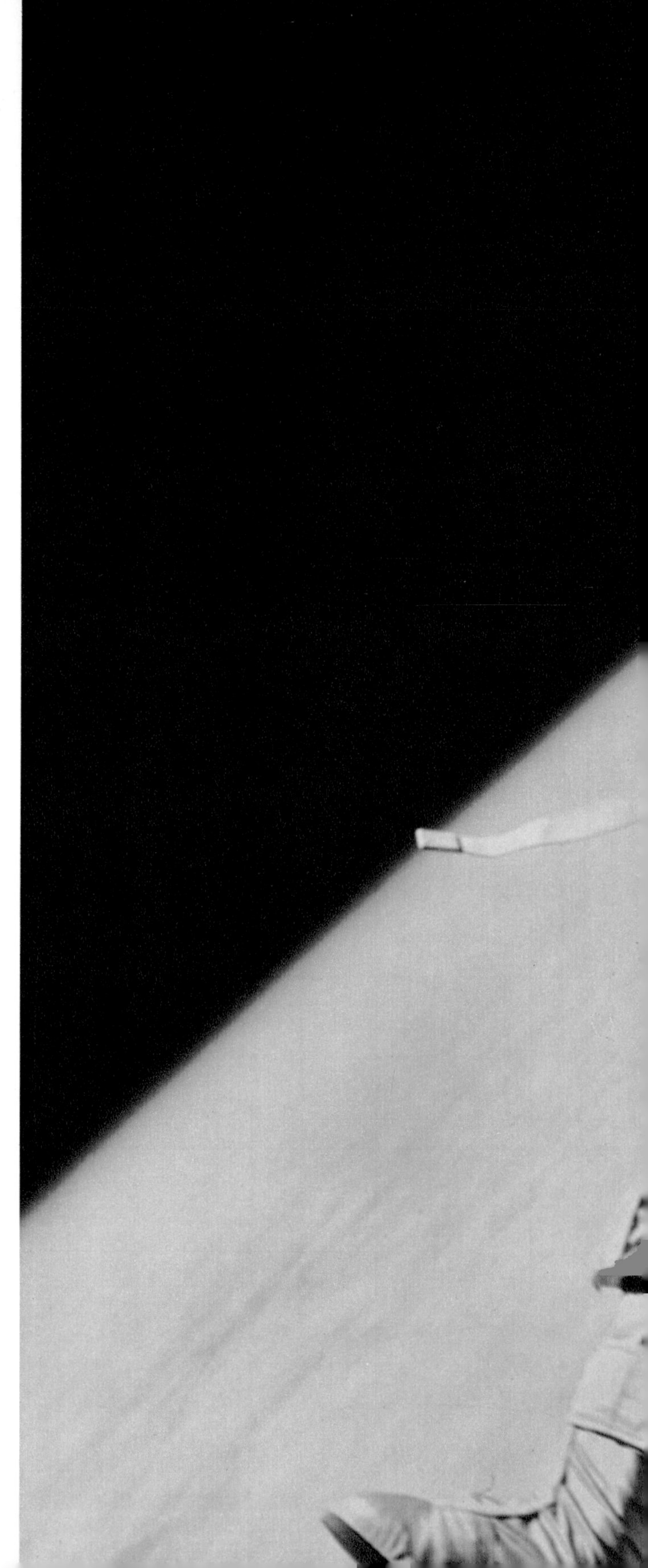

En plein concile, durant la quatrième session, un gigantesque pèlerinage de gitans vint à Rome du monde entier. Ils voulaient voir le pape, le grand «schah», comme ils disaient. Le pape se rendit parmi eux. Il faillit se noyer dans la foule. Sa joie, cependant, était manifeste. Les gitans ont une antique culture tibétaine. S'ouvrir à l'humanité moderne ne signifie pas, pour l'Eglise, se fermer à tout ce qui reste vivant dans ce qui est ancien, où qu'il soit. Toute culture cherche à se fixer – même celle du présent. Mais l'Eglise est toujours en route, et quand les hommes auraient peuplé tout le cosmos, elle n'en devrait pas moins continuer de proclamer: «Le but n'est pas encore atteint!» Telle est sa difficile mission: ne jamais cesser de devenir humaine, sans perdre pour autant la nostalgie des biens éternels.

Message de Paul VI aux Nations Unies

(Discours prononcé en français devant l'assemblée générale de l'ONU, à New York, le 4 octobre 1965.)

Cette rencontre, vous en êtes tous bien conscients, revêt un double caractère : elle est empreinte à la fois de simplicité et de grandeur. De simplicité, car celui qui vous parle est un homme comme vous, il est votre frère, et même un des plus petits parmi vous, qui représentez des Etats souverains, puisqu'il n'est investi – s'il vous plaît de nous considérer à ce point de vue – que d'une minuscule et symbolique souveraineté temporelle : le minimum nécessaire pour être libre d'exercer sa mission spirituelle et assurer ceux qui traitent avec lui qu'il est indépendant de toute souveraineté de ce monde. Il n'a aucune puissance temporelle, aucune ambition d'entrer avec vous en compétition. De fait, nous n'avons rien à demander, aucune question à soulever ; tout au plus un désir à formuler, une permission à solliciter : celle de pouvoir vous servir dans ce qui est de notre compétence, avec désintéressement, humilité et amour.
Telle est la première déclaration que nous avons à faire. Comme vous le voyez, elle est si simple qu'elle peut paraître insignifiante pour cette assemblée, habituée à traiter d'affaires extrêmement importantes et difficiles.
Et pourtant, nous vous le disions, et vous le sentez tous, ce moment est empreint d'une singulière grandeur : il est grand pour nous, il est grand pour vous.
Pour nous d'abord. Oh ! vous savez bien qui nous sommes. Et quelle que soit votre opinion sur le pontife de Rome, vous connaissez notre mission : nous sommes porteur d'un message pour toute l'humanité. Et nous le sommes non seulement en notre nom personnel et au nom de la grande famille catholique, mais aussi au nom de frères chrétiens qui partagent les sentiments que nous exprimons ici et spécialement de ceux qui ont bien voulu nous charger explicitement d'être leur interprète. Et tel le messager qui, au terme d'un long voyage, remet la lettre qui lui a été confiée, ainsi nous avons conscience de vivre l'instant privilégié – si bref soit-il – où s'accomplit un vœu que nous portons dans le cœur depuis près de vingt siècles. Oui, vous vous en souvenez. C'est depuis longtemps que nous sommes en route, et nous portons avec nous une longue histoire. Nous célébrons ici l'épilogue d'un laborieux pèlerinage à la recherche d'un colloque avec le monde entier, depuis le jour où il nous fut commandé : « Allez, portez la bonne nouvelle à toutes les nations. » Or, c'est vous qui représentez toutes les nations.

L'ONU – voie ouverte à la paix mondiale

Notre message veut être tout d'abord une ratification morale et solennelle de cette haute institution. Ce message vient de notre expérience historique. C'est comme « expert en humanité » que nous apportons à cette organisation le suffrage de nos derniers prédécesseurs, celui de tout l'épiscopat catholique et le nôtre, convaincu comme nous le sommes que cette organisation représente le chemin obligé de la civilisation moderne et de la paix mondiale.

En disant cela, nous avons conscience de faire nôtre aussi bien la voix des morts que celle des vivants: des morts tombés dans les terribles guerres du passé en rêvant à la concorde et à la paix du monde; des vivants qui y ont survécu et qui condamnent d'avance dans leurs cœurs ceux qui tenteraient de les renouveler; d'autres vivants encore: les jeunes générations d'aujourd'hui qui s'avancent confiantes, attendant à bon droit une humanité meilleure.
Nous faisons nôtre aussi la voix des pauvres, des déshérités, des malheureux, de ceux qui aspirent à la justice, à la dignité de vivre, à la liberté, au bien-être et au progrès. Les peuples se tournent vers les Nations Unies comme vers l'ultime espoir de la concorde et de la paix: nous osons apporter ici, avec le nôtre, leur tribut d'honneur et d'espérance. Et voilà pourquoi pour vous aussi ce moment est grand.
Nous le savons, vous en êtes pleinement conscients. Ecoutez maintenant la suite de notre message. Il est tout entier tourné vers l'avenir. L'édifice que vous avez construit ne doit plus jamais tomber en ruine; il doit être perfectionné et adapté aux exigences que l'histoire du monde présentera. Vous marquez une étape dans le développement de l'humanité: désormais, impossible de reculer, il faut avancer.
A la pluralité des Etats, qui ne peuvent plus s'ignorer les uns les autres, vous proposez une forme de coexistence extrêmement simple et féconde. La voici: d'abord vous reconnaissez et vous distinguez les uns et les autres. Vous ne conférez certes pas l'existence aux Etats, mais vous qualifiez comme digne de siéger dans l'assemblée ordonnée des peuples chacune des nations. Vous donnez une reconnaissance d'une haute valeur morale et juridique à chaque communauté nationale souveraine, et vous lui garantissez une honorable citoyenneté internationale. C'est déjà un grand service rendu à la cause de l'humanité: bien définir et honorer les sujets nationaux de la communauté mondiale: les établir dans une condition juridique qui leur vaut la reconnaissance et le respect de tous, et d'où peut dériver un système ordonné et stable de vie internationale. Vous sanctionnez le grand principe que les rapports entre les peuples doivent être réglés par la raison, par la justice, le droit et la négociation, et non par la force, ni par la violence, ni par la guerre, non plus que par la peur et par la tromperie.
C'est ainsi que cela doit être. Et permettez que nous vous félicitions d'avoir eu la sagesse d'ouvrir l'accès de cette assemblée aux peuples jeunes, aux Etats parvenus depuis peu à l'indépendance et à la liberté nationales: leur présence ici est la preuve de l'universalité et de la magnanimité qui inspirent les principes de cette institution.
C'est ainsi que cela doit être. Tel est notre éloge et notre souhait, et, comme vous le voyez, nous ne les attribuons pas du dehors, nous les tirons du dedans, du génie même de votre institution.

Une autorité mondiale est nécessaire!

Votre statut va plus loin encore, et notre message s'avance avec lui. Vous existez et vous travaillez pour unir les nations, pour associer les Etats. Adoptons la formule: pour mettre ensemble les uns avec les autres. Vous êtes une association. Vous êtes un pont entre les peuples. Vous êtes un réseau de rapports entre les Etats. Nous serions tenté de dire que votre caractéristique reflète en quelque sorte dans l'ordre temporel ce que notre Eglise catholique veut être dans l'ordre spirituel: unique et universelle. On ne peut rien concevoir de plus élevé, sur le plan naturel, dans la construction idéologique de l'humanité. Votre vocation est de faire fraterniser non pas quelques-uns des peuples, mais tous les peuples. Entreprise difficile? Sans nul doute. Mais telle est l'entreprise, telle est votre très noble entreprise. Qui ne voit la nécessité d'arriver ainsi progressivement à instaurer une autorité mondiale en mesure d'agir efficacement sur le plan juridique et politique?
Ici encore, nous répétons notre souhait: «Allez de l'avant!» Nous dirons davantage: «Faites en sorte de ramener parmi vous ceux qui se seraient détachés de vous; étudiez le moyen d'appeler à votre pacte de fraternité, dans l'honneur et avec loyauté, ceux qui ne le partagent pas encore.» Faites en sorte que ceux qui sont encore au-dehors désirent et méritent la confiance commune, et soyez alors généreux à l'accorder. Et vous, qui avez la chance et l'honneur de siéger dans cette assemblée de la communauté pacifique, écoutez-nous: cette confiance mutuelle qui vous unit et vous permet d'opérer de bonnes et grandes choses, faites en sorte qu'il n'y soit jamais porté atteinte, qu'elle ne soit jamais trahie.

Jamais plus les uns contre les autres, jamais plus de guerre!

Et ici notre message atteint son sommet. Négativement d'abord. C'est la parole que vous attendez de nous et que nous ne pouvons prononcer sans être conscient de sa gravité et de sa solennité: jamais plus les uns contre les autres, jamais, plus jamais. N'est-ce pas surtout dans ce dessein qu'est née l'Organisation des Nations Unies: contre la guerre et pour la paix? Ecoutez les paroles lucides d'un grand disparu, John Kennedy, qui proclamait, il y a quatre ans: «L'humanité devra mettre fin à la guerre, ou c'est la guerre qui mettra fin à l'humanité.» Il n'est pas besoin de longs discours pour proclamer la finalité suprême de votre institution. Il suffit de rappeler que le sang de millions d'hommes, que des souffrances inouïes et innombrables, que d'inutiles massacres et d'épouvantables ruines sanctionnent le pacte qui vous unit, en un serment qui doit changer l'histoire future du monde: jamais la guerre, jamais plus la guerre. C'est la paix, la paix qui doit guider le destin des peuples et de toute l'humanité...
La paix, vous le savez, ne se construit pas seulement au moyen de la politique et de l'équilibre des forces et des intérêts. Elle se construit avec l'esprit, les idées, les œuvres de la paix. Vous travaillez à cette grande œuvre. Mais vous n'êtes encore qu'au début de vos peines. Le monde arrivera-t-il jamais à changer la mentalité particulariste et belliqueuse qui a tissé jusqu'ici une si grande partie de son histoire? Il est difficile de le prévoir. Mais il est facile d'affirmer qu'il faut se mettre résolument en route vers la nouvelle histoire, l'histoire pacifique, celle qui sera vraiment et pleinement humaine, celle-là même que Dieu a promise aux hommes de bonne volonté. Les voies en sont tracées devant vous: la première est celle du désarmement.
Si vous voulez être frères, laissez tomber les armes de vos mains. On ne peut pas aimer avec des armes offensives dans les mains. Les armes, surtout les terribles armes que la science moderne vous a données, avant même de causer des victimes et des ruines, engendrent de mau-

vais rêves, alimentent de mauvais sentiments, créent des cauchemars, des défiances, de sombres résolutions. Elles exigent d'énormes dépenses. Elles arrêtent les projets de solidarité et d'utile travail. Elles faussent la psychologie des peuples.
Tant que l'homme restera l'être faible, changeant et même méchant qu'il se montre souvent, les armes défensives seront, hélas! nécessaires. Mais vous, votre courage et votre valeur vous poussent à étudier les moyens de garantir la sécurité de la vie internationale sans recourir aux armes: voilà un but digne de vos efforts, voilà ce que les peuples attendent de vous. Voilà ce qu'il faut obtenir, et pour cela il faut que grandisse la confiance unanime en cette institution, que grandisse son autorité, et le but alors – on peut l'espérer – sera atteint. Vous y gagnerez la reconnaissance des peuples, soulagés des pesantes dépenses des armements et délivrés du cauchemar de la guerre toujours imminente.
Nous savons – et comment ne pas nous en réjouir? – que beaucoup d'entre vous ont considéré avec faveur l'invitation que nous avons lancée pour la cause de la paix, de Bombay, à tous les Etats, en décembre dernier: consacrer au bénéfice des pays en voie de développement une partie au moins des économies qui peuvent être réalisées grâce à la réduction des armements. Nous renouvelons ici cette invitation, avec la confiance que nous inspirent vos sentiments d'humanité et de générosité.

Le but: une collaboration fraternelle entre les peuples

Parler d'humanité, de générosité, c'est faire écho à un autre principe constitutif des Nations Unies, son sommet positif: ce n'est pas seulement pour conjurer les conflits entre les Etats que l'on œuvre ici, c'est pour rendre les Etats capables de travailler les uns pour les autres. Vous ne vous contentez pas de faciliter la coexistence entre les nations, vous faites un bien plus grand pas en avant, digne de notre éloge et de notre appui: vous organisez la collaboration fraternelle des peuples. Ici s'instaure un système de solidarité qui fait que de hautes finalités, dans l'ordre de la civilisation, reçoivent l'appui unanime et ordonné de toute la famille des peuples pour le bien de tous et de chacun. C'est ce qu'il y a de plus beau dans l'Organisation des Nations Unies, c'est son visage humain le plus authentique, c'est l'idéal dont rêve l'humanité dans son pèlerinage à travers le temps, c'est le plus grand espoir du monde.
Nous oserons dire: c'est le reflet du dessein de Dieu – dessein transcendant et plein d'amour – pour le progrès de la société humaine sur la terre, reflet où nous voyons le message évangélique, de céleste, se faire terrestre. Ici, en effet, il nous semble entendre l'écho de la voix de nos prédécesseurs, et de celle, en particulier, du pape Jean XXIII, dont le message de PACEM IN TERRIS a trouvé parmi vous une résonance si honorable et significative.
Ce que vous proclamez ici, ce sont les droits et les devoirs fondamentaux de l'homme, sa dignité, sa liberté, et avant tout la liberté religieuse. Nous sentons que vous êtes les interprètes de ce qu'il y a de plus haut dans la sagesse humaine, nous dirions presque: son caractère sacré. Car c'est avant tout de la vie de l'homme qu'il s'agit, et la vie de l'homme est sacrée: personne ne peut oser y attenter. C'est dans votre assemblée que le respect de la vie, même en ce qui concerne le grand problème de la natalité, doit trouver sa plus haute profession et sa plus raisonnable défense. Votre tâche est de faire en sorte que le pain soit suffisamment abondant à la table de l'humanité, et non pas de favoriser un contrôle artificiel des naissances, qui serait irrationnel, en vue de diminuer le nombre des convives au banquet de la vie.
Mais il ne suffit pas de nourrir les affamés: encore faut-il assurer à chaque homme une vie conforme à sa dignité. Et c'est ce que vous vous efforcez de faire. N'est-ce pas l'accomplissement, sous nos yeux, et grâce à vous, de l'annonce prophétique qui s'applique si bien à votre institution: «Ils fondront leurs épées pour en faire des charrues et leurs lances pour en faire des faux.» (Es.2:4)? N'employez-vous pas les prodigieuses énergies de la terre et les magnifiques inventions de la science non plus en instruments de mort, mais en instruments de vie pour la nouvelle ère de l'humanité?
Nous voudrions nous aussi donner l'exemple, même si la petitesse de nos moyens empêche d'en apprécier la portée pratique et quantitative: nous voulons donner à nos institutions caritatives un nouveau développement contre la faim du monde et en faveur de ses principaux besoins: c'est ainsi, et pas autrement, qu'on construit la paix.
Un mot encore, messieurs, un dernier mot: cet édifice que vous construisez ne repose pas sur des bases purement matérielles et terrestres, car ce serait alors un édifice construit sur le sable. Il repose avant tout sur nos consciences. Oui, le moment est venu de la «conversion», de la transformation personnelle, du renouvellement intérieur. Nous devons nous habituer à penser d'une manière nouvelle l'homme, d'une manière nouvelle aussi la vie en commun des hommes, d'une manière nouvelle enfin les chemins de l'Histoire et les destins np monde, selon la parole de saint Paul: «Revêtir l'homme nouveau créé selon Dieu dans la justice et la sainteté de la Vérité.» (Eph. 4:23.) Voici arrivée l'heure où s'impose une halte, un moment de recueillement, de réflexion, quasi de prière: repenser à notre commune origine, à notre histoire, à notre destin commun. Jamais comme aujourd'hui, dans une époque marquée par un tel progrès humain, n'a été aussi nécessaire l'appel à la conscience morale de l'homme. Car le péril ne vient ni du progrès ni de la science qui, bien utilisés, pourront au contraire résoudre un grand nombre des graves problèmes qui assaillent l'humanité. Le vrai péril se tient dans l'homme, qui dispose d'instruments toujours plus puissants, aptes aussi bien à la ruine qu'aux plus hautes conquêtes. En un mot, l'édifice de la civilisation moderne doit se construire sur des principes spirituels, les seuls capables non seulement de le soutenir, mais aussi de l'éclairer et de l'animer. Et ces indispensables principes de sagesse supérieure ne peuvent reposer – c'est notre conviction, vous le savez – que sur la foi en Dieu. Le Dieu inconnu dont parlait saint Paul aux Athéniens sur l'Aréopage? Inconnu de ceux qui, pourtant, sans s'en douter, le cherchaient et l'avaient près d'eux, comme il arrive à tant d'hommes de notre siècle... Pour nous, en tout cas, et pour tous ceux qui accueillent l'ineffable Révélation que le Christ nous a faite de lui, c'est le Dieu vivant, le Père de tous les hommes.

Discours conciliaires
I. Un nouvel esprit

Dessin: Ange romain

Langue vernaculaire dans la liturgie et droits des conférences épiscopales

PATRIARCHE MAXIMOS IV SAIGH, d'Antioche, le 23 octobre 1962

Bien que le schéma *De la sainte liturgie* ne concerne que le rite romain, je demande la permission, moi qui suis avec intérêt les progrès du mouvement liturgique dans l'Eglise latine, de contribuer à la discussion par le témoignage d'un patriarche oriental. Par souci de brièveté, je ne m'occuperai que du problème de la langue liturgique.
Au préalable, je ferai remarquer que le schéma, dans l'ensemble, me plaît énormément. A part les quelques retouches indispensables que ne manqueront pas d'y apporter les évêques intéressés, il fait grand honneur à la commission préparatoire et, par là même, au mouvement liturgique qui lui a donné naissance.

Cinq paroles intelligibles valent mieux que dix mille qui restent incomprises

Je voudrais seulement observer que le principe énoncé au début me paraît formulé d'une manière trop apodictique: «L'usage de la langue latine doit être maintenu dans la liturgie de l'Occident.» Pour l'Eglise d'Orient, la valeur presque absolue que l'on veut donner au latin dans la liturgie, l'enseignement et l'administration de l'Eglise latine représente quelque chose de tout à fait anormal, car le Christ lui-même, en définitive, s'est bel et bien servi de la langue de ses contemporains. De même, il a bel et bien offert le premier sacrifice eucharistique dans la langue que tous ses auditeurs comprenaient: l'araméen. Ainsi des apôtres et des disciples. Il ne leur serait jamais venu à l'esprit que, dans une assemblée chrétienne, le célébrant puisse lire les péricopes de l'Ecriture sainte, chanter les psaumes, prêcher ou rompre le pain en utilisant une autre langue que celle de l'assistance. Saint Paul nous dit même expressément: «Si tu bénis Dieu seulement en esprit, comment celui qui est du simple peuple répondra-t-il amen à ton action de grâces, puisqu'il n'entend pas ce que tu dis? Il est vrai que tes actions de grâces sont bonnes; mais un autre n'en est pas édifié... j'aimerais mieux prononcer dans l'église cinq paroles en me faisant entendre, afin d'instruire aussi les autres, que dix mille paroles dans une langue inconnue» (I Cor. 14:16-19). Tous les motifs que l'on allègue en faveur d'un intangible latin – langue liturgique mais morte – ne doivent-ils pas céder le pas à cette réflexion si claire, si dépourvue d'ambiguïté, si précise de l'apôtre? D'ailleurs, l'Eglise romaine elle-même – du moins jusqu'au milieu du IIIe siècle – a fait usage du grec dans la liturgie, parce que c'était alors la langue que parlaient ses fidèles. Et si, à cette époque, elle s'est mise à abandonner le grec pour le latin, ce fut précisément parce que le latin, entre-temps, était devenu la langue courante de ses fidèles. Pourquoi l'Eglise ne devrait-elle plus appliquer aujourd'hui le même principe?

La langue latine est morte – mais l'Eglise vit!

En ce qui concerne l'Orient, après l'araméen et le grec des premières générations chrétiennes, on introduisit le copte dans les territoires

soumis à l'Egypte. Plus tard, dès le Ve siècle, il en fut de même de l'araméen, du géorgien, de l'éthiopien, de l'arabe, des langues gothiques et slaves.
Dans l'Eglise d'Occident, ce n'est qu'au Moyen Age que le latin fut considéré comme la seule langue universelle de la civilisation romaine et du Saint Empire, et cela par opposition aux barbares qui dominaient l'Europe. Ainsi, l'Eglise d'Occident fit du latin sa langue officielle et sacrée. Pour l'Orient, en revanche, la langue liturgique n'a jamais été un problème. En fait, toute langue est liturgique, car le psalmiste dit: «Que tous les peuples louent le Seigneur», en sorte qu'il faut louer Dieu, annoncer l'Evangile et offrir le sacrifice en toute langue, quelle qu'elle soit. En tout cas, nous ne pouvons pas comprendre, en Orient, comment il est possible de rassembler des fidèles pour prier avec eux en une langue qu'ils ne comprennent pas.
La langue latine est morte; mais l'Eglise vit, et la langue qui transmet le Saint-Esprit et la grâce doit être également vivante, car elle est là pour les hommes et non pour les anges: aucune langue ne doit être intangible.

Deux propositions

Nous comprenons tous que l'introduction de la langue populaire dans le rite latin doit se faire graduellement et avec la prudence requise. Cependant, je voudrais voir s'atténuer quelque peu la rigueur du principe initial. Au lieu de: «L'usage de la langue latine doit être maintenu dans la liturgie de l'Occident», on pourrait peut-être dire: «La langue latine est la langue originelle et officielle du rite romain.»
En second lieu, nous aimerions proposer que soit laissée aux conférences régionales d'évêques la responsabilité de décider si – et dans quelle mesure – la langue populaire doit être introduite avec profit dans la liturgie. Le texte du schéma ne donne aux conférences épiscopales que le droit, à ce sujet, de présenter des propositions au Saint-Siège. Mais, pour faire une proposition, une conférence épiscopale n'est pas nécessaire: n'importe quel fidèle le peut. Les conférences épiscopales ne doivent pas avoir uniquement un droit de motion, mais un droit de décision sous réserve de l'approbation pontificale. C'est pourquoi je propose la formule suivante: «Il appartient aux conférences régionales d'évêques d'établir, en accord avec le Saint-Siège, comment et dans quelle mesure la langue populaire peut être admise dans la liturgie.»

Remarque: La première proposition n'a pas réussi à s'imposer; la formule initiale est restée telle quelle. En revanche, la seconde proposition a été accueillie dans la constitution de la liturgie.

La mission dans le monde est essentielle à l'Eglise

CARDINAL LAUREAN RUGAMBWA, évêque de Bukoba (Afrique orientale), le 1er octobre 1963

Révérends pères! Je vous parle après avoir conféré avec beaucoup d'évêques africains et malgaches. Le schéma *De l'Eglise* nous plaît pour de nombreuses raisons, mais, en ce qui nous concerne, tout spécialement parce qu'il donne de l'Eglise une vue étendue et conforme au décret de Dieu; en outre, la doctrine qu'il présente sur l'Eglise – dans ses aspects internes aussi bien qu'externes – répond mieux que précédemment, d'une manière plus claire, plus distincte, à l'Ecriture sainte et à la pure tradition. Les orateurs qui nous ont précédé ont déjà fait ressortir quelques points, et nous les avons écoutés avec approbation, avec admiration même. Nous souscrivons volontiers à ce qu'ils ont dit. Cependant, nous voudrions y ajouter encore trois choses:
1. La mission essentielle de l'Eglise, qui se confond avec la mission du verbe incarné, et surtout l'évangélisation du monde, ne sont pas exprimées d'une manière assez nette dans les déclarations sur le mystère de l'Eglise.
2. Le temps présent impose d'élaborer une conception vraiment ecclésiologique de la mission, qui doit s'enraciner profondément dans le mystère de l'Eglise.
3. Il faut mieux définir la nature et la vocation du peuple de Dieu, de manière que l'on ait une compréhension plus profonde et plus claire de la mission de l'Eglise pour le salut du monde entier.

L'évangélisation du monde est essentielle à l'Eglise

1. Ainsi, nous souhaitons d'abord que la fonction missionnaire de l'Eglise ressorte davantage. Sur ce point, le texte actuel est affecté d'une faiblesse très significative. Le schéma prétend «expliquer la mission universelle de l'Eglise d'une manière plus proche de l'actualité», mais il passe presque entièrement sous silence le moment décisif de cette mission: l'évangélisation. Comme on ne parviendra jamais à comprendre le mystère de l'Eglise sans référence à la charge d'évangéliser le monde, il faut dire nettement que l'Eglise – en vertu de la mission même que le Fils a reçue du Père – est envoyée au monde pour continuer l'œuvre du Christ dans les siècles. La question prend d'autant plus de gravité que l'on examine plus attentivement les formules utilisées. Il nous semble qu'elles nous induisent à considérer l'Eglise comme une «constante», sous un aspect purement statique. Mais, loin d'être ici-bas une «constante», l'Eglise de Dieu est «en devenir». Un dynamisme interne l'anime, grâce à quoi son effort ne tend pas uniquement vers l'accomplissement eschatologique en Dieu, mais aussi, dans un esprit missionnaire, vers la croissance du peuple de Dieu.

Le monde entier est pays de mission

2. De là, nous passons à l'aspect missionnaire qui, lui non plus, n'est pas assez accentué. Ne perdons jamais ceci de vue, révérends pères: lorsque nous parlons de la fonction missionnaire de l'Eglise, il ne s'agit

pas uniquement de ce que l'on est convenu d'appeler les missions extérieures, mais bien de l'Eglise entière. L'évangélisation est tout simplement coextensive à la charge fondamentale de l'Eglise. Aujourd'hui, l'Eglise est représentée dans presque toutes les régions du monde. Elle est là. Même s'il nous faut toujours prendre garde à la diversité des conditions, il n'en reste pas moins que, partout dans le monde, des groupes humains se tiennent en dehors de l'Eglise, ne connaissent pas encore le Christ, le Rédempteur, ou bien l'ont oublié. Aussi, le monde entier est-il pays de mission. C'est en ce sens que le texte devrait parler de la mission, et ce qu'il en dit devrait être valable pour toute l'Eglise. Partout, des missions sont nécessaires ! Partout, l'Eglise doit être missionnaire.

Il faut consacrer un chapitre particulier au peuple de Dieu

3. Un troisième vœu. Afin de faire mieux ressortir la nature de l'Eglise et d'éclairer plus distinctement sa mission essentielle, il nous paraît nécessaire de traiter deux points d'une manière plus approfondie : le peuple de Dieu, et le mystère de l'alliance entre Dieu et les hommes. C'est pourquoi nous vous demandons instamment qu'un nouveau chapitre, traitant du peuple de Dieu, soit inséré dans le schéma à la suite du premier, comme l'a proposé la Commission de coordination.

Remarque : Les trois vœux du cardinal ont été exaucés.

Définition plus précise de l'infaillibilité pontificale

JOSEPH DESCUFFI, archevêque de Smyrne (Turquie), le 4 décembre 1962

Révérends pères ! Je voudrais vous recommander de traiter dans un paragraphe particulier, sous le titre de « La fonction enseignante de l'Eglise », la question de l'infaillibilité doctrinale de l'Eglise et du pape, si importante pour la réunification. Il y faudrait expliquer clairement et sans ambiguïté le privilège de l'infaillibilité, et en particulier une phrase équivoque – à ce qu'il me semble – du premier Concile du Vatican. Voici les termes de cette phrase : « Les définitions de l'évêque romain sont infaillibles en soi... et non pas en se fondant sur l'approbation de l'Eglise... »

L'infaillibilité pontificale au premier Concile du Vatican

Qu'il me soit permis de citer au préalable ce qui a été allégué par l'évêque et père conciliaire Gasser, rapporteur final de la Commission de la foi au premier Concile du Vatican : « C'est pourquoi nous n'excluons pas la collaboration de l'Eglise, car l'infaillibilité n'est pas accordée à l'évêque romain par la voie de l'inspiration ou de la révélation, mais par la voie de l'assistance divine. Aussi, le pape – conformément à sa charge et à l'importance de la cause – est-il tenu d'utiliser les moyens appropriés pour rechercher droitement la vérité et pour la formuler de la manière convenable. Ces moyens sont les assemblées – ou aussi les avis – d'évêques, de cardinaux, de théologiens, et ainsi de suite. Ils peuvent différer selon les époques, et nous sommes en droit d'admettre avec pitié que l'assistance divine accordée à Pierre et à ses successeurs par le Christ, le Seigneur, s'étend également sur les moyens nécessaires et appropriés d'assurer un jugement infaillible du pape. » (Mansi 52, 12 : 13.)

Le risque de mal interpréter la définition de l'infaillibilité pontificale

Le premier Concile du Vatican a établi avec raison – me semble-t-il – que les définitions de l'évêque romain sont irréformables d'abord « en soi », puis « non pas en se fondant sur l'approbation de l'Eglise ». Mais il subsistait une obscurité ; le voisinage des points un et deux peut donner lieu à une interprétation erronée, selon laquelle, en vertu du point un, le pape seul serait infaillible – même à l'encontre de l'Eglise ou sans l'Eglise – et, en vertu du point deux, l'Eglise infaillible dans son ensemble pourrait se trouver en opposition avec le pape infaillible. Mais personne n'a le droit de faire une telle supposition ! Ces deux infaillibilités, celle du pape et celle de l'Eglise, diffèrent par leur origine et par leurs responsables, mais il n'est pas permis de les opposer l'une à l'autre ; au contraire, elles ne doivent former qu'une seule et même infaillibilité : l'une, dont le pape est responsable, prend sa source dans la promesse faite à Pierre en particulier, qui, en tant que chef du collège apostolique, assumait le Christ au nom de tous les apôtres ; l'autre, dont l'Eglise jouit dans ses définitions et ses instructions, va toujours de pair avec le pape ou bien s'accorde avec lui.

Précisions complémentaires

Par conséquent, « en soi » signifie que l'infaillibilité particulière au pape lui revient en sa qualité de chef de l'Eglise du Christ, et non par l'« approbation de l'Eglise » ou en vertu de quelque don spécial de science ou de sainteté, par exemple, comme beaucoup le prétendent ou l'enseignent, en contradiction avec l'Eglise. D'autre part, « non pas en se fondant sur l'approbation de l'Eglise » signifie que l'infaillibilité de l'Eglise ne provient pas du pape mais est confirmée par lui, puisque, en sa qualité de chef de l'Eglise, il ne fait qu'un avec elle. En aucun cas, l'approbation de l'Eglise ne peut être considérée comme inexistante, dénuée d'importance et passée sous silence. Nous venons de dire que l'infaillibilité ne consiste pas en une inspiration divine ou une Révélation. Elle consiste en une assistance particulière de Dieu, qui préserve de l'erreur mais ne supprime pas le devoir de chercher la vérité et, à cette fin, de recourir à l'étude, à la délibération ou à tous les moyens qui peuvent changer selon les époques. Aussi, l'évêque romain, quand il parle *ex cathedra* – c'est-à-dire en tant que pasteur suprême et maître de l'Eglise entière – et « affermit » ses frères, ne peut-il omettre de sonder auparavant la conscience de l'Eglise, de consulter l'Eglise soit dans des conciles, des synodes régionaux, et ainsi de suite, soit par d'autres moyens appropriés. C'est bien ainsi que les choses se sont toujours passées jusqu'ici. A lui seul, le pape n'est pas l'Eglise ; mais là où se trouve le pape, là se trouve la véritable Eglise, qui est d'accord avec lui. Tels la tête et le corps, ils sont indissolublement liés dans une seule et même infaillibilité. Comme le pasteur et conducteur de l'Eglise universelle ou œcuménique souhaite profondément que l'union et l'amour règnent dans toutes les parties de l'Eglise répandues sur le monde, il ne manquera certainement pas d'utiliser, selon les voies de la Providence divine, le moyen unique en son genre que représente le collège épiscopal.

Remarque : Dans la deuxième session du concile, l'archevêque revint d'une manière pressante sur ce point (10 octobre 1963) ; cependant, la discussion ne fut pas approfondie, car la réaction de quelques pères conciliaires montra qu'une âpre dispute aurait éclaté à ce sujet. Comme dans d'autres cas (par exemple dans la question de l'appartenance à l'Eglise), on préféra s'approcher de la solution par le biais de problèmes connexes : après avoir tiré ceux-ci au clair (dans le cas particulier, il s'agissait de la collégialité épiscopale), on laissait à la réflexion des théologiens le soin de déduire les conséquences.

Les synodes des Eglises orientales, postulat et modèle des conférences épiscopales

ELIE ZOGHBI, patriarche melchite en Egypte, le 15 novembre 1963

Révérends pères ! A certains égards, l'Eglise romaine doit de la gratitude aux Eglises orthodoxes, car celles-ci pratiquent depuis longtemps ce que veut réaliser la forme moderne des conférences épiscopales. Sur ce thème, j'articulerai mes réflexions en quatre points. Certains d'entre eux pourraient avoir une portée œcuménique.

1. L'Eglise romaine est restée jointe à l'Orient orthodoxe dix siècles durant. En ce temps-là, non seulement elle reconnaissait le système collégial et synodal, mais elle le pratiquait elle-même, en commun avec les Eglises traditionnelles ou apostoliques de l'Orient. Effectivement, outre les grands conciles œcuméniques qui ont rassemblé l'épiscopat de l'Orient et de l'Occident sous la présidence incontestée de l'évêque de Rome, l'Eglise romaine a échangé des lettres synodales avec les Eglises traditionnelles ou apostoliques. Cette correspondance concernait les problèmes des Eglises orientales, mais également ceux de l'Eglise dans son ensemble. Aujourd'hui, puisque l'Eglise catholique s'efforce de devenir accessible à la communauté de l'Orient orthodoxe, et puisqu'elle se prépare à un dialogue œcuménique, le deuxième Concile du Vatican ne peut proposer aux Eglises d'Orient aucune autre structure ecclésiastique que le système synodal, c'est-à-dire de véritables et efficaces conférences épiscopales. Parler de conférences purement consultatives revient à exclure d'emblée toute possibilité de dialogue.

2. On a privé de toute puissance réelle les synodes ou conférences épiscopales des Eglises catholiques de rite oriental au profit des congrégations romaines, et principalement de la sainte Congrégation de l'Eglise d'Orient. Pour constater ce fait, il suffit de regarder le nouveau code du droit canon oriental. En fait, ladite congrégation prétend jouer le rôle d'un pseudo-patriarcat. Il est vrai que les six patriarches orientaux ont été nommés membres de la Congrégation de l'Eglise d'Orient. Soit. Mais cette congrégation comprend déjà vingt-cinq membres, tous cardinaux. Aussi, cette solution n'est-elle ni efficace, ni honorable, ni œcuménique. « De droit », les patriarches sont les présidents de leurs synodes ; les réduire à un rang subalterne et à l'infériorité numérique au sein d'une congrégation revient effectivement à condamner le système synodal, puisque cette congrégation prend la responsabilité des patriarcats. Il faudrait donc remplacer ladite congrégation par un organisme dont les membres seraient les délégués des synodes ou des conférences épiscopales du rite oriental.

3. Les évêques sont les pasteurs et les principaux responsables de l'Action catholique et de tout l'apostolat des laïcs. Mais cet apostolat ne s'en tient plus aux limites des paroisses ou des diocèses. Il s'organise sur un plan national et mondial. D'où il résulte que seule la puissance collégiale de l'épiscopat est en mesure de contrôler et de diriger les organes de l'apostolat laïc sur le plan national et mondial.

4. Dans cette aula, on a opposé à la collégialité et aux conférences épiscopales le spectre du nationalisme. Mais nous vivons aujourd'hui à une époque où le nationalisme – pour peu qu'il ne prenne pas une tournure exclusiviste et centralisatrice – ne représente plus un danger pour le bien commun. Il est plutôt une source de richesse pour l'ensemble de la société humaine. En fait, tandis que de jeunes nations s'élèvent et accèdent à la liberté, il naît aussi de grandes organisations internationales qui jouissent de plus de considération que jamais, et auxquelles tous les peuples participent avec les mêmes droits. Les gens d'Eglise devraient-ils se montrer moins ouverts et moins généreux que les hommes d'Etat ?

Remarque : En ce qui touche les patriarcats, le décret sur les *Eglises catholiques orientales* dit que « Les droits et privilèges en vigueur quand l'Orient et l'Occident étaient encore unis doivent être rétablis ». Le décret ne parle pas d'une réorganisation de la Congrégation de l'Eglise orientale. Cependant, on peut s'attendre à ce qu'elle se produise.

L'esprit collégial au centre de la collégialité

GASTON JACQUIER, évêque suffragant d'Alger, au nom de vingt-neuf évêques nord-africains, le 14 octobre 1963

Le texte du schéma *De l'Eglise* éclaire l'aspect juridique de la collégialité.

De même que l'Eglise contient un élément visible et un élément invisible, la collégialité (des évêques) revêt elle aussi, de par sa nature, un double aspect :

L'élément extérieur est l'unité de direction. Sans l'autorité du successeur de Pierre, il n'y a pas de collège épiscopal, ainsi que l'ont déjà relevé de nombreux pères.

L'élément interne consiste dans l'unité que produit une même foi et un même amour : Pie XI en fait la description dans l'encyclique ECCLESIAM DEI (12 novembre 1923).

1. Notre maître, le Christ, a demandé au Père, pour les apôtres et leurs successeurs, l'unité dans la foi ou dans la vérité : «Sanctifie-les par ta vérité» (Jean 17:17). Vivante, profonde, l'unité crée entre les évêques, comme le dit Tertullien, une «consanguinité de doctrine» qui donne aux Eglises fondées par les apôtres leur caractère apostolique.

2. Le Christ a également demandé pour les apôtres l'unité de l'amour : «Qu'ils soient un, comme nous» (Jean 17:11). Dès la première mission des apôtres, le Seigneur les a envoyés par groupes de deux. Il indiquait ainsi que la proclamation de l'Evangile, qui est une révélation de l'amour divin, ne peut se faire que grâce à l'amour mutuel des messagers. Dans sa troisième épître, Jean blâme Diotrèphe, parce que celui-ci «aime à être le premier» et ne reçoit pas les apôtres, et que «non seulement il ne reçoit pas lui-même les frères, mais il empêche ceux qui voudraient les recevoir, et les chasse de l'Eglise» (III Jean 10). Saint Ignace écrit à Polycarpe : «Cultive l'unité. Il n'y a rien de meilleur.» Un magnifique exemple de cet amour nous est offert par saint Optatien de Milet, qui écrit à l'évêque donatiste Parménian, au sujet des évêques donatistes : «Et parce qu'ils ne veulent pas d'un collège épiscopal avec nous, ils ne sont pas nos collègues, puisque telle est leur volonté ; ils n'en sont pas moins nos frères...» Pie XI a écrit aux évêques italiens : «Vous êtes nos frères dans l'office épiscopal et dans l'apostolat» (encyclique NON ABBIAMO BISOGNO, 29 juin 1931).

Le fondement de cette unité dans la foi et dans l'amour chez les évêques est la participation au sacerdoce du Christ. Ils sont liés au Christ plus intimement que les fidèles, plus intimement que les prêtres.

Le signe efficace de cette unité est l'eucharistie. Jadis, l'évêque lisait à l'autel les noms des autres évêques, de même qu'aujourd'hui tous les évêques prononcent le nom de l'évêque romain et prient pour les fidèles de la confession catholique, c'est-à-dire avant tout pour les évêques.

L'aspect pastoral de cette collégialité tient à l'aide mutuelle que les évêques doivent se donner dans l'exercice de leur charge, ainsi que d'autres l'ont déjà dit. Dans nombre d'encycliques, principalement dans DONUM FIDEI, le pape lui-même a clairement exprimé sa volonté à cet égard. Mais l'âme de cette aide mutuelle est l'amour. Grâce à lui, les évêques dispersés dans le monde sont fraternellement unis entre eux et avec le successeur de Pierre. Sans l'amour, le collège apostolique ne signifie rien et n'est également capable de rien. Cause apostolique, l'unité de l'amour est en premier lieu le fait des évêques. Au surplus, nous savons tous avec quelle efficacité l'unité entre les membres de l'Eglise rend attrayante la grâce du Christ ; mais l'unité des membres de l'Eglise se fonde sur l'unité des évêques.

Plus d'une fois, le schéma parle de l'amour qui unit les évêques. C'est bien. Mais il le fait à la manière d'une prédication. Il vaudrait mieux, à la suite d'une déclaration, dire au moins brièvement que l'unité de l'amour, comme l'unité dans la vérité, est le «fait» de la collégialité, son fait essentiel. C'est un don que le Christ a demandé pour nous par la prière, et qui nous a été conféré par le Sa nt-Esprit.

Les relations de l'évêque avec ses prêtres dans l'exercice du service hiérarchique

DENIS HURLEY OMI, archevêque de Durban (Afrique du Sud), le 3 décembre 1962

Révérends pères ! La tâche de l'office épiscopal consiste à enseigner, à sanctifier et à gouverner. Mais que voyons-nous, lorsque nous regardons comment les choses se passent réellement? Dans la pratique quotidienne, et sous presque tous ses aspects, la charge d'enseigner et de sanctifier n'est pas du tout exercée par l'évêque, mais par les prêtres.

Le prêtre a un contact pastoral

En fait, pour le 99% de son troupeau, l'évêque est un illustre inconnu. Situé dans le lointain, les diocésains ne le connaissent pas personnellement ; en tant qu'homme, il est un étranger pour eux. L'évêque trace les grandes lignes directrices, organise et dirige les affaires du diocèse, coordonne les divers efforts et entreprises ; mais il n'a presque jamais une influence hiérarchique directe sur ses diocésains. Elle revient aux prêtres ; c'est par eux que l'évêque exécute presque toutes les tâches qui font partie de sa charge. Les prêtres sont ses mains et ses pieds, ses yeux, ses oreilles et même sa voix. Et, de même que personne ne peut agir sans utiliser les organes de son corps, tel est ici le cas. Quoi que veuille réaliser l'évêque, quoi qu'il puisse espérer, le résultat dépend entièrement de ce que feront les prêtres. Tous, nous savons ce qu'il en est de la lecture des lettres pastorales : il tient uniquement au prêtre que les paroles de l'évêque résonnent comme la trompette de l'archange ou comme la morne dictée d'un annuaire téléphonique.

L'évêque doit exercer sa charge en dirigeant les prêtres

C'est donc en dirigeant les prêtres, comme on le voit, que l'évêque accomplit pour l'essentiel sa triple tâche : enseigner, sanctifier et gouverner. Etant donné que, dans les conditions actuelles, il n'a presque plus de contact direct avec son troupeau, son principal devoir devient d'assurer aux prêtres une direction pastorale – «pastoral leadership». Il doit conduire, répartir, inspirer les prêtres à propos, les encourager, leur donner appui. Or, on pourrait dire que cela concerne la pratique et, de ce fait, n'appartient pas à une constitution dogmatique. A quoi je répondrai : une constitution dogmatique doit elle aussi tenir compte des faits. Et, en ce qui touche les tâches épiscopales (celles d'enseigner et de sanctifier, en particulier), c'est précisément un fait fondamental qu'aujourd'hui, d'une manière générale, elles ne sont plus accomplies par l'évêque mais par ses prêtres, en sorte que le service de l'évêque se borne à fournir dans toute la mesure possible une direction et une stimulation.

Nous, évêques, nous avons manqué à notre tâche envers les prêtres

Je dois avouer, il est vrai, que je ne parle pas en pleine connaissance de cause, car je suis conscient de ne pouvoir montrer en quoi cette tâche consiste dans le concret. Cependant, je suis persuadé qu'il s'agit d'une question de la plus haute importance. J'estime que si l'Eglise, dans les dernières décennies, n'a répondu qu'avec hésitation aux appels des papes concernant l'apostolat social, les missions, l'apostolat des laïcs, le renouvellement du catéchisme et de la liturgie, c'est principalement parce que nous, évêques, nous n'avons pas su remplir toute notre tâche à l'égard des prêtres. Nous n'avons pas su transmettre à nos prêtres le message contenu dans les circulaires pontificales de telle manière qu'eux-mêmes, y trouvant une doctrine vivante, pussent la communiquer comme telle au peuple. L'élan du renouvellement catholique n'est malheureusement pas toujours venu de nous, mais de cercles élus, qu'ils fussent formés de prêtres ou de laïcs. Tout cela m'a donné la profonde conviction que nous devons poser clairement le principe suivant: l'accomplissement de notre service consiste en premier lieu à donner avec fermeté et amour une direction pastorale à nos prêtres. Ils doivent – en collaboration avec les religieux et les laïcs – faire le travail que nous ne sommes pas en mesure de faire. Cette importante considération met également en évidence la haute signification de la prêtrise dans l'exercice du service hiérarchique. Mais le temps me manque pour développer ce point.

Remarque: Dans le troisième chapitre de la constitution de l'Eglise, ainsi que dans le décret particulier *Activité et vie des prêtres*, le concile a tenté de rendre justice aux demandes de l'archevêque; mais il a déçu l'attente de ceux qui espéraient que l'on préciserait concrètement les tâches relevant de la direction épiscopale.

La dimension charismatique de l'Eglise

CARDINAL LEO J. SUENENS, archevêque de Malines et de Bruxelles, le 22 octobre 1963

Dans le schéma *De l'Eglise*, les dons charismatiques des chrétiens sont brièvement mentionnés. Cela pourrait donner l'impression qu'il s'agit là, dans la vie de l'Eglise, d'un phénomène secondaire et limitrophe. Il faudrait faire ressortir plus nettement et plus explicitement l'importance vitale de ces charismes (dons de la grâce) dans l'édification du corps mystique. Il faut absolument éviter de donner l'impression que la structure hiérarchique de l'Eglise forme uniquement un appareil administratif, sans relation interne aux dons charismatiques du Saint-Esprit, partout présents dans l'Eglise. A cet égard, l'encyclique sur le corps mystique s'exprime d'une manière résolument plus approfondie que notre schéma.

Charismes pour tous les chrétiens

Le temps durant lequel l'Eglise en pèlerinage traverse les siècles jusqu'au retour du Christ est le temps du *Saint-Esprit*. Par le Saint-Esprit, le Christ transfiguré purifie, vivifie, enseigne le peuple de Dieu et le maintient dans l'unité, quels que soient les faiblesses et les péchés de ce peuple. Aussi, le Saint-Esprit est-il les prémices (Rom. 8 : 23) et les arrhes (II Cor. 1 : 22 ; 5 : 5) de l'Eglise en ce monde. Et c'est dans le Saint-Esprit que l'Eglise s'appelle la maison de Dieu (Eph. 2 : 22).
C'est pourquoi le Saint-Esprit n'est pas accordé seulement aux pasteurs mais à tous les chrétiens. «Ne savez-vous pas que vous êtes le temple de Dieu et que l'Esprit de Dieu habite en vous?» (I Cor. 3 : 16). C'est par le baptême, sacrement de la foi, que le Saint-Esprit est accordé à tous les chrétiens. Tous les chrétiens sont des «pierres vives» pour l'édification de la «maison spirituelle» (I Pierre 2 : 5). En sorte que l'Eglise est essentiellement une réalité *spirituelle* (pneumatique), qui ne se fonde pas seulement sur les apôtres mais aussi sur les prophètes (selon Eph. 2 : 20). Dans l'Eglise du Nouveau Testament, Dieu «a donné les uns pour être apôtres, les autres pour être prophètes, les autres pour être évangélistes et les autres pour être pasteurs et docteurs» (Eph. 4 : 11 ; 3 : 5).
Le Saint-Esprit se manifeste dans l'Eglise par la multitude et par la plénitude de ses dons spirituels. L'Ecriture parle de dons spirituels (I Cor. 12 : 1 ; 14 : 1) ou de charismes (Rom. 12 : 6 ; I Cor. 12 : 4, 9, 28, 30 et ss ; I Tim. 4 : 14 ; II Tim. 1 : 6 ; I Pierre 4 : 10). Certes, au temps de saint Paul, il y avait également des charismes tout à fait extraordinaires et impressionnants, tels que celui des «prophéties en langues étrangères» ou bien celui de guérir les maladies dans l'Eglise. Mais il ne faudrait pas croire que les dons de l'Esprit consistent uniquement ou principalement en ces phénomènes particulièrement exceptionnels et merveilleux.
Saint Paul lui-même parle par exemple du charisme de la sagesse et de la science (I Cor. 12 : 8), du charisme de la foi (I Cor. 12 : 9), du «don d'enseigner» (Rom. 12 : 7 ; I Cor. 12 : 28 et ss ; 14 : 26), du don d'«exhorter» et d'«exercer la miséricorde» (Rom. 12 : 8), du «ministère» (Rom. 12 : 7), du «discernement des esprits» (I Cor. 12 : 10), des «dons de gouverner» (I Cor. 12 : 28). Ainsi, pour Paul, l'Eglise du Christ vivant n'est pas un appareil administratif mais l'unité vivante de divers dons, charismes et services. A chaque chrétien et à tous est accordé l'Esprit, qui dispense à chacun et à tous ses dons et ses charismes «selon la grâce qui nous est donnée» (Rom. 12 : 6). «Mais l'Esprit qui se manifeste en chacun lui est donné pour l'utilité commune» (I Cor. 12 : 7), c'est-à-dire «pour l'édification de l'Eglise» (I Cor. 14 : 12). Instruit ou non, chaque chrétien reste tel jusque dans la vie courante, mais «pour l'édification de l'Eglise»...

Les charismes dans l'Eglise d'aujourd'hui

Que serait notre Eglise sans le charisme des maîtres ou des théologiens? Et que serait-elle sans le charisme des prophètes ou des hommes qui, parlant «en temps et hors de temps» (II Tim. 4 : 2) par l'illumination de l'Esprit, réveillent l'Eglise parfois somnolente, en sorte que ne soit pas négligé dans la pratique le message du Christ! Et ce n'est pas uniquement jadis, au temps de saint Thomas d'Aquin ou de saint François d'Assise, que l'Eglise a eu besoin de maîtres, d'hommes proclamant le règne de l'Esprit, et de tant d'autres services: elle en a besoin aujourd'hui, dans le courant même de la vie quotidienne. Sans nous attarder à tel charisme «éminent», parlons donc des «simples» charismes auxquels le schéma fait allusion. Ne connaissons-nous pas tous, chacun dans notre diocèse, des laïcs – hommes et femmes – qui tiennent de Dieu quelque vocation authentique, qui ont reçu du Saint-Esprit les charismes les plus divers pour enseigner le catéchisme, pour évangéliser, pour participer d'une manière ou d'une autre à l'Action catholique, pour travailler dans les secteurs sociaux ou charitables? Ne savons-nous pas d'expérience quotidienne que l'efficacité du Saint-Esprit dans l'Eglise n'a pas disparu?

Le devoir des pasteurs à l'égard des charismes

Il est du devoir des pasteurs, des diverses Eglises locales ou de l'Eglise dans son ensemble de découvrir les charismes de l'Esprit avec un certain sens spirituel, de les favoriser et de les accroître. Il est du devoir des pasteurs de l'Eglise d'écouter fréquemment et avec bienveillance les laïcs, qui tous possèdent leurs dons et charismes et qui sont même souvent plus au courant que nous de la vie actuelle; il ne faut jamais cesser de recourir au dialogue avec eux.
Il est du devoir des pasteurs eux-mêmes, enfin, de désirer avec ardeur les dons les plus utiles (I Cor. 12:31). Sans doute tous les fidèles, même ceux qui ont reçu les plus grands dons, doivent-ils respect et obéissance aux pasteurs; inversement, attention et respect sont dus aux charismes et aux incitations du Saint-Esprit, qui se sert fréquemment de chrétiens laïcs sans titre ni charge. C'est pourquoi saint Paul exhorte tous les chrétiens, y compris les pasteurs: «N'éteignez point l'Esprit. Ne méprisez point les prophéties. Eprouvez toutes choses; retenez ce qui est bon» (I Thess. 5:19-21). Cet ensemble de dons, de charismes et de services ne peut devenir utile à l'édification de l'Eglise que dans la liberté des enfants de Dieu. Aussi, tous les pasteurs, à l'exemple de saint Paul, doivent-ils protéger et développer cette liberté.

C'est pourquoi je propose:

1. *En matière doctrinale:* D'apporter des compléments dans le sens indiqué au chapitre sur le peuple de Dieu. 1. Dans le chapitre entier, à côté de la structure officielle de l'Eglise, il faut montrer sa «dimension» charismatique. 2. Il faut exposer d'une manière plus approfondie et plus concrète l'importance des charismes dans le peuple de Dieu. 3. Il faut en particulier accorder davantage d'attention, dans l'Eglise, aux *maîtres* et aux *prédicateurs* spirituels. 4. Il faut présenter dans un sens plus positif et plus constructif l'attitude des pasteurs envers les charismes des fidèles. 5. On ne doit pas oublier l'enseignement de saint Paul sur la liberté des enfants de Dieu dans l'Eglise.
2. *Sous l'aspect pratique:* Pour que, dans le public et au sein du concile, notre croyance aux dons accordés par le Saint-Esprit à tous les fidèles soit manifeste, il serait souhaitable d'étendre le nombre et l'universalité des auditeurs laïcs et d'admettre également des auditrices, puisque les femmes représentent environ la moitié de l'humanité. Il serait souhaitable enfin d'inviter des frères et des sœurs appartenant à des ordres laïcs, car eux aussi font partie du peuple de Dieu, ont reçu le Saint-Esprit, et ils occupent une place privilégiée pour servir l'Eglise.

Remarque: Modérateur du concile, le cardinal était, dans la Commission de coordination, l'homme compétent pour traiter cette question; son exposé a abouti à un paragraphe particulier dans le deuxième chapitre (peuple de Dieu) de la constitution de l'Eglise. Dans le quatrième chapitre de cette même constitution et dans le décret sur l'apostolat des laïcs, on trouve également maintes indications sur la dimension charismatique de l'Eglise. Dans le décret sur les missions, en revanche, cet important aspect de l'Eglise disparaît de nouveau presque entièrement sous une véritable rage d'organiser et d'instruire.

Les pères conciliaires ont deux poids et deux mesures

LUIGI CARLI, évêque de Segni (près de Rome), le 18 septembre 1964

Révérends pères! Comme le rapport du texte en cause *(Fonction pastorale des évêques)* l'a déjà observé judicieusement et sagement, les phrases dogmatiques qui s'y trouvent en divers endroits sont reprises du schéma *De l'Eglise*, et à la condition expresse qu'aucun jugement de valeur ne soit porté sur elles avant que le schéma *De l'Eglise* ait reçu l'approbation des pères – et je voudrais ajouter: jusqu'à ce que l'évêque de Rome l'ait définitivement sanctionné.
Je souhaite que personne ne voie un manque d'amour envers un collègue qui m'est cher dans la commission, et que personne ne voie une tentative de rabaisser la valeur de notre schéma dans le fait que je me risque à élever deux doutes:

Le gouvernement général et suprême des évêques est une chimère

1. Contre les phrases dogmatiques provenant du schéma *De l'Eglise*, je confirme les objections que j'ai déjà remises par écrit à la Commission de la foi. Elles concernent la collégialité, l'origine des pouvoirs épiscopaux et la relation de ces pouvoirs à la primatie pontificale.
(Je comprends fort bien et reconnais volontiers que l'épiscopat, en communauté avec l'évêque romain, possède durablement un charisme d'infaillibilité, car l'enseignement ordinaire ne cesse de s'exercer et possède toujours un objet exactement délimité, à savoir le dépôt de la foi *(depositum fidei)* que nous a transmis le Christ, et parce que l'unité de l'épiscopat avec l'évêque romain est toujours possible et démontrable. En revanche, je ne puis concevoir l'existence durable d'un gouvernement général et suprême des évêques qui s'exercerait en dehors des conciles ou sous des formes analogues à celles des conciles, car ce gouvernement, qui jamais ne s'est imposé par sa propre nécessité, m'apparaît comme une pure chimère; en outre, l'objet est quelque chose de tout à fait variable et indéterminé; enfin – et ceci me paraît le plus important – comme il a été dit justement, l'existence de ce gouvernement général et suprême dépend fondamentalement de l'unité de l'épiscopat avec l'évêque romain, et celle-ci, dans le cas présent, n'est aucunement possible ni démontrable avant que la volonté pontificale (qui n'est naturellement pas plus fixée d'avance que la nôtre) ait pris,

en commun avec celle des frères épiscopaux, quelque décision concrète dans le gouvernement de toute l'Eglise.)
D'ailleurs, je ne puis omettre de signaler qu'il y a dans notre schéma une déclaration dogmatique qui ne se trouve pas dans le schéma *Sur l'Eglise*: celle selon laquelle tous les évêques, de droit divin et en vertu de leur consécration, pourraient participer au concile. Cette affirmation, en faveur de quoi aucune sorte de preuve n'a été apportée, me semble inconciliable avec l'histoire des évêques titulaires et contredit un usage séculaire de l'Eglise. Au surplus, il est à peine croyable que tant d'évêques, jusqu'à présent, aient été frustrés d'un droit divin résultant de la consécration; en revanche, il serait hautement souhaitable que les évêques titulaires, au moins à cet égard, occupent la même position que les supérieurs des ordres réguliers.

Du diocèse à l'Eglise

2. Il est donné, dans l'introduction, une ligne directrice visant à déterminer et à justifier toute la distribution du schéma: être évêque signifie d'abord et en soi être en relation avec l'ensemble de l'Eglise et, en second lieu, par voie de conséquence, être en relation avec les Eglises locales. De nature proprement théologique, cette idée directrice s'appuie manifestement sur la théorie de la collégialité selon laquelle un évêque, en vertu de sa consécration, est incorporé au collège épiscopal et, par l'intermédiaire de ce collège, reçoit ses pleins pouvoirs pour le bien de toute l'Eglise. Mais cette ligne directrice est-elle juste? Quelles preuves la soutiennent-elles? Il me semble que l'on devrait l'inverser et dire: de même qu'il y a d'abord des personnes, et ensuite des communautés formées par elles, il y a d'abord des évêques, puis leur communauté. La fonction primordiale et pour ainsi dire caractéristique des évêques consiste, pour chacun d'eux, à gouverner leur propre Eglise et à contribuer ainsi au bien commun de l'Eglise entière. En sorte qu'être évêque signifie d'abord et en soi être en relation avec les Eglises locales, et, par leur intermédiaire, avec les autres Eglises et l'Eglise dans son ensemble. Car:
a) La très ancienne théologie des «Eglises locales», qui remonte à l'époque de saint Ignace (d'Antioche) et reste actuellement vivante en Orient, voit dans l'évêque un délégué du Christ qui, en un lieu déterminé, réalise et incarne pour ainsi dire l'Eglise catholique. L'idée d'une relation collégiale entre Christ et évêque est totalement inconnue; bien plus, elle ne saurait venir à l'esprit, car chaque évêque ne peut entrer en relation avec les autres évêques que dans la mesure où il représente lui-même une Eglise locale. Quand les évêques titulaires apparurent, au XIIe siècle, l'idée d'évêques «pour l'Eglise universelle» était si étrangère à la pensée de l'Eglise que même aux évêques titulaires on assigna, du moins par le titre, une relation à un lieu déterminé. Le pape en personne n'est évêque de l'Eglise catholique que par l'intermédiaire de l'Eglise locale de Rome.
b) Même les plus anciens formulaires liturgiques utilisés pour la consécration épiscopale ignorent tout de l'incorporation des nouveaux évêques dans un collège – à plus forte raison si l'on considère cette incorporation comme la conséquence primordiale et essentielle de la consécration. Quand les tours de phrase de ces formulaires prennent un caractère quelque peu universel, il ressort cependant du contexte que l'intention ne vise que l'Eglise locale.
Révérends pères, j'en arrive à la conclusion. Peut-être les pensées que je n'ai fait qu'esquisser semblent-elles peu convaincantes à beaucoup d'entre vous. Une chose, cependant, paraît certaine: la théorie de la collégialité et de ses conséquences ne s'impose pas d'une manière irréfutable, les difficultés y fourmillent, il y faut encore des recherches exégétiques, historiques, liturgiques et juridiques! Or, dans les textes – et il en a été récemment question en cette aula – il est dit que le concile ne veut pas définir les points de controverse entre théologiens, concernant la Révélation divine et la Sainte Vierge Marie. Pourquoi n'appliquons-nous pas la même et prudente règle ici, où il s'agit de questions si importantes touchant l'épiscopat, voire la constitution de l'Eglise? Ne nous exposons pas au reproche d'avoir utilisé deux poids et deux mesures: dans les domaines mariologique et biblique, nous avons parlé avec circonspection, réserve et scrupule, mais, là où il s'agissait de nous-mêmes, nous l'avons fait avec prolixité, inconsistance et précipitation!
De crainte que, considérant le texte entre parenthèses comme n'appartenant pas au schéma, le modérateur n'en interrompe la lecture, il n'a pas été lu dans l'aula mais seulement remis par écrit. (Note de l'évêque Carli.)

Remarque: Parmi les nombreux discours de l'évêque Carli, porte-parole de la minorité, celui-ci a incontestablement été le meilleur. Il expose clairement les points controversés dans la question du collège épiscopal. Là est l'origine de la fameuse «nota explicativa» du pape sur le troisième chapitre de la constitution de l'Eglise. Et, dans le décret sur les évêques, il n'est effectivement plus dit que l'évêque, «en vertu de sa consécration», a le droit de participer au concile, mais que, du fait de la consécration, les évêques sont membres du collège épiscopal; d'où le saint synode décide que le droit de participer au concile revient à tous les évêques. Voilà qui donne du champ aux interprétations! Mais les objections de l'évêque Carli contre la collégialité et contre la «ligne directrice» – déterminant et justifiant la distribution du décret – n'ont trouvé ni l'approbation des pères ni l'appui du pape. Le schéma resta tel quel, et le pape l'a souscrit avec l'ensemble des pères conciliaires.

Au début du concile, le cardinal Laurean Rugambwa (53) était le seul cardinal «noir». Dans son pays, la Tanzanie (près du lac Victoria), il est simplement évêque de Bukoba, et son diocèse dépend de l'archevêché de Tabora, ville de 13 000 habitants. Mais il y a 181 000 catholiques dans le diocèse de Rugambwa, et seulement 41 000 dans l'archevêché de Tabora. Voici quelques années, un véritable raz de marée se produisit à Bukoba: par milliers, les gens demandaient le baptême. La simplicité et la profondeur de Rugambwa n'a pas fait impression seulement sur les Noirs d'Afrique: dans le concile aussi, le silence se faisait chaque fois qu'il prenait la parole. (Durant la dernière session, un second Noir reçut la dignité de cardinal: le passionné et presque infantile Père blanc Paolo Zougrana, de la Haute-Volta.)

Elie Zoghbi, vicaire patriarcal melchite en Egypte. Orateur-né, l'Egyptien a parlé onze fois au concile. Son intérêt se portait principalement sur les questions de structure de l'Eglise; non seulement il a défendu les institutions de l'Orient contre la tendance centralisatrice de l'Occident, mais il a recommandé de prendre exemple sur elles. Au sujet des missions, cependant, il a apporté dès la troisième session une solide contribution théologique où, présentant la mission auprès des peuples non chrétiens comme une épiphanie, il a fort bien rattaché la parole créatrice de Dieu au verbe incarné. Quand le patriarche Maximos IV accepta la dignité de cardinal, il se heurta aux véhémentes protestations de Zoghbi. Durant la quatrième session, celui-ci fit grande sensation par ses votes sur une éventuelle dispense de mariage, et sa combativité le fit entrer en conflit avec le cardinal Journet. Le patriarche Maximos s'entremit avec la plus grande adresse.

Maximos IV Saigh, cardinal-patriarche des melchites d'Antioche (88), a été l'un des orateurs les plus généralement écoutés du concile. Cette attention ne s'explique pas uniquement du fait que, seul d'entre tous les pères conciliaires, il s'est exprimé en français et non pas en latin, pour montrer ostensiblement que le latin ne peut passer pour *la* langue de l'Eglise; en fait, il a prononcé des discours réellement importants sur des points décisifs: ainsi, durant la première session, sur la langue vernaculaire dans la liturgie; durant la deuxième session, sur le conseil épiscopal auprès du pape et sur la structure synodale de l'Eglise; durant la troisième session, sur le développement de la morale, sur les problèmes actuels du mariage et de la guerre; durant la quatrième session, sur l'athéisme et la question des indulgences. Toujours à la mesure du monde, il montrait l'avenir. La photo le montre en conversation avec le doux et conciliant cardinal-patriarche des coptes Sidarouss (62). Le 22 février 1965, ils furent tous deux nommés cardinaux par Paul VI. Ils sont aussi membres de la commission pontificale chargée de réformer le droit canon général.

II. Dialogue interne et externe

Le «dialogue œcuménique» et la responsabilité du concile

JOSEPH DE SMEDT, évêque de Bruges, le 19 novembre 1962

Je parle au nom du Secrétariat pour l'unité des chrétiens. Lors de l'examen du schéma sur *Les sources de la Révélation*, beaucoup de pères ont manifesté une véritable inquiétude œcuménique. Tous, sans exception, ils souhaitent loyalement et positivement que le schéma serve l'unité. Les uns, cependant, trouvent qu'il répond aux exigences d'un sain œcuménisme, et les autres le contestent. Pour mieux pouvoir juger de ce point, il est peut-être souhaitable d'entendre le secrétariat préciser en quoi consiste le caractère œcuménique d'un exposé. En effet, notre secrétariat a été établi par le pape pour faciliter aux évêques l'examen des schémas sous l'aspect de l'œcuménicité.

Le problème se pose ainsi: *Que faut-il à l'enseignement et au style d'un schéma pour que celui-ci puisse être désigné comme une contribution véritable à l'établissement d'un meilleur dialogue entre catholiques et non-catholiques?*

Réponse: Tous les chrétiens s'accordent à reconnaître Jésus-Christ. Ce dont le Seigneur en personne nous a fait part est notre bien, notre salut. Tous, catholiques et non-catholiques, nous allons à cette seule source. Mais à peine demande-t-on comment nous allons à Jésus-Christ, la désunion s'amorce. Nous sommes des frères séparés. Notre division date déjà de quelques siècles. Nous savons tous que cette désunion contredit la volonté du Christ. Quand donc notre séparation prendra-t-elle fin? Durant des siècles, nous avons cru, nous catholiques, qu'un clair exposé de notre doctrine suffisait. Les non-catholiques étaient du même avis. Les deux parties présentaient leur doctrine dans leur terminologie et selon leur point de vue propres; ce que disaient les catholiques, les non-catholiques le comprenaient mal, et inversement. Par la méthode de «la vérité nettement définie», on n'a pas avancé d'un pas sur le chemin de la réconciliation. Au contraire: préjugés, soupçons, disputes et explications polémiques n'ont fait que croître de part et d'autre.
Dans les dernières décennies, une nouvelle méthode a fait son apparition. On la nomme «dialogue œcuménique». En quoi consiste-t-elle? Le caractère de cette méthode réside dans le fait que l'on ne se soucie plus uniquement de la vérité mais aussi de la manière dont il faut présenter une doctrine pour qu'autrui puisse la comprendre sans erreur. Les chrétiens des diverses confessions s'aident mutuellement, pour que les uns comme les autres parviennent à une meilleure compréhension de la doctrine à laquelle ils n'adhèrent pas. Ainsi, dialogue œcuménique ne signifie pas réflexion ni négociation sur la réunion; ce n'est pas un concile mixte, ni une tentative de conversion. De part et d'autre, il désigne une profession de foi claire, objective, transparente et psychologiquement adaptée.
De par la volonté du pape, cette nouvelle méthode peut être appliquée dans notre concile. Nos déclarations conciliaires pourront être déclarées œcuméniques et de grand profit pour le dialogue œcuménique si

nous utilisons les moyens vraiment propres à donner aux non-catholiques une meilleure idée de la manière dont l'Eglise catholique considère le mystère du Christ et en vit.

Mais il n'est pas simple du tout de rédiger un schéma dans un style œcuménique !

Pourquoi? Il faut exclure toute sorte d'indifférentisme. Un exposé œcuménique doit restituer fidèlement, sans en rien soustraire, l'ensemble de la doctrine catholique sur un objet déterminé. En effet, comment les non-catholiques pourraient-ils apprendre de nous ce qu'enseigne l'Eglise catholique si nous présentons la doctrine en lui mettant des béquilles, en l'altérant et en l'obscurcissant? Il a déjà été dit dans cette aula que le langage œcuménique est en contradiction avec l'expression complète de la doctrine. Qui soutient cette opinion n'a pas compris ce que signifie le dialogue œcuménique. On n'engage pas ce dialogue pour se faire illusion les uns aux autres.

Pour que notre présentation soit comprise avec exactitude par les non-catholiques, il faut remplir quatre conditions:

1. Il faut connaître la doctrine actuelle des orthodoxes et des protestants; autrement dit: il faut avoir étudié soigneusement leur foi, leur vie liturgique, leur théologie.
2. Il faut savoir ce qu'ils pensent de notre doctrine, en quels points ils la comprennent bien, en quels points ils la comprennent mal.
3. Il faut savoir ce qui, d'après les non-catholiques, manque ou ne ressort pas assez dans la doctrine catholique (par exemple, la doctrine de la Parole divine, du sacerdoce des fidèles, de la liberté religieuse).
4. Il faut examiner si, dans notre manière d'exposer la doctrine, il se trouve des formes ou des expressions difficilement compréhensibles aux non-catholiques. Le style scolastique, pour ainsi dire scolaire, qui est usuel parmi nous, suscite de grands obstacles pour les non-catholiques, et il en résulte fréquemment des erreurs et des préjugés. Même constatation en ce qui concerne une façon abstraite et purement conceptuelle de s'exprimer que les Orientaux ne comprennent pas. Au contraire, une manière biblique et patriarcale de s'exprimer écarte d'emblée beaucoup de difficultés, de malentendus et de préjugés.
5. Les termes utilisés (mots, images, épithètes) doivent être choisis avec soin: il faut tenir compte de la réaction qu'ils provoquent dans la pensée et dans les sentiments des non-catholiques.
6. Il faut peser les jugements et prendre en considération le contexte auquel ils se rattachent chez les non-catholiques.
7. Les arguments (citations et références), les raisonnements et l'ordonnance du texte doivent prendre une tournure telle qu'ils puissent paraître évidents aux yeux des non-catholiques.
8. Il faut éviter toute polémique stérile.
9. Il faut refuser les erreurs avec netteté, mais de façon que les adeptes de ces erreurs ne se sentent pas personnellement offensés.

La Commission théologique refuse la collaboration

De tout cela, révérends pères, il ressort qu'un texte est encore loin d'être œcuménique du simple fait qu'il présente la vérité. La rédaction d'un texte véritablement œcuménique est une tâche difficile et épineuse entre toutes. Par un *motu proprio,* le pape a fait appel, pour le Secrétariat à l'unité des chrétiens, à des experts, évêques et théologiens ayant une expérience œcuménique. Le pape a chargé ces experts d'aider les autres commissions préparatoires, et en particulier la Commission théologique, de manière que la rédaction des schémas soit véritablement œcuménique. Notre secrétariat a offert son aide à la Commission théologique, mais celle-ci, pour des raisons qu'il ne m'appartient pas de juger, l'a refusée. Nous avons proposé la formation d'une sous-commission mixte, à quoi la Commission théologique a répondu: «Non, nous n'en voulons pas.»

C'est ainsi que la Commission théologique a finalement assumé à elle seule la tâche difficile de donner un caractère œcuménique à nos schémas. Et le résultat? Nous avons entendu le jugement de nombreux pères sur l'esprit œcuménique du présent schéma. Cet esprit, ils le lui ont dénié. C'étaient des pères qui vivent parmi des protestants ou en Orient. Un avis différent a été exprimé par les pères qui, pour la plupart, vivent dans des régions catholiques. Il ne leur semble pas, à eux, que l'esprit œcuménique soit absent du schéma. Que l'on me pardonne, mais je voudrais prier en toute humilité ces pères de se demander s'ils ont suffisamment considéré la nature véritable de la nouvelle méthode que l'on appelle «dialogue œcuménique» – et ce qui s'ensuit.

Quoi qu'il en soit, nous qui avons été chargés par le pape de travailler à l'heureux développement du dialogue avec les frères non catholiques dans ce concile, nous vous demandons à tous, révérends pères, d'écouter le jugement porté sur le présent schéma par le Secrétariat pour l'unité des chrétiens: ce schéma souffre dans une large mesure d'un manque d'œcuménicité. Pour le dialogue avec les non-catholiques, il signifie non un progrès mais un recul, non une aide mais un obstacle, voire un dommage. Réfléchissez-y, révérends pères: enfin est apparue une méthode nouvelle grâce à laquelle un fructueux dialogue serait possible. Déjà, par la présence des observateurs, cette aula montre les fruits de cette méthode. L'heure est providentielle. Mais l'heure est grave, aussi. Si l'on ne récrit pas ces schémas de la Commission théologique, nous serons responsables du fait que le deuxième Concile du Vatican aura anéanti une grande, une immense espérance. L'espérance, dis-je, de tous ceux qui – et le pape Jean XXIII à leur tête – attendent dans la prière et dans le jeûne qu'enfin un pas effectif, un pas important soit franchi vers l'union fraternelle de tous ceux pour qui le Christ, notre Seigneur, a demandé: «Qu'ils soient tous un.»

Remarque : Trois jours plus tard, le pape créa la commission mixte souhaitée par l'évêque et refusée jusqu'alors par la Commission théologique, pour remanier le schéma *De la Révélation divine*; à la vérité, les travaux de cette commission mixte ne commencèrent à avancer convenablement qu'après les élections complémentaires auxquelles, vers la fin de la deuxième session, Paul VI fit procéder au sein des commissions, et après que la composition de la Commission théologique elle-même eut changé.

Œcuménisme et histoire du salut

ANDREA PANGRAZIO, évêque de Gorizia (Italie), le 25 novembre 1963

Pour que le schéma, qui me plaît dans l'ensemble, devienne meilleur encore, je voudrais présenter trois remarques : la première concerne la description de l'Eglise catholique dans ce schéma ; la deuxième regarde la description des communautés non catholiques et la troisième envisage la comparaison entre les communautés catholiques et les autres communautés ecclésiastiques.

Le mystère de l'Histoire

1. Le schéma me semble quelque peu insuffisant, en ce qu'il donne de l'Eglise une image trop abstraite et trop statique, au détriment de son aspect dynamique et concrètement historique, qui serait cependant d'une grande importance pour le dialogue œcuménique.

A ce qu'il me semble, le mystère de l'histoire de l'Eglise n'est pas assez mis en valeur. L'Eglise peut et doit, dans l'histoire du peuple de Dieu que raconte l'Ancien Testament, voir en quelque sorte l'image type du mystère de sa propre histoire. Car saint Paul dit : «Toutes ces choses leur arrivaient pour servir de figures, et elles sont écrites pour nous instruire, nous qui sommes parvenus aux derniers temps» (I Cor. 10 : 11). Comme il l'a fait pour le peuple de l'Ancien Testament, Dieu, dans son insondable justice, et tout au long de l'Histoire, reprend rudement les infidélités du peuple rassemblé dans l'Eglise du Nouveau Testament ; et, quand ce peuple fait pénitence et implore miséricorde, Dieu, dans son ineffable compassion, le console et, par sa toute-puissance, le guérit et le relève.

Souvent, dans l'histoire de l'Eglise (par l'effet du Saint-Esprit et avec la collaboration des hommes, ou à leur encontre), se produisent des événements tout à fait inopinés et imprévisibles, qu'aucun système théologique ne permet d'attendre ni d'expliquer. Lequel des grands théologiens du XIIIe siècle, par exemple, aurait cru possibles le grand schisme occidental qui a divisé l'Eglise au XVIe siècle ou bien les laideurs et les abus qui ont assombri la figure de l'Eglise avant la Réforme? D'autre part, au temps de la Réforme, qui aurait pu prédire l'étonnant regain de vigueur qui, par la grâce de Dieu, s'est opéré dans l'Eglise après le Concile de Trente?

Il me paraît de la plus haute importance, pour l'œcuménisme catholique, que nous étudiions avec soin cette particularité de l'histoire de l'Eglise. Car, de même que le peuple de l'Ancien Testament a connu par la Révélation l'intention miséricordieuse de Dieu et, par là, a toujours pu et dû espérer que Dieu, fût-ce par des événements imprévus, ferait tourner en bien l'histoire du peuple atteint par le malheur, il est permis au peuple du Nouveau Testament d'espérer – et il doit peut-être le faire – que Dieu, dans sa miséricorde, nous conduira d'une manière tout à fait inconnue encore pour nous sur des voies que nul d'entre nous ne saurait prévoir ni prédire.

C'est pourquoi, à mon humble avis, il faudrait faire ressortir plus nettement dans le schéma cet aspect du dynamisme divin dans l'histoire de l'Eglise : non seulement dans les communautés séparées, mais également dans l'Eglise catholique, Dieu peut susciter des événements, des développements et des changements que notre génération et notre concile lui-même ne peuvent prévoir en aucune façon. Par là, Dieu peut rendre possible l'unité à laquelle aspire la chrétienté divisée – cette unité qui nous semble encore impossible aujourd'hui – pour peu que tous les chrétiens répondent aux incitations de la grâce divine.

Le Christ au «centre» de l'œcuménisme

2. La deuxième remarque concerne la description que le schéma présente des communautés non catholiques. Excellente, l'énumération des éléments ecclésiastiques qui, par la grâce de Dieu, se sont maintenus dans ces communautés et s'exercent d'une manière salutaire. Mais, pour être franc, je dois dire que cette énumération remarquable et bien intentionnée me semble par trop «quantitative» : elle évoque l'image de quelque fastidieux alignement. Il y manque le lien qui rattacherait les uns aux autres les éléments particuliers. Il faudrait indiquer un *centre*, auquel tous les éléments pourraient se rapporter et sans quoi ils ne peuvent s'expliquer. Ce lien et ce centre sont le Christ lui-même, que tous les chrétiens reconnaissent pour Seigneur, que les chrétiens de toutes les communautés veulent sans nul doute servir fidèlement, et qui, dans les communautés séparées aussi, atteste sa présence et fait des œuvres admirables par l'opération du Saint-Esprit, non pas selon les mérites des hommes, mais uniquement par sa grâce miséricordieuse. Je crois que notre schéma, s'il disait cela avec netteté, servirait mieux le dialogue œcuménique.

Un ordre d'importance dans la Révélation

Pour juger comme il faut de l'unité qui existe déjà entre chrétiens et, en même temps, des divergences persistantes, il serait très important, me semble-t-il, de prendre garde à la hiérarchie des vérités révélées concernant le mystère du Christ, d'une part, et à celle des éléments constitutifs de l'Eglise, de l'autre. En effet, même si toutes les vérités révélées doivent être crues de la même foi divine, et si tous les éléments de l'Eglise doivent être maintenus avec la même fidélité, ni les uns ni les autres, cependant, n'occupent la même place ni le même rang. Certaines vérités appartiennent à l'ordre des fins, tels les mystères de la Trinité, de l'incarnation du Verbe, du salut, de l'amour et de la grâce de Dieu envers l'humanité pécheresse, de la vie éternelle dans le royaume de Dieu, et bien d'autres.

Mais d'autres vérités appartiennent à l'ordre des moyens de salut, telles les vérités sur les sept sacrements, sur la structure hiérarchique de l'Eglise, sur la succession apostolique, et d'autres. Ces vérités concernent les moyens dont l'Eglise a été dotée pour son pèlerinage terrestre par le Christ ; après, ils disparaîtront. Les différences doctrinales entre chrétiens touchent moins l'ordre des fins que celui des moyens qui, sans nul doute, sont subordonnés aux premières.

On peut dire que l'unité des chrétiens consiste dans la profession des vérités de foi appartenant à l'ordre des fins. Si le schéma faisait expressément la distinction hiérarchique de ces vérités et éléments, je crois que ressortiraient mieux l'unité qui existe déjà entre chrétiens, ainsi que les vérités religieuses primordiales qui forment déjà un lien entre tous les membres de la famille chrétienne.

Remarque: Ce discours a été écouté par les observateurs avec une particulière attention. Beaucoup l'ont considéré comme l'une des contributions les plus solides du concile à la question œcuménique. Aussi, la troisième partie a-t-elle été reprise en substance dans le décret sur l'œcuménisme.

Un œcuménisme authentique ne souffre aucune simplification

PAUL GOUYON, archevêque-coadjuteur de Rennes, le 27 novembre 1963

... Ce que je voudrais dire maintenant doit être un témoignage de haute estime et d'affection pour les observateurs qui prennent part à nos délibérations d'une manière si amicale et discrète. Notre travail doit avoir toute la valeur œcuménique que l'on en attend! C'est pourquoi je demande que nous veillions à ce que rien, dans la mesure du possible, ne soit laissé à l'oubli dans notre schéma, que rien ne soit indûment embrouillé ou simplifié.

Ne rien oublier de ce qui doit rester en mémoire

Le schéma se propose manifestement de mentionner les grandes communautés qui reconnaissent le Christ pour Seigneur et pour Sauveur. Mais on y recherche en vain une claire indication de la vaste communauté anglicane qui, dans son origine, se distingue pourtant nettement des communautés réformées. Je souhaiterais beaucoup que le nom de cette communauté soit expressément mentionné.
D'autre part, le mot «communitas» (communauté) a un sens presque uniquement sociologique ou profane. Ne pourrait-on pas trouver dans l'Ecriture sainte ou dans la tradition quelque autre désignation qui corresponde mieux au caractère religieux de ces communautés? Personnellement, je proposerais le mot «communio» (Koinomia), qui serait d'ailleurs en plein accord avec la tradition de l'Eglise.

Il ne faut rien confondre mais tout distinguer au contraire avec clarté

Il est déconcertant que l'on parle à la fois des Eglises orthodoxes et des susdites communautés. Je préférerais que l'on consacre des chapitres particuliers aux Eglises orthodoxes, à la communauté anglicane et aux confessions issues de la Réforme. Il ne serait que juste d'avoir égard au caractère propre de ces diverses communautés.
Notre texte cite un passage de la déclaration qui a été adoptée à La Nouvelle-Delhi par le Conseil œcuménique des Eglises. Ici, je saisirais l'occasion d'exprimer notre haute considération à cette vaste organisation et la joie que nous donne son travail excellent, où se manifeste le souffle du Saint-Esprit.
D'autre part, il ne faudrait pas non plus présenter ce passage comme une profession de foi. Dans l'esprit de ses rédacteurs, il n'est rien d'autre qu'un «fondement de l'unité» entre les Eglises et communautés appartenant au Conseil œcuménique...

Rien d'essentiel ne doit être simplifié outre mesure

Notre texte dit que les confessions issues de la Réforme en sont venues, dans leur effort de souligner la transcendance de Dieu, à nier la médiation essentielle de l'Eglise. C'est leur attribuer un point de vue qu'elles n'ont pas en réalité. On leur impute sans fondement bien d'autres choses encore. Même la fameuse expression: «Tout en l'honneur de Dieu, rien que par l'Ecriture, rien que par la foi», est fort loin de définir exactement leur attitude. Des thèses ne donnent pas à elles seules la compréhension des causes de la Réforme; il y a encore d'autres causes, qui n'ont rien à faire avec la théologie.
Que le Secrétariat pour l'unité des chrétiens ait visé à ne pas souligner ce qui nous sépare – et profondément – des autres chrétiens, voilà qui est bien, certes. On peut se réjouir qu'aujourd'hui l'esprit d'amour ait remplacé l'apologétique qui, sans être tout à fait inutile, n'en provoquait pas moins de vaines disputes. Cependant, la vérité exige que l'on dise au moins avec prudence ce qui ne nous est pas commun et qui, de ce fait, nous afflige et nous incite à accomplir la dernière prière du Christ, notre Seigneur: «Qu'ils soient tous un.» Il faudrait discuter tout cela dans le comité que souhaite le secrétariat.

Remarque: Le vœu de l'archevêque qu'il soit fait mention spéciale de la communauté anglicane a été exaucé. Le paragraphe 13 dit expressément que celle-ci occupe une «place particulière». L'ensemble du troisième chapitre se divise en deux parties, dont la première traite des problèmes du dialogue avec les Eglises orientales, et la seconde a pour titre: «Les Eglises et communautés religieuses séparées de l'Occident.» Comme on le voit, le mot «communauté» est resté, sans doute en raison de la difficulté de traduire «communio», dans les langues modernes. Si le troisième chapitre donne expressément satisfaction aux demandes de l'archevêque concernant une présentation bien distincte des diverses confessions, sa visée est autre. Il se borne à nommer les thèmes qui importent au dialogue. La citation de La Nouvelle-Delhi a été supprimée. La nouvelle rédaction a tenu compte de la mise en garde contre les simplifications.

Projets œcuméniques de mission

JÉRÔME RAKOTOMALADA, archevêque de Tananarive (Madagascar), le 7 novembre 1964

Je parle au nom de tous les évêques africains et malgaches. Partout la question de l'œcuménisme est de la plus haute importance, mais principalement dans nos territoires de mission. D'un point de vue historique, on peut dire que, par le secours du Saint-Esprit, ce mouvement a pris naissance dans les missions. A l'égard des païens et des non-chrétiens, la division des chrétiens entre eux représente un scandale immense. Dans les régions occidentales, il persiste un souvenir d'événements passés, tels qu'insurrections, guerres de religion et persécutions, qui expliquent dans une certaine mesure la séparation mais sans la justifier. Pourquoi, je le demande, certains messagers de l'Evangile entretiennent-ils encore cette division? Le temps est maintenant venu que l'œcuménisme devienne une réalité fraternelle et, au-delà des proclamations de notre concile ou du Conseil mondial des Eglises, qu'il s'étende d'une manière effective et vivante jusqu'aux pays de mission les plus éloignés, avec le consentement et la participation de tous les chefs des diverses confessions chrétiennes. Nous sommes pleins de joie que le pape, au jour de la canonisation des martyrs de l'Ouganda (18 octobre 1964), ait fait l'éloge de ce non-catholique qui, dans ces persécutions subies pour le Christ, a rendu le plus haut témoignage qui soit possible à l'homme. A quoi nous pouvons ajouter qu'au siècle dernier, au début de l'évangélisation de Madagascar, beaucoup d'anglicans ont versé leur sang pour le Christ. En Russie comme en Chine, des milliers et des milliers de non-catholiques ont vécu jusqu'au martyre un pur œcuménisme: ils sont la semence de l'unité; sang, prière, jeûne et vie de foi inébranlable conduisent par degrés non seulement à l'œcuménisme, mais à l'unité de fait.

Propositions pratiques

Dans notre schéma sur *L'activité missionnaire de l'Eglise*, il faut parler plus nettement de l'œcuménisme, et cela dans le sens du décret sur *L'œcuménisme*, tel que l'a si brillamment élaboré le Secrétariat pour l'unité des chrétiens et qui a maintenant reçu l'approbation presque unanime du concile.

En outre, dans *chaque conférence épiscopale*, il faudrait ériger un centre «Unitas» pour le progrès des entreprises œcuméniques déjà existantes ou en voie de création.

Pour favoriser la collaboration avec les frères séparés, beaucoup peut et doit être tenté, et non pas uniquement par humanité ni par politesse, mais pour donner un témoignage chrétien. Je pense à une activité commune dans les domaines technique et culturel, et également sur le plan religieux, là où n'existe aucun risque de confusion: l'édition des livres saints, par exemple, dans les entreprises sociales et charitables et dans les actions publiques en faveur du bien commun. Nous devons prendre l'initiative dans cet esprit chrétien qui, toujours, doit se manifester comme un esprit de service véritable.

Dans l'examen et dans l'adaptation des usages, les chrétiens doivent tendre à une collaboration toujours plus efficace et plus fraternelle, que ce soit dans les rituels du mariage ou dans l'élimination de toute sorte d'abus, telles les guerres tribales, la polygamie et la terrible plaie du divorce. Et pourquoi théologiens et pasteurs ne se rencontrent-ils pas plus souvent pour extirper ce fléau que l'on pourrait appeler sommairement la «politisation» des problèmes? Et les problèmes familiaux offrent un autre champ immense d'activité.

Après mûre réflexion, il faut commencer une *double action*: l'une dans les missions, et l'autre à la Congrégation «De propaganda fide». De part et d'autre, il faut établir un service œcuménique pour les Eglises de mission: l'un, à Rome, sera en liaison constante avec le Secrétariat pour l'unité des chrétiens; l'autre, dans les pays de mission, devra représenter – et être effectivement – un centre d'information et d'action pour les travaux œcuméniques. La moisson est mûre; l'espérance croît; je pense à l'espérance théologique que Dieu nous dispense, et qui, avec une indéfectible assurance, prévoit déjà l'unité malgré les grandes et nombreuses difficultés qu'il faut surmonter. Dieu nous la donne, et le plus tôt possible!

Remarque: Quelques passages de ce discours ont été repris presque littéralement dans le schéma sur les missions, principalement ceux sur le commun témoignage chrétien dans les domaines technique et culturel, mais aussi en ce qui touche les éditions communes de la Bible.

La «double action» proposée en conclusion a déjà été mise en pratique par la conférence générale des évêques africains.

Les points névralgiques du dialogue œcuménique

CARDINAL JOSEPH FRINGS, archevêque de Cologne, le 29 novembre 1963

Au concile, nous sommes à l'école du Saint-Esprit. Nous avons tous quelque chose à apprendre. Après tout ce que nous avons entendu ici, nous devons être persuadés que le mouvement œcuménique est l'œuvre du Saint-Esprit. Certes, ce mouvement présente aussi des risques. Mais quand, dans le monde, et quand, dans l'Eglise, y a-t-il eu de grands mouvements auxquels des risques ne fussent pas rattachés? En Allemagne, trois points névralgiques jouent un rôle dans ce domaine. Je dois en parler brièvement ici:

1. Il faut dire clairement que nous n'avons pas à attendre l'Eglise de Jésus-Christ. En tant que fondée par le Seigneur, édifiée sur Pierre, elle existe déjà dans l'Eglise catholique. C'est elle qui doit se renouveler constamment et s'achèvera à la fin des temps.
2. Il faut que demeure ce que les papes Pie XI et Pie XII ont dit sur le maintien et sur la fondation des *écoles confessionnelles*. Ce qui nous anime,

ce n'est pas le désir d'exercer la domination sur des enfants et des jeunes gens, mais le bon propos de donner à l'école un centre spirituel – le Christ et l'Eglise – d'où tout enseignement et exercice reçoivent force et direction. Le même droit doit être accordé aux autres Eglises et communautés religieuses. Ce n'est donc pas l'intolérance, mais l'amour du Christ qui nous pousse.

3. Les *mariages mixtes* doivent être évités. Dans un mariage mixte, le catholique reste strictement obligé d'élever tous les enfants dans la foi catholique. Quand, en cela, le chrétien d'une autre confession se sent en conscience empêché de donner son consentement, aucune pression ne doit être exercée sur lui.

Mais il faut aussi que l'Eglise déclare dorénavant valables ces mariages mixtes qui n'ont pas été célébrés selon les formes établies par le droit canon. Bien plus, elle doit supprimer les peines prévues par le droit canon pour le partenaire catholique d'une telle union.

Remarque: L'«instructio» de la Congrégation de la foi n'a pas retenu la claire et simple proposition sur la forme du mariage; en revanche, elle a partiellement répondu à la seconde demande. (Le texte est emprunté au livre de Jean-Christophe Hampe: *Fin de la Contre-Réforme?* et constitue un écrit postconciliaire.)

Mariages mixtes et éducation catholique des enfants

JOHN HEENAN, archevêque de Westminster (Angleterre), le 20 novembre 1964

Je parle au nom de toute la hiérarchie anglaise et galloise, ainsi que de nombreux évêques d'autres pays:

Du schéma sur le mariage, on peut dire ce que l'on a déjà, ces jours derniers, entendu plusieurs fois dans cette aula au sujet d'autres textes. Il est assurément bon, excellent même, mais extrêmement court. L'objet traité méritait une discussion beaucoup plus approfondie. Le mariage est un sacrement; il lui revient une haute dignité. En un sens, il constitue le centre de la vie sociale des chrétiens. Saint Paul a dit aux Ephésiens: «Ce mystère est grand; je dis cela par rapport à Christ et à l'Eglise» (Eph. 5:32). Il faudrait préparer jusqu'à la prochaine session un schéma vraiment beau et digne de son sujet, présentant à fond les aspects théologiques, bibliques et principalement pastoraux du mariage. Bien des choses qui se trouvent maintenant dans le schéma 13 *(L'Eglise dans le monde actuel)* seraient mieux à leur place ici. Mais j'en ai peut-être déjà assez dit à ce propos, quand j'ai parlé du schéma 13.

Des mots qui devraient être imprimés en lettres d'or

Je suis très heureux des déclarations qui se rapportent à une meilleure préparation au mariage et à une accélération de la procédure matrimoniale. Il y a, dans ce schéma, des mots que j'aimerais voir imprimer en lettres d'or: «Les pasteurs devraient traiter les non-catholiques avec amour, lorsqu'un couple se présente pour contracter mariage. Il faut prendre le temps de rendre les deux partenaires attentifs aux très réelles difficultés qui résultent d'un mariage mixte non seulement pour les époux, mais aussi pour leurs enfants.» Il faudrait écrire ces mots en lettres d'or pour deux raisons: d'abord, parce que la première rencontre avec le prêtre est de la plus grande importance pour un jeune couple qui veut se marier. Si, comme le demande le schéma, le prêtre se montre prévenant, compréhensif et plein d'amour, le couple verra que l'Eglise est vraiment maternelle. Selon le cours de ce premier entretien, la bonne volonté du non-catholique – qui rencontre peut-être pour la première fois un prêtre – peut facilement être affermie ou, au contraire, anéantie. Ma seconde raison est que le schéma déclare ouvertement que les mariages mixtes, de par leur nature, entraînent beaucoup de graves problèmes. Certes, nous vivons au temps de l'œcuménisme, mais ces problèmes et difficultés n'en sont pas moins réels. On pourrait même dire qu'ils se sont multipliés. A la manière dont s'expriment maints œcuménistes, les simples gens ont trop facilement l'impression qu'il ne subsiste au fond plus aucune différence entre juifs et grecs, catholiques et protestants. Après le mariage, cependant, les époux ne tardent pas à remarquer que bien des distinctions persistent à cet égard. Le schéma fait bien de dire qu'il faut prévenir les jeunes gens que, dans le choix de leur partenaire, ils ne doivent pas se laisser conduire par une sorte d'instinct aveugle.

Les mariages mixtes ne doivent pas ressembler à des enterrements

Je suis entièrement d'accord avec les propositions sur les mariages mixtes. En beaucoup d'endroits, jusqu'à présent, on a célébré ceux-ci en les dénuant à tel point de solennité et de joie qu'ils ressemblaient plus à un enterrement qu'à un mariage. Il n'y avait ni bénédiction des anneaux, ni cierges, ni fleurs, ni orgue, en sorte qu'il n'était pas rare que la mariée éclate en sanglots. Quand l'Eglise accorde une dispense, elle doit le faire avec amour et générosité, et non pas avec froideur et retenue. Même mixte, un mariage doit être beau et rayonnant de bonheur. Il faut que l'Eglise se montre véritablement maternelle – non seulement à l'égard des catholiques, mais aussi envers les non-catholiques.

L'éducation religieuse des enfants

Dans les mariages mixtes, la difficulté principale est, comme chacun le sait, l'éducation religieuse des enfants. Cette difficulté ne résulte pas toujours de la croyance ou de la piété du mari ou de la femme, mais trop souvent des traditions familiales, des préjugés régnant de l'un ou l'autre côté.

Suite à la page 255

Emile de Smedt (57), évêque de Bruges, était dans la salle du concile le porte-parole du Secrétariat pour l'unité des chrétiens. A ce titre, il se montra orateur plein de tempérament dès la première session, lorsqu'il expliqua le sens du mot «œcuménique». Ultérieurement – dans les deuxième, troisième et quatrième sessions – il ne cessa d'intervenir avant et après les débats en tant que «relator» (rapporteur) du texte sur la liberté religieuse. Il ne craignait pas non plus de permettre aux pères conciliaires de jeter un coup d'œil dans les coulisses de la «déclaration» qui, menacée par des manœuvres dilatoires et toute sorte d'intrigues, était entourée de plus de rumeurs qu'aucun autre texte. A cette occasion, ce n'est certes pas avec douceur que l'évêque s'en prit à la Commission théologique préparatoire du concile, au Secrétariat d'Etat et au cardinal Ottaviani.

Paul Gouyon (55), archevêque de Rennes. Les évêques français ne se sont pas signalés à ce concile par d'importants discours. Entre autres exceptions, il y eut cependant le cardinal Liénart (Lille), Emile Blanchet, recteur de l'Institut catholique de Paris, l'évêque suffragant Alfred Ancel (Lyon), l'évêque d'Arras Huyghe qui, chaque fois qu'ils prirent la parole, retinrent l'attention. Sans nul doute, Paul Gouyon était du nombre. Dès la deuxième session, il surprit l'auditoire par un exposé clair et approfondi sur la collégialité épiscopale aux premiers siècles. Il maniait lui-même avec une rare maîtrise ce «langage rude et vigoureux» dont il constatait l'absence dans le schéma de *L'Eglise dans le monde actuel*, et qu'il réclamait parce que c'est «le langage des prophètes et du Christ», qui «conviendrait» aussi aujourd'hui.

La minorité

On a dit et écrit beaucoup de choses sur la minorité, ce qui n'a pas toujours contribué à la compréhension du concile. La prétendue minorité n'était pas un «parti» parlementaire dont les membres auraient souscrit un engagement. Aussi, n'y avait-il ni «directive de parti» ni «discipline de parti». En fin de compte, chaque évêque se trouvait seul avec sa conscience devant les décisions à prendre. D'autre part, tous les évêques se tenaient sur le fonds de la foi catholique, et nul d'entre eux ne songeait seulement à l'éventualité d'un schisme ou de quelque division de l'Eglise. Cependant, il y eut des communautés d'opinion d'où naquirent des groupes plus ou moins cohérents. A la rigueur, on peut parler d'un cercle restreint qui faisait toujours partie de la «minorité». Appartenaient à ce petit groupe: le cardinal Ruffini (78), archevêque de Palerme; l'archevêque Dino Staffa (60), de la Curie romaine; l'ancien général des dominicains, l'Irlandais Browne (79), de la Curie romaine; le général des pères du Saint-Esprit Marcel Lefebvre (61), un Français; l'évêque Carli (52), de Segni; da Proença Sigaud (57), archevêque de Diamantina (Brésil). A elle seule, cette énumération montre que les points de ralliement ne résident ni dans l'Eglise romaine, ni dans la nationalité, ni dans l'âge. Il s'agit d'une orientation de pensée qui existe partout. Autour de ce noyau, qui éditait son propre service de presse (ROC), organisait ses propres «rencontres romaines» par l'intermédiaire de laïcs, et se nommait lui-même «Coetus internationalis Patrum», des évêques se groupaient en plus ou moins grand nombre selon la question débattue: presque la moitié des évêques du concile parfois, mais environ trois cents le plus souvent. La tournure du concile leur paraissait «dangereuse»; défendant avec un zèle infatigable tout ce qui a été en usage jusqu'à présent, ils devinrent les vivants témoins que quelque chose a bel et bien changé au concile.

En haut à gauche: Aucun père conciliaire n'a parlé aussi fréquemment que le cardinal Ernesto Ruffini. Il s'avéra bon exégète, veillant soigneusement à ce qu'aucun contresens ne se glisse dans les citations de textes. En ce point, il s'est souvent rencontré avec le cardinal Bea. A maints égards, cependant, il a montré peu de compréhension pour les demandes du secrétariat à l'unité: œcuménisme, pour lui, signifiait conversion à la foi catholique; il voulait que la liberté religieuse ne fût admise que «par tolérance envers l'erreur»; il ne voyait dans les laïcs qu'une prolongation du bras de la hiérarchie.

En bas à gauche: Paul Yu Pin, archevêque de Nankin, vit maintenant à Taïpeh (Formose), où il est recteur de l'Université locale. Dans la question du diaconat, il prit énergiquement position en faveur du rétablissement des diacres, même mariés. Il réclama avec insistance une condamnation renouvelée et expresse du communisme. Il n'a cessé d'affirmer que les Chinois, dans peu de générations, seraient le principal peuple du monde. A ce propos, il a reproché au concile son manque de prévoyance.

A droite: Luigi Carli, évêque de Segni, fut considéré par beaucoup d'Italiens comme l'un des grands théologiens du concile. Il a combattu avec passion la collégialité épiscopale; la liberté religieuse lui apparaissait comme l'avant-coureur de l'esprit révolutionnaire dans les séminaires. Ce qui le rendit le plus fameux, cependant, ce fut son combat contre la déclaration sur les juifs, qu'il mena à grands frais non seulement par des discours conciliaires, mais par des lettres pastorales et par des articles dans les journaux.

D'année en année, durant le concile, le cardinal Franz König, archevêque de Vienne, joua un rôle plus important. S'il se tint sur la réserve pendant la première et la deuxième session, il s'avança au premier plan durant la troisième session par des discours sur la liberté religieuse, sur les juifs et les religions non chrétiennes. Dans la même session, lors du débat sur les *Eglises catholiques de l'Orient*, il surprit l'auditoire et les Orientaux eux-mêmes par sa prise de position en faveur d'une indépendance réelle de ces Eglises («La part latine de l'Eglise consiste aussi en Eglises locales») et d'une attitude véritablement œcuménique à l'égard des Orientaux non catholiques. Nommé, le 7 avril 1965, président du Secrétariat pour les incroyants, il intervint d'une manière exemplaire dans le débat sur l'athéisme. Par divers discours sur la presse qu'il prononça en dehors de l'aula, il renforça beaucoup la liberté d'esprit des journalistes et leur considération dans le concile.

Quand le non-catholique ne pratique pas

Avant de passer à l'examen des propositions de notre schéma, il nous faut considérer d'une manière tout à fait concrète les problèmes posés par les mariages mixtes. Dans la très grande majorité des cas, en Angleterre du moins, les mariages mixtes sont contractés entre des catholiques, d'une part, et des protestants qui ne sont tels que de nom, de l'autre. En général, l'époux non catholique ne pratique pas du tout. Pendant vingt ans, j'ai exercé le ministère pastoral à Londres dans des paroisses d'East End. Je parle donc par expérience. Dans les mariages mixtes, je n'ai rencontré que rarement un époux non catholique qui fût membre actif d'une communauté religieuse. Aussi, l'engagement d'élever les enfants dans la religion catholique ne suscitait-il guère de difficultés. C'est pourquoi je suis d'avis qu'il vaut mieux maintenir en droit, comme règle normale, cet engagement des époux.

Mais des règles spéciales pourraient être prévues dans un nouveau schéma pour les mariages mixtes contractés entre catholiques et protestants «pratiquants», dirai-je, faute d'un meilleur terme.

Quand il pratique

Ici, le problème se pose réellement, alors qu'il n'est pas difficile, dans les autres cas, d'obtenir le consentement du non-catholique à l'éducation catholique des enfants. Sans doute faut-il voir là une manifestation de l'indifférence religieuse qui est largement répandue dans notre partie du monde. Ce que je viens de dire de l'Angleterre est sans doute valable, j'imagine, pour l'Australie, la Nouvelle-Zélande, les Etats-Unis et le Canada, du moins dans sa partie anglophone.

L'expérience nous a enseigné que même les protestants qui vont à l'église sont fréquemment disposés – je ne dis pas toujours – à laisser donner à leurs enfants une éducation catholique. Les autres Eglises chrétiennes ne prétendent pas être la seule véritable Eglise. Les catholiques, en revanche, font cette revendication en faveur de leur Eglise. Mais quelqu'un dira peut-être, à la quatrième session, qu'une telle prétention représente un triomphalisme dangereux et condamnable.

Si, pour des motifs de conscience, les non-catholiques ne peuvent s'engager à faire instruire les enfants dans la religion catholique, on n'a le droit d'exercer sur eux aucune pression. Il suffit que le non-catholique ne fasse pas objection à la promesse de l'autre.

Mais le schéma n'est pas tout à fait clair sur ce point. Je présume qu'il veut dire que le non-catholique, sans faire de promesse, doit consentir à respecter l'engagement que prend le partenaire catholique d'éduquer les enfants dans sa propre foi. Mais, tel qu'il se présente, le texte semble admettre aussi l'éventualité que le non-catholique, sans s'opposer à l'engagement du conjoint, n'ait pas l'intention d'autoriser que cet engagement soit réellement respecté. A cet égard, le texte a besoin d'une rédaction plus précise.

L'expression «dans la mesure où je le peux»

Je propose également de biffer l'expression «dans la mesure où je le peux». Selon le schéma, il est requis du catholique une promesse loyale, qui l'oblige en conscience à baptiser et à élever dans la religion catholique tous les enfants issus du mariage. C'est écrit noir sur blanc. Je ne vois donc pas pourquoi l'on ajoute «dans la mesure où je le peux». Certes, à l'impossible nul n'est tenu, mais ces mots pourraient aussi être interprétés dans un autre sens. Ils pourraient signifier que le catholique n'est pas lié par sa promesse lorsqu'elle devient difficile à tenir. C'est pourquoi il faudrait supprimer ces mots du texte. Sans quoi l'Eglise aurait l'air de dire: «Vous n'avez pas besoin de combattre pour vos enfants. Si la paix ne peut pas être maintenue autrement, laissez-les quitter la foi.» Si l'Eglise disait cela, elle proclamerait une étrange doctrine. Révérends pères, le Concile du Vatican a été convoqué par le bon pape Jean pour renouveler l'Eglise, et non pour la détruire.

Une cérémonie dans l'église non catholique

Je voudrais faire une dernière remarque: pour que notre texte soit réellement œcuménique, il faut y dire aussi quelque chose de la manière dont un mariage mixte doit être célébré quand le non-catholique est membre actif d'une autre communauté religieuse. J'estime – et cela, je ne le dis qu'en mon propre nom – que rien ne s'oppose à ce que les conjoints, après la célébration du mariage dans l'église catholique, se rendent ensemble dans l'église du non-catholique, si tel est leur désir, pour y prier et y recevoir une bénédiction.

Remarques: De retour du concile, où il était observateur, l'évêque anglican de Ripon (USA), Dr John Moorman, critiqua cette déclaration de l'archevêque Heenan, la trouvant offensante pour les anglicans. «Naturellement, dit-il, il y a beaucoup d'indifférents dans toutes les parties de l'Eglise chrétienne. Il est exact également que leur nombre est plus grand dans l'Eglise anglicane qu'ailleurs, car ceux qui n'adhèrent à aucune confession font généralement baptiser leurs enfants dans des églises anglicanes. Mais il est contraire à la vérité de dire que l'Eglise anglicane de ce pays – sans parler des Eglises libres – soit plus ou moins mortellement malade» (*The Universe and Catholic Times* du 22 janvier 1965). Le cardinal Spellman, au nom de cent évêques, se tourna encore plus vivement contre le vote (par la voix de l'évêque suffragant Fearns), tandis que le cardinal Ritter, archevêque de Saint Louis (USA), prenait une attitude très positive et réclamait pour les évêques des pouvoirs étendus.

L'«instructio» de la Congrégation de la foi occupe une position à peu près intermédiaire entre celles de Heenan et de Spellman. Il est presque certain qu'elle n'aurait jamais obtenu la majorité au concile; aussi, peut-on la considérer comme un «premier pas» dans l'accomplissement de la volonté de cette majorité.

La déclaration sur les juifs est le fruit d'une prise de conscience de l'Eglise

CARDINAL GIACOMO LERCARO, archevêque de Bologne, le 28 septembre 1964

D'autres orateurs ont mieux expliqué que je ne saurais le faire les motifs immédiats de la présente déclaration sur les juifs.

Pourquoi, juste à présent, une déclaration sur les juifs!

Je voudrais attirer l'attention sur un seul point: le motif ultime et la cause profonde qui amènent inéluctablement notre concile à faire une telle déclaration juste à présent, à ce moment précis de l'histoire de l'Eglise du Christ. En fait (comme d'autres l'ont déjà souligné), ce motif et cette cause profonde n'ont rien à faire avec la politique au sens premier et concret du mot; bien plus, ils sont en dehors de la politique au sens large et médiat: ce ne sont pas les événements de la dernière guerre (qui ont véritablement bouleversé tout homme de jugement droit), ni même les sentiments de morale et d'humanité qui conduisent l'Eglise catholique à faire cette déclaration précisément aujourd'hui.

Ce sont bien plutôt une série de mouvements internes qui, indépendamment de toute occasion ou événement *extérieurs*, sont venus à maturité précisément *aujourd'hui* dans l'existence et dans la conscience de l'Eglise du Christ – dans ce qu'elle a de plus intime et de surnaturel. L'Eglise en vient à faire cette déclaration *aujourd'hui, parce qu'aujourd'hui* (je ne dis pas seulement, mais surtout aujourd'hui) elle prend plus claire conscience que jamais, en ce concile, de quelques aspects surnaturels de son propre mystère et de sa vie. C'est pourquoi l'on peut désigner la déclaration sur les juifs comme un fruit – un fruit mûr – et comme un indispensable complément de la constitution de l'Eglise et de celle sur la sainte liturgie.

Si quelqu'un s'étonne que l'Eglise ne s'occupe ainsi des juifs qu'aujourd'hui, après tant de siècles, on peut répondre beaucoup de choses. On peut alléguer aussi des articles de l'ancien et du nouveau droit canon, qui préservent la liberté de conscience des enfants d'Israël. Mais *avant tout*, il faudra répondre qu'*aujourd'hui* l'Eglise doit compléter ces articles, parce qu'aujourd'hui l'Eglise, pour la première fois – et pas uniquement pour défendre son origine divine, ses caractères et ses pleins pouvoirs – a consacré un décret particulier à la plénitude de son mystère religieux (dans la constitution de l'Eglise) et à ses biens les plus précieux, ceux dont elle vit chaque jour: la Parole de Dieu et l'eucharistie (dans la constitution de la sainte liturgie).

A mes yeux, ce fait constitue le motif essentiel de la déclaration sur les juifs, celui qui la justifie et impose les conséquences claires et concrètes (de portée objective) qu'elle doit avoir. Cela concerne avant tout deux caractères que devrait posséder la déclaration, et que le présent texte devrait faire mieux ressortir: je pense à une plénitude plus drue, semblable à celle avec laquelle l'Eglise a parlé de son propre mystère dans la constitution dogmatique; et, en second lieu, je pense qu'il ne faudrait pas exprimer uniquement un respect humain, mais une considération religieuse, devant la vocation particulière du peuple de l'alliance – non seulement dans le passé, mais dans le présent et l'avenir.

La constitution de la sainte liturgie se rattache au peuple juif

Mon temps étant limité, je voudrais surtout faire quelques observations sur le rapport qui existe entre la présente déclaration et la constitution *De la sainte Liturgie*.

Quand la déclaration parle de l'«héritage commun des chrétiens et des juifs», elle semble se référer principalement aux «commencements de la foi et de l'élection», c'est-à-dire à ce que l'Eglise a hérité du peuple juif dans le *passé*, jusqu'à la Vierge Marie, au Christ, aux apôtres. Tout cela doit être mentionné, certes, et peut-être d'une manière encore plus précise; ainsi, il ne faudrait pas tronquer la citation de Rom. 9:4 et 5. Tout cela, mais pas *seulement* cela. Aux yeux de l'Eglise, le peuple de l'alliance n'a pas une dignité et une valeur surnaturelle uniquement pour le passé et pour les commencements de l'Eglise, mais aussi pour le présent, et, en vérité, pour ce qu'il y a en elle d'essentiel, de plus haut, de plus religieux, de plus divin, de permanent entre toutes choses dans la vie quotidienne: précisément ce qui, d'après la constitution *De la sainte Liturgie*, doit devenir toujours plus réel et efficace dans l'Eglise de notre temps, le point culminant de toutes les activités de l'Eglise et la source de ses forces; et c'est la vie qu'elle tire chaque jour de la Parole divine dans le *rituel liturgique*, et la vie qu'elle reçoit *chaque jour* de l'Agneau de Dieu dans le *sacrifice liturgique*. Or, ces deux biens précieux entre tous, ces deux actes qui n'en font qu'un et qui sont précisément l'acte le plus parfait de l'Eglise terrestre proviennent l'un et l'autre *de l'héritage d'Israël*: non seulement l'Ecriture – ce qui est évident – mais d'une certaine manière l'eucharistie elle-même, qui était préfigurée dans l'agneau de la pâque et dans la manne, et que le Christ en personne a intentionnellement réalisée dans le cadre de la Agadah pascale des juifs. Bien plus: parole divine et eucharistie (cf. l'Agneau de Dieu) réalisent dans le présent aussi, d'une manière très mystérieuse, une communauté effective entre l'assemblée liturgique, qui signifie l'Eglise du Christ dans son acte le plus haut, et le saint Kahal des fils d'Israël; dans le présent aussi, elles entretiennent un intime échange (commercium) de paroles et de sang, d'esprit et de vie, par quoi nous pouvons chaque jour, au moment culminant de la messe, appeler à juste titre Abraham *notre patriarche*, c'est-à-dire le père de notre race. «... et sacrificium Patriarchae nostri Abrahae...»

Quatre conclusions pratiques

1. Même si cet «échange» n'est pas encore entièrement dévoilé aux juifs, il reste vrai cependant qu'il représente déjà entre nous et eux un lien objectif et actuel d'une nature et d'une solidité très particulières, en sorte que semble insuffisant ce qui est proposé au sujet de la considération due aux juifs et du dialogue avec eux; je crois qu'il faut y ajouter le vœu exprès d'engager avec les juifs des *entretiens bibliques*, et reconnaître avec gratitude le *rôle* que les Hébreux, porteurs d'un certain témoignage biblique et pascal, peuvent jouer dans l'ordre actuel du salut (dans la mesure, toutefois, où ils sont fidèles aux traditions de

leurs pères et gardent jalousement le sens religieux de l'Ecriture). Ce témoignage, même sous des formes encore voilées (sub velamine; II Cor. 3:15), peut être aussi d'une grande valeur pour nous chrétiens, et approfondir notre spiritualité, qui doit devenir toujours plus biblique et pascale.

2. De même, il faudrait ajouter que *la haine et les persécutions* contre les juifs (l'expression «tourments» me semble trop faible au regard de ce que l'histoire de notre siècle et des précédents rapporte à ce sujet) ne doivent pas être blâmées ni condamnées seulement «comme tout tort fait aux hommes», mais «particulièrement en raison de l'élection divine».
Que le concile, du seul fait que le peuple juif constitue une communauté religieuse, lui reconnaisse une valeur particulière ne porte nulle atteinte à la considération et au respect que l'Eglise du Christ doit témoigner aux hommes de tous les peuples et de toutes les religions. Cela ne peut en aucune façon signifier un rabaissement du peuple arabe et des musulmans, en qui l'Eglise catholique reconnaît aussi – bien que de manière différente – une descendance d'Abraham et des liens avec la révélation biblique. Ce peuple est un peuple frère du peuple élu; il possède une foi qui, en dépit de tout, reste une foi en l'unique Dieu vivant, comme j'ai pu moi-même le voir et en faire récemment l'expérience, lorsque je fus accueilli avec la plus grande cordialité à Haram el-Qalhil, auprès du tombeau vénéré du patriarche.

3. Toujours pour ces mêmes motifs qui, de la manière la plus intime, se rattachent au renouvellement et à l'approfondissement de la conscience biblique et pascale de l'Eglise, il faudrait en outre exprimer avec plus d'égards que ne le fait notre texte l'espoir de l'Eglise en ce qui concerne le *destin ultérieur du peuple juif*: la «réunion» (adunatio) du peuple juif et de l'Eglise, dont notre schéma parle, pourrait être interprétée à tort en un sens matériel et extérieur, comme s'il s'agissait d'un prosélytisme effronté, qui ne correspond pas aux intentions de l'Eglise et n'est certes pas dans la ligne de notre concile. Aussi, vaudrait-il mieux que, sans parler de «réunion», nous nous bornions à faire nôtre l'assurance de saint Paul et disions: les fils d'Israël restent toujours aimés de Dieu et marqués par l'amour de Dieu (cf. Rom. 11:28), car «Dieu n'a point rejeté son peuple qu'il a connu auparavant» (Rom. 11:2), et «Les dons et la vocation de Dieu sont irrévocables» (Rom. 11:29), même si leur «plérôme» (plénitude) ne se manifeste pas encore (Rom. 11:12). Dans l'avenir comme dans le passé, cet amour que Dieu leur a donné une fois pour toutes se manifestera, et il se manifestera par des voies dont nous devons respecter le religieux mystère. En effet, elles sont vraiment cachées dans l'abîme de la sagesse et de la science divines et, de ce fait, ne peuvent se comparer aux voies humaines de la propagande et de la persuasion, ni, d'une manière générale, aux développements historiques, mais doivent être comprises en un sens eschatologique, tendu vers la pâque commune, éternelle et messianique.

4. Pour finir, une dernière considération. Toujours par le plus profond respect devant les plans insondables de Dieu et devant l'accomplissement des Ecritures dans le Christ, ce n'est pas assez de dire, comme le fait le schéma, que la mort de Jésus obtenue par les chefs du peuple ne peut et ne doit pas être imputée aux juifs d'aujourd'hui; il faut bien plutôt dire que l'on ne peut et ne doit pas parler de peuple maudit et déicide. Assurément, ceux qui ont rejeté et crucifié Jésus ont commis un péché monstrueux; mais ils n'étaient au fond que les représentants de l'humanité égarée et pécheresse tout entière, et non seulement eux, en vérité, mais «tous, nous avons été errants comme des brebis; nous nous sommes détournés pour suivre chacun son propre chemin, et l'Eternel a fait venir sur lui l'iniquité de nous tous» (Es. 53:6). Que l'on se rappelle enfin que cette vérité ne date pas d'aujourd'hui, mais qu'elle n'a cessé d'être enseignée par l'Eglise: si les juifs ont péché, eux qui ne savaient pas ce qu'ils faisaient en clouant à la croix l'Auteur de la vie (Actes 3:17), à plus forte raison les chrétiens pèchent-ils et crucifient-ils le fils unique de Dieu lorsque, sachant bien ce qu'ils font, ils blasphèment son nom, manquent à sa loi de sainteté et d'amour. C'est ce qu'enseigne déjà le catéchisme du Concile de Trente, et c'est ce que doit enseigner aussi notre concile, non pas avec moins, mais avec plus de force.

Remarque: Les conclusions ont été prises en considération dans le texte conciliaire. Les pensées de la partie principale étaient, à ce qu'il semble, trop inaccoutumées pour les membres de la commission.

La responsabilité des chrétiens dans la méconnaissance du vrai Dieu par les athées

CARDINAL FRANÇOIS ŠEPER, archevêque de Zagreb (Yougoslavie), le 24 septembre 1965

Nous n'avons assurément pas le droit, dans cette constitution *Eglise dans le monde actuel*, de nous taire sur l'athéisme. Non seulement parce que l'athéisme est l'un des problèmes les plus difficiles de l'Eglise aux temps actuels, mais aussi – et surtout – parce que, dans le monde contemporain, il y a des hommes et des mouvements qui voient dans l'athéisme une condition de l'humanisme véritable et une nécessité du progrès dans le monde et dans la société. Dans notre schéma, nous voulons partir du christianisme pour prendre position à l'égard des problèmes de ce monde. Entre autres questions liminaires et fondamentales de notre schéma, il nous faut donc nous interroger sur l'athéisme, afin de donner à ce que nous voulons dire une justification nécessaire.

Nous parlons à tous les hommes de bonne volonté

Il est essentiel que nous tirions au clair comment et dans quelle perspective nous voulons parler ici de l'athéisme. Le caractère et la cohérence de notre schéma requièrent un exposé particulier sur l'athéisme. Mais ce qui nous est présenté ici n'est ni suffisant ni approprié.

Nous devons nous demander: à qui nous adressons-nous, pourquoi parlons-nous ici, que voulons-nous obtenir? Nous ne parlons pas uniquement à des catholiques, mais à tous les hommes de bonne volonté. Pas uniquement à des philosophes, à ceux qui gouvernent le monde, mais à tous en général. Nous voudrions que non seulement les croyants, mais les athées eux-mêmes nous donnent leur attention.

C'est dans une perspective concrète que nous devons aborder le problème, avec l'intention de découvrir les causes, les racines, et de déterminer pourquoi l'athéisme est devenu aujourd'hui un phénomène si largement répandu. N'oublions pas qu'actuellement il y a déjà beaucoup d'hommes qui ont pour ainsi dire hérité de l'athéisme, sans avoir pris à son égard une décision personnelle. Aujourd'hui, on présente volontiers l'athéisme aux hommes comme la conséquence normale et naturelle des grands progrès de la science et de la culture. Et, pour juger de la propagation de l'athéisme, ce fait n'est certes pas dénué d'importance, d'autant que certains religieux et prédicateurs ne tonnent que trop volontiers sans discernement contre le monde moderne pour chanter les louanges du «temps jadis».

D'après l'ensemble de ses déclarations, ce schéma ne se propose pas de condamner purement et simplement l'athéisme, ni surtout de prouver qu'il y a un Dieu; nous ne visons pas non plus précisément, dans ce schéma, à convertir les athées. Nous voulons exposer la manière dont les chrétiens comprennent l'athéisme actuel et comment ils expliquent qu'il y a des athées. Nous voulons éclaircir pourquoi la croyance en Dieu n'empêche pas de s'engager activement en faveur du progrès de l'humanité, des conditions d'existence et de la dignité humaine, mais l'exige au contraire d'une manière pressante.

La responsabilité des chrétiens

C'est pourquoi nous devons convenir beaucoup plus ouvertement et honnêtement, quant à l'athéisme moderne, qu'une responsabilité partielle pèse sur ces chrétiens qui, avec une opiniâtreté excessive, ont défendu ou continuent à défendre un ordre établi et une immuable structure sociale qu'ils ont tort de rapporter à Dieu. Cela, on ne peut certes en faire sans ambages ni restrictions le reproche à l'Eglise en tant que telle. Mais personne ne saurait nier que, dans le peuple de Dieu aussi, il y a eu des gens qui ont interprété la religion de cette même façon partiale et – fût-ce de bonne foi – en ont abusé. Déclarons sans équivoque que cette raideur conservatrice et cet immobilisme, attributs permanents de l'Eglise catholique pour beaucoup, sont inconciliables avec le véritable esprit de l'Evangile!

Le faux et le vrai Dieu

Nous devons aussi expliquer clairement que l'idée de Dieu que se font les athées est incomplète, déformée, en sorte qu'elle ne correspond pas à la vérité. Contrairement à une erreur assez répandue, le vrai Dieu ne détourne pas les hommes de rechercher activement le règne de la justice et de l'amour universel ici-bas en ne leur promettant qu'une justice et une béatitude éternelles. Bien au contraire, le vrai Dieu nous commande et exige de nous que, de toute manière et de toutes nos forces, nous tâchions de réaliser la justice et l'amour en ce monde aussi – et, à la vérité, d'abord en ce bas monde! Dans la justice céleste, il faut voir le pendant, en quelque sorte, de la justice que les hommes cherchent à établir sur terre.

Le vrai Dieu, celui que Jésus a enseigné et publié, ne se manifeste pas aux hommes uniquement par l'ordre naturel, mais aussi par son peuple et par chacun de ceux qui, appartenant à ce peuple, rendent témoignage de Dieu devant leurs frères par leur vie et leur action dans le monde. Le vrai Dieu appelle et aide tous les hommes à témoigner de la vérité, à pratiquer la vérité dans l'amour et, par eux-mêmes, par la communauté spirituelle de leur action, à faire que le monde entier devienne de plus en plus un témoin et une manifestation de Dieu.

Les valeurs tacites du christianisme

Une foi véritable et loyale, par conséquent, ne peut nullement faire obstacle au progrès; au contraire, elle représente un stimulant et une aide. Nous autres chrétiens croyons en outre que Dieu, au fond, est réellement à l'origine de tout ce qui permet à la dignité humaine et à un humanisme authentique de grandir et de s'élever; en effet, il peut y avoir des valeurs véritables dont la source divine n'est pas immédiatement reconnaissable mais qui n'en signifient pas moins une approbation tacite de la volonté divine et de la loi éternelle. Ces considérations sur l'athéisme devraient se trouver dans le texte de ce schéma.

Remarque: Dans la suite, le cardinal fut membre de la commission chargée de récrire le texte sur l'athéisme. Pour l'essentiel, la nouvelle rédaction correspond aux réflexions exposées ici, sans atteindre toutefois à une égale vigueur d'expression ni à la même profondeur de pensée.

Racines de l'athéisme et moyens de le surmonter

CARDINAL FRANÇOIS KÖNIG, archevêque de Vienne, le 27 septembre 1965

Je vais parler de l'athéisme. Je suis d'accord avec la critique faite par le cardinal Šeper dans la dernière congrégation générale: l'exposé du schéma sur cette question n'est pas adéquat, et cela pour la bonne raison qu'il n'est fait aucune distinction entre toutes les variétés d'athéisme. L'athéisme militant, dont seul le paragraphe 19 fait mention, ne représente qu'un aspect de la question. D'ailleurs, le texte n'est pas satisfaisant non plus en ce qu'il ne dit rien, somme toute, des moyens de surmonter l'athéisme; il garde également un silence complet sur la manière dont l'Eglise doit se comporter devant ces faits qu'il faut – comme le remarque très justement le schéma – compter parmi «les plus graves de l'époque actuelle». A nouveau, il ne suffit pas (cf. paragraphe 19) de «s'affliger» purement et simplement de l'athéisme.
C'est pourquoi je propose d'étendre le texte et d'y exposer les quatre points suivants:

1. Les variétés de l'athéisme et sa nature intime.
2. Les racines de ce phénomène.
3. Les moyens à employer pour le surmonter.
4. Le comportement de l'Eglise.

Sur le premier point: Il faut soumettre à la recherche théologique, d'une part, le fait constitué par l'expansion mondiale de l'athéisme et, d'autre part, l'axiome de l'«anima naturaliter christiana» (l'âme chrétienne de par sa nature). Comment l'une et l'autre donnée sont-elles conciliables?

Sur le deuxième point: Il semble que les racines ne se trouvent que dans le monde occidental. En effet, on ne les découvre ni en Inde, ni dans une autre région d'Asie, ni en Afrique.
Catholiques et non catholiques, les connaisseurs du christianisme décrivent l'origine et le développement de ces racines à peu près de la manière suivante: l'unité des chrétiens éclate au XVIe siècle. Aux XVIIe et XVIIIe siècles, illuministes et déistes détruisent l'ordre surnaturel, à la fois divin et humain, que constitue l'incarnation. Au XIXe siècle, on tente de bannir Dieu lui-même du monde. Peut-être faudrait-il faire remonter le début de cette évolution à la scission des Eglises d'Orient et d'Occident. De tout cela ressort la faute des chrétiens.
La racine se trouve dans la fausse idée que beaucoup de chrétiens se font de Dieu. Ou bien l'on oppose Dieu et le monde de telle manière que, selon l'idée de Hegel, la liberté de l'homme et la plénitude de son humanité sont écrasées et réduites à rien. Ou bien l'on conçoit Dieu comme un principe quasi terrestre, en tant que cause première et rien d'autre, que l'on appelle à la rescousse uniquement lorsque, dans le processus de développement, une telle cause paraît indispensable à l'explication du progrès. Ou bien Dieu est purement et simplement considéré comme une consolation pour les hommes, et l'on n'est pas loin, dès lors, du fameux «opium du peuple». La racine se trouve aussi dans une fausse idée que l'on se fait de l'homme et dans tout ce qui en résulte.

Sur le troisième point: Une infatigable collaboration en faveur de l'unité des chrétiens.
Tant que cette unité fait défaut, il faut conjuguer nos efforts dans tous les domaines où l'on ne touche pas à la différence des croyances.
L'Eglise doit défendre énergiquement la justice sociale, sans crainte ni considération de personnes, et préparer les changements nécessaires.
Dans les écoles catholiques, dans l'éducation en général et dans l'instruction des laïcs, il faut présenter d'une manière approfondie et répandre à la fois les arguments en faveur de l'athéisme et nos réponses. Parce que l'ignorance présente un grand danger, il faut que les chefs ecclésiastiques, les prêtres et les missionnaires aient une connaissance complète de l'athéisme; ils doivent connaître exactement son origine, ses arguments et ses méthodes. A cette fin, les spécialistes doivent faire des recherches et préparer des livres.

Sur le quatrième point: Nous ne voulons condamner personne. Sans passion ni prévention, nous portons un juste jugement là où notre fonction le requiert, mais, avec tous les hommes de bonne volonté, nous recherchons une certaine communauté et un accord pacifique. D'autre part, le concile ne peut pas taire, doit même dire sans méprise possible qu'il n'est pas permis de contraindre à l'athéisme les croyants de quelque confession ou quelque religion que ce soit, parce que la liberté de conscience fait partie des biens inaliénables de tout homme. Il faut inviter tous les gouvernements athées à publier le document que le concile prépare sur la liberté véritable, fondée sur le droit naturel.
Dans les régions où règne le communisme, voici, semble-t-il, comment il convient de procéder: il faut rendre témoignage du Dieu vivant par une loyale collaboration au progrès économique du pays. Il faut démontrer non seulement en paroles, mais par des actes, que la religion ne paralyse pas ceux qui la vivent et leur permet, au contraire, de déployer plus d'énergie que ne le ferait l'athéisme. Le principal, cependant, c'est que leur amour fraternel soit plus grand que celui de tous les autres. Parce que le développement historique de l'athéisme a, dans une certaine mesure, commencé avec la négation du verbe incarné dont l'œuvre d'incarnation se poursuit dans l'Eglise, et parce que la Mère de Dieu a été choisie pour que, par elle, le verbe soit fait chair, la Sainte Vierge nous prêtera assistance pour surmonter l'athéisme. Telles sont les diverses raisons pour lesquelles le schéma, en ce qui touche la question de l'athéisme, est un échec. Si les pères du concile et les commissions mixtes compétentes le veulent bien, je préparerais volontiers un texte avec des spécialistes.

Remarque: Le concile a approuvé la proposition, et une commission du Secrétariat pour les incroyants, présidée par le cardinal König, a rédigé le texte qui se trouve maintenant dans la constitution pastorale de *L'Eglise dans le temps présent*.

III. Signes des temps

Dessin: Collosseum

Que doit l'Eglise au monde actuel?

PAUL SCHMITT, évêque de Metz, le 1er octobre 1965

En avant-propos à la deuxième partie du schéma de *L'Eglise dans le monde actuel*, qu'il me soit permis de faire quelques observations.
Que l'Eglise doive reconnaître le monde actuel tel qu'il est, le schéma le montre bien. De même, il montre fort bien comment elle peut aider ce monde en servant la vocation de l'homme et en appelant l'homme à la grâce chrétienne.
Cependant, nous aimerions bien en entendre davantage sur un autre aspect du dialogue entre l'Eglise et le monde: comment l'Eglise trouve-t-elle dans le monde actuel des occasions nombreuses et positives d'apprendre à se connaître mieux elle-même, à mieux exprimer son message et à mieux accomplir sa mission?
A sa manière, en effet, toute contribution au mieux-être de l'homme en ce monde sert également, selon le plan de Dieu, au mieux-être de l'Eglise et incite l'Eglise elle-même à se renouveler. Cela est valable dans le domaine de la famille, de la culture, de la vie économique et sociale, et même de la politique – nationale aussi bien qu'internationale.
Voyons d'abord quelques exemples; ensuite, je voudrais présenter quelques considérations théologiques sur ce que l'Eglise reçoit du monde actuel.

Exemples concrets à suivre

A l'unanimité, le monde actuel favorise la dignité de l'homme en tant que personne responsable – ce qu'il est réellement et doit être. L'Eglise ne devient-elle pas là, de son côté, la débitrice du monde, en sorte qu'elle doit se montrer plus attentive à la liberté et au respect moral sous le rapport de la religion?
Le monde actuel fait nettement ressortir le fait de la socialisation. Eh bien! l'Eglise ne doit-elle pas de son côté au monde un accroissement des valeurs communautaires et collégiales dans sa vie?
Dans le domaine social, le monde actuel cherche à obtenir plus de justice et plus de loisir pour les hommes. L'Eglise, de son côté, n'est-elle pas maintenant redevable au monde du sens plus aiguisé qu'elle a de la justice et aussi de l'amour?
Le monde actuel ne cesse de devenir plus conscient de l'interdépendance et de la nécessité du dialogue entre les peuples et les civilisations. Dans ce cas aussi, l'Eglise ne doit-elle pas de son côté au monde une connaissance approfondie et meilleure de sa propre catholicité?
Le monde actuel devient toujours plus conscient du caractère aberrant de la guerre. Or, l'Eglise n'est-elle pas, de son côté, redevable au monde d'un nouveau développement de sa doctrine traditionnelle, comme le montre si bien l'encyclique PACEM IN TERRIS?
Le monde actuel combat en faveur de ce qu'il nomme laïcité (et non pas laïcisme): une nette distinction entre l'ordre politique et l'ordre religieux. Eh bien! l'Eglise ne doit-elle pas de son côté au monde une conscience plus claire et une proclamation plus pure de sa transcendance évangélique?

Le monde actuel est tout animé par l'esprit de recherche et d'invention scientifique. L'Eglise, de son côté, n'est-elle pas maintenant redevable au monde du sentiment d'extrême urgence avec lequel elle examine sa propre doctrine révélée?
Le monde actuel est en quête de l'ultime signification de l'existence humaine. En cela, l'Eglise ne doit-elle pas de son côté au monde une certaine impulsion à publier avec plus de pureté la divine vocation de l'homme qui, dans le Saint-Esprit, est appelé au Père par Jésus-Christ?

Considérations théologiques

De ces faits et de bien d'autres, il résulte que le concile doit parler avec loyauté, modestie et gratitude de ce dont l'Eglise est redevable au monde actuel. Peut-être les indications suivantes éclaireront-elles cet aspect du dialogue de l'Eglise avec le monde: l'Eglise ne doit pas, tel un médecin au chevet du malade, se contenter de mettre le salut divin sous les yeux du monde actuel; elle doit reconnaître aussi avec gratitude que le monde – de la manière qui vient d'être dite – collabore au mystère du salut.
L'Eglise doit être reconnaissante de tous les résultats que ce monde obtient dans l'effort d'améliorer la situation de l'homme; rien de tout cela n'est étranger aux visées de la grâce chrétienne.
L'Eglise doit accueillir dans sa vie et dans sa mission positive toutes les incitations qui lui viennent du monde sous le rapport de la liberté et de la dignité humaines, de la vérité scientifique et historique, et ainsi de suite, même si ces incitations requièrent de notre part un examen de nos propres mœurs.
L'Eglise doit comprendre que son propre avenir est inclus dans le progrès actuel du monde et dans les vœux justifiés de ce temps.
L'Eglise doit garder fermement et activement ce qui a déjà été dit dans la constitution LUMEN GENTIUM, à savoir que, dans les plans faits par l'homme, la grâce de Dieu agit efficacement pour que se réalisent les intentions dernières du Créateur, même si ces plans se développent en dehors du domaine visible de l'Eglise.
L'Eglise ne peut se contenter de considérer le monde actuel uniquement comme une région limitrophe ou comme l'occasion de sa propre efficacité. Elle doit comprendre que les plans humains sont sous la dépendance de l'effective vocation au royaume de Dieu, qu'ils se rattachent intimement à l'œuvre du salut dans le Christ.
Je conclus: il est éminemment souhaitable que cet aspect du dialogue entre l'Eglise et le monde ressorte plus nettement dans le préambule de cette deuxième partie. Le Dieu du salut chrétien est le même que le Dieu de la création et de l'histoire humaine!

Remarque: Si, dans ce préambule, la constitution pastorale répond peu à la demande de l'évêque, le quatrième chapitre cherche à le faire davantage; cependant, la motivation théologique s'en tient à de parcimonieux articles.

De la pauvreté évangélique et de la misère

CARDINAL RAOUL SILVA HENRIQUEZ (salésien), archevêque de Santiago du Chili, le 27 octobre 1964

Le texte de *L'Eglise dans le monde actuel* parle, au numéro 17 (le troisième du chapitre 3: «Comment les chrétiens doivent se comporter dans le monde où ils vivent»), de la communauté fraternelle dans l'esprit de pauvreté. Par délégation de «Caritas internationalis», je voudrais faire une proposition pratique au sujet de cette déclaration. Il s'agit d'un exercice de la pauvreté chrétienne, commune à l'ensemble des frères de toute confession, tel que le sens des richesses croisse en solidarité du fait que nous participons pour ainsi dire à la pauvreté du Christ et soulageons la pauvreté des hommes: donnez le superflu aux pauvres.

La pauvreté évangélique – signe de liberté
La misère – signe d'un manque de fraternité

Pour bien comprendre cela, il faut distinguer dans l'Histoire deux sortes de pauvreté: la pauvreté, effet de la grâce, ou pauvreté évangélique, et la pauvreté, effet du péché, ou misère. L'une et l'autre, elles séparent de la richesse, mais elles tendent à la possession. Dans la possession, en effet, l'homme atteint à la plénitude; mais voilà: la plénitude de Dieu consiste dans l'être, celle de l'homme dans l'avoir. Dieu est, l'homme a. Elles sont cependant tout à fait différentes l'une de l'autre, même si l'une doit répondre de l'autre. La pauvreté évangélique prend son origine dans une libre décision; elle est un signe de l'homme accompli qui, précisément parce qu'il tend à la possession des biens eschatologiques, évite le danger de s'attacher aux richesses terrestres. La pauvreté évangélique n'est pas une vertu particulière, mais bien plutôt une manière chrétienne de vivre où, sous la conduite de l'espérance chrétienne, toutes les vertus se rencontrent. C'est un dynamisme dont le mouvement traverse l'Histoire, se sert de toutes choses et n'a pourtant rien de réellement terrestre. C'est un signe de liberté, un signe souverain. Elle vient de l'abondance de l'esprit, et elle spiritualise l'homme.
La misère, au contraire, est la conséquence d'une servitude conditionnée par les circonstances des imperfections humaines. Elle est le signe d'un manque de fraternité et de prudence; elle opprime la pleine liberté de la personne et provoque un appauvrissement du cœur de l'homme. Au grand jamais, cette pauvreté-là ne peut être un état de vertu. C'est un mal social, qu'il faut extirper parce qu'il rend l'homme matérialiste.
De la pauvreté évangélique, il est dit: «Heureux les pauvres, car le Royaume des Cieux est à eux.» De la misère, au contraire, il faut dire qu'elle rend impossible l'exercice de la vertu. La pauvreté évangélique doit se répandre ici-bas, et la misère disparaître.

Proposition pratique, œcuménique

Maintenant, il me semble que tous, nous qui nous efforçons de vivre la pauvreté évangélique, nous devrions faire quelque chose, quelque chose

de pratique, de commun, d'organisé, pour amoindrir la misère d'une manière tout à fait concrète. La terre recèle assez de richesses pour tous les hommes, mais seuls les pauvres en esprit peuvent connaître les voies de l'esprit communautaire et de l'amour, qui permettent d'utiliser ces richesses pour le bien de l'homme.
Aujourd'hui, l'exercice de la pauvreté évangélique demande que l'on ne s'en tienne pas à se séparer des richesses mais que l'on en fasse usage au profit des pauvres. Ce qui signifie: tous les chrétiens sont appelés, dans la société, à pratiquer la pauvreté évangélique dans un esprit de solidarité, au service des frères nécessiteux. Ils ne doivent donc jamais perdre de vue:

a) l'immense misère qu'il y a effectivement dans notre siècle (comme on l'a déjà expliqué dans cette aula, notamment le cardinal Landázuri, Ricketts);
b) les possibilités particulières des chrétiens qui, pour la plus grande part, appartiennent aux nations riches;
c) la valeur positive d'une organisation, valeur qui a énormément grandi de nos jours;
d) le mouvement œcuménique qui, chaque jour, relie davantage entre eux les chrétiens.

J'ose donc proposer que le concile veuille considérer l'organisation d'une union internationale, dont la tâche serait d'étudier, de coordonner et de développer les possibilités, pour tous les chrétiens, de témoigner leur solidarité avec les nécessiteux. La proposition a trois aspects:

1. L'aide à donner ne doit pas représenter quelque anomalie transitoire, mais une promotion *continue* des classes nécessiteuses et des peuples. A ce propos, il faut le dire nettement: l'aide à laquelle nous pensons ici doit, dans la mesure du possible, chercher à éliminer les *causes* des déficiences sociales, en sorte que les pauvres soient délivrés de leur condition misérable.

2. Même si cet organisme commençait par être catholique, il faut néanmoins qu'il devienne réellement *interconfessionnel*; il doit représenter tous les chrétiens qui s'efforcent de prendre exemple sur la pauvreté du Christ.

3. Pour mieux atteindre ce but, il faut organiser chaque année une collecte générale, ainsi que l'a déjà proposé plusieurs fois le professeur Oscar Cullmann, qui séjourne parmi nous comme observateur. S'adressant à tous, cette collecte pourrait constituer un «sacramental» au véritable sens du mot, un signe saint et sanctifiant, un témoignage de l'union des peuples, de la pauvreté évangélique et du désir que s'accomplisse la véritable unité dans le Christ.

Remarque: Le secrétariat proposé a été créé.

Communauté de vie et d'amour dans le mariage

CARDINAL PAUL LÉGER, archevêque de Montréal (Canada), le 29 septembre 1965

Pour parler du premier chapitre, où est traité le problème du mariage, je voudrais me placer à deux points de vue. D'abord, je donnerai mon avis sur la doctrine qu'expose le schéma. Puis je ferai quelques remarques sur la disposition et la présentation du sujet.

Sur la doctrine du schéma

Mieux que sous la forme précédente, le nouveau texte affirme et définit la signification et la légitimité de l'amour conjugal.
Je crois cependant que ce nouveau texte, non plus, ne sera pas d'un grand secours pour les croyants de notre temps, et je crains qu'il ne déçoive leur légitime attente. Parce qu'une juste présentation de la nature du mariage est de la plus grande importance pour la vie quotidienne des croyants, qu'il me soit permis de montrer pourquoi le texte ne donne pas encore satisfaction.
Assurément, les fidèles seront heureux que le schéma, par endroits, fasse valoir l'amour conjugal. Mais les formules décisives par quoi le schéma définit la nature du mariage ne leur sembleront guère en accord avec les passages susmentionnés; pis encore, ils auront l'impression que le vrai visage et la beauté du mariage sont défigurés par ces formules. Cela est valable, par exemple, pour la manière dont le mariage est défini: «Une institution dont l'ordre tend à la procréation et à l'éducation de la postérité.» A mon avis, cette formule est incomplète et ambiguë, et le schéma lui-même l'avoue en se reprenant peu après et en disant que le mariage n'est pas «seulement une institution en vue de la procréation».
Sans doute, cette formule pourrait-elle exprimer avec exactitude le sens du mariage pour le «genre» humain (comme le nomment les philosophes). Car, pour le genre humain, le mariage n'a pas d'autre sens: il est ce par quoi l'espèce se maintient et se propage. Mais, comme le mariage lie entre elles des personnes, son sens doit être défini d'abord par rapport à la *personne*, sans négliger d'ailleurs le sens qu'il a pour le «genre».
Or, les formules mentionnées expriment mal le sens du mariage pour la personne humaine. Aussi, doivent-elles être modifiées. Premièrement, en effet, ces formules sont incomplètes. Pour les personnes humaines, le mariage n'est pas avant tout et uniquement une institution en vue de la procréation des enfants, mais aussi – voire principalement – une communauté de vie et d'amour. Secondement, ces formules sont ambiguës. Il pourrait sembler que la communauté matrimoniale et l'amour conjugal soient uniquement considérés comme des moyens de la procréation, ou qu'ils n'aient en somme aucun sens en dehors des fins de propagation. Voilà qui serait faux, certes, et qui détruirait la dignité de la personne humaine.
C'est pourquoi je propose que, dans la définition du mariage, la relation de la communauté et de l'amour conjugaux à la descendance soit présentée de la manière suivante:

1. Qu'il soit dit clairement et ouvertement que le mariage est une intime communauté de vie et d'amour.

2. Il faut mettre en lumière la signification profonde que l'engendrement d'une descendance a pour l'amour conjugal et pour la vie conjugale. Ainsi, les époux comprendront que l'enfant est le couronnement de l'amour dont ils s'aiment l'un l'autre.

3. Que l'on dise enfin que, pour répondre et pour coopérer à la volonté de Dieu, les époux doivent avoir des enfants. Cela ressort des paroles de l'Ecriture sainte, ainsi que de la situation créée par la communauté matrimoniale et l'amour conjugal. Ainsi, les époux comprendront que leur amour ne se rapporte pas uniquement à eux-mêmes, mais entre dans les plans de la prévoyance créatrice de Dieu.

Sur la composition et le style du schéma

Pour d'autres motifs encore, le schéma décevra les croyants. Bien que ces raisons se rapportent plus à la forme qu'au contenu, elles n'en sont pas accessoires pour autant.

1. La doctrine du schéma est présentée d'une manière si inorganique que l'on ne découvre qu'avec peine ses intentions véritables. Sur les points les plus importants de l'enseignement, les mêmes pensées reviennent deux, trois fois, sans être jamais conduites jusqu'au bout. Souvent, le développement de la pensée manque de toute logique : il n'est pas rare que les pensées soient simplement alignées les unes à la suite des autres ou reliées ensemble d'une manière plutôt artificielle. Si l'on veut éviter que le texte ne donne l'impression d'être une sorte de compromis diplomatique entre diverses écoles théologiques, et s'il doit vraiment éclairer les fidèles, il faut que la présentation de la doctrine soit mieux agencée et plus claire.

2. Le schéma n'évite pas assez le ton prêcheur et, de ce fait, prend parfois une allure moralisatrice. De même, le fréquent passage de la pure description ou de la simple déclaration à l'exhortation me semble être une rupture de style.

Je conclus : le concile doit parler clairement du mariage au monde et au peuple catholique. Malgré les grandes et particulières difficultés que le concile rencontre dans ce schéma, il ne peut publier un texte dont les évêques eux-mêmes ne comprennent les intentions qu'avec peine. Qu'il me soit donc permis de présenter par écrit à la commission compétente des propositions concrètes, qui pourraient servir à l'amélioration du texte.

Remarque : Aux passages les plus importants contre lesquels des doutes avaient été élevés, la commission a corrigé le texte dans le sens des propositions du cardinal. En revanche, il n'a pas été tenu compte des reproches sur la construction et le style : il y aurait fallu un niveau intellectuel qui n'était pas celui des rédacteurs.

Réforme culturelle dans l'esprit de la pauvreté évangélique

CARDINAL GIACOMO LERCARO, archevêque de Bologne, le 4 novembre 1964

Le paragraphe 22 constitue, dans une certaine mesure, le cas type de l'ensemble du schéma : en effet, il touche une question de haute importance, où apparaît clairement et d'une manière pour ainsi dire synthétique comment l'Eglise et le monde se distinguent l'un de l'autre tout en se rattachant étroitement l'un à l'autre.

Le problème

Voici le problème fondamental et très ardu à la fois qui ne cesse de transparaître : en quel sens et pourquoi la Révélation divine est-elle nécessaire au progrès de la connaissance humaine, en sorte que la science humaine (selon ses domaines et buts divers) devienne toujours plus humaine ? De même : en quel sens et pourquoi le progrès de l'homme – dans le savoir profane aussi – contribue-t-il à l'explication et au développement homogènes de la vérité révélée ?
Les efforts que la commission a fournis pour établir le schéma ainsi que les annexes méritent l'éloge. Cependant, le texte ne donne pas entière satisfaction, parce qu'il s'arrête précisément là où il devrait en réalité commencer. Nous lisons dans le schéma : « La culture est aujourd'hui pour l'Eglise de la plus haute importance ; l'Eglise tire le plus grand profit de la culture. Par conséquent, qu'elle regarde ouvertement et avec une pleine confiance le progrès scientifique, technique, artistique... » et ainsi de suite. Voilà qui semble insuffisant ! Il n'est même pas suffisant d'ajouter : l'Eglise a grand intérêt à ce que le progrès s'accomplisse convenablement, garde un équilibre harmonieux entre les divers ordres et ne s'oppose ni à ce que l'on est convenu d'appeler l'humanisme spiritualiste, ni à un juste pluralisme des cultures. Autant de lieux communs qui ne signifient pas grand-chose et ne ménagent guère une véritable rencontre de l'Eglise et de la culture ; et, quand je dis culture, ce n'est pas à la culture d'un temps révolu que je pense, mais à celle d'aujourd'hui et de l'avenir. Pour que cette rencontre soit réelle, persiste et s'accroisse, il faut rechercher d'abord et déterminer certains changements fondamentaux dans l'ensemble du système éducatif qui est l'un des domaines essentiels de l'Eglise. Pour l'état particulier de la culture actuelle, ces changements sont manifestement une nécessité.

La pauvreté de l'Eglise

1. D'abord et principalement : l'Eglise doit reconnaître sa pauvreté culturelle et, en même temps, viser à une pauvreté plus grande.
Je ne parle pas ici de pauvreté matérielle, mais d'une certaine conséquence de la pauvreté évangélique pour la culture ecclésiastique. De même que l'Eglise conserve des habitudes et des biens dont elle a hérité, elle garde ici certaines richesses d'un temps passé qui, toutes glorieuses qu'elles soient, ne s'accordent guère avec l'esprit de notre époque (par

exemple: systèmes scolastique, philosophique et théologique, principes académiques et éducatifs, programmes d'études, qui restent toujours en vigueur dans nos universités, méthodes de recherche). L'Eglise doit, s'il le faut, renoncer avec confiance à ces richesses ou ne s'y fier que modérément, ne pas s'en vanter et ne s'en remettre sur elles qu'avec prudence. Car ces richesses ne mettent pas toujours le luminaire du message évangélique sur le candélabre, mais plutôt sous le boisseau : souvent, elles empêchent l'Eglise de s'élargir grâce aux découvertes d'une culture nouvelle ou aux trésors de cultures anciennes qui se sont épanouies en dehors du christianisme.

Ces richesses peuvent restreindre l'universalité du dialogue de l'Eglise, séparer davantage qu'unir, fermer la porte aux hommes plus que les convaincre et les attirer.

Ce que je souhaite n'est certes pas une pauvreté théologique et purement négative: sous le rapport de la culture aussi, il faut faire la distinction entre la pauvreté évangélique et la misère. Ce n'est donc pas celle-ci que je demande, mais la première: non pas l'ignorance ni l'étroitesse d'esprit, mais une simplicité appropriée à son but, à la fois mobilité d'esprit, générosité et audace (pour s'engager sur de nouvelles voies, ce qui ne peut assurément se faire sans quelque risque), continence de l'entendement et humilité, où réside véritablement et en abondance la sagesse surnaturelle et, en même temps, un sens très fin de l'actualité et un authentique réalisme historique.

Enfin, ce n'est pas pour le renoncement en lui-même que nous souhaitons un renoncement à l'héritage culturel, mais afin d'acquérir de nouvelles richesses et – à vues humaines – de parvenir à une acuité plus grande de l'entendement et à une exactitude plus sévère.

L'Eglise n'a cessé d'affirmer qu'elle-même ou sa doctrine ne se comparent à aucun système, ni à une philosophie ou à une théologie particulières. Jusqu'à présent, nous avons reconnu cette distinction en droit plus qu'en fait.

Le moment est maintenant venu que l'Eglise et son message essentiel se séparent toujours plus *de facto* de certain «Organon» culturel dont beaucoup de gens d'Eglise affirment encore avec un sérieux excessif – dans l'esprit du propriétaire content de lui-même – la pérennité et la validité générale.

Pour s'ouvrir à un véritable dialogue avec la culture d'aujourd'hui, l'Eglise, dans l'esprit de la pauvreté évangélique, ne doit cesser de rendre ses biens culturels toujours plus «mobiliers», de se tourner davantage vers les biens essentiels et surnaturels de l'Ecriture sainte, de la pensée et du langage bibliques. Elle ne doit pas craindre, par là, de décevoir les hommes ou d'être moins bien comprise par eux. Car c'est précisément là – si nos réflexions sont justes – ce que les hommes attendent de l'Eglise. C'est ainsi qu'enfin la culture de l'Eglise n'apparaîtra plus comme un rationalisme ou un scientisme d'origine terrestre, mais sera une force religieuse hautement efficace, ferment actuel et futur de toute culture.

De par sa substance même, le schéma impose des réformes

2. De ces explications, il ressort immédiatement que la culture doit prendre dans l'Eglise un nouveau cours, et qu'il faut introduire dans l'Eglise, pour sa propre relève et pour la recherche scientifique, une nouvelle «paideia».

Cela touche la substance la plus intime de notre schéma. En effet, comment attendre un dialogue durable et dirigé vers l'avenir, quand ceux – prêtres et laïcs – qui parlent de la part de l'Eglise sont formés selon des programmes d'études tout à fait inactuels? Quand la langue scientifique dans laquelle ils doivent penser, toute glorieuse qu'elle soit, est précisément une langue morte, dépourvue même de l'universalité qui l'approprierait à exprimer les idées modernes qui règnent dans le monde entier!

De la substance la plus intime de ce schéma, donc, et des thèmes qu'il se propose, il ressort que des réformes sont indispensables – je reviendrai sur elles ultérieurement – réformes sans quoi personne ne croira jamais que nous prenons nos thèmes de discussion au sérieux, ni que nous sachions reconnaître les exigences et les véritables découvertes de la culture de notre temps.

Evêques théologiens

3. Encore une fois les thèmes de ce temps! Ils demandent que nous renouions avec une ancienne tradition: celles des évêques qui étaient en même temps des «doctores». Par degrés, cela doit redevenir l'usage. Des siècles durant, et pour la plus grande part, la culture chrétienne a été l'œuvre fructueuse de grands évêques, éminents parce qu'ils étaient à la fois de grands pasteurs et de grands maîtres. Même après la création des établissements réputés de la fin du Moyen Age, puis de la Renaissance, il demeure vrai que, dans l'Eglise, la forme caractéristique et la plus pure de sa culture n'est pas née uniquement dans ces institutions, mais, pour une part au moins égale, provenait de l'enseignement des évêques – de ces évêques «théologiens», précisément. Théologiens au sens étymologique du mot, et non pas de ceux qui ne parlent de Dieu qu'à la manière dont on récite une leçon; c'est dire que les évêques doivent retrouver toute leur stature (dans la mesure, du moins, où cela dépend de nous et non pas directement de Dieu; avant tout dans le choix des évêques), la plénitude de ce qui fait d'eux, évêques, des hommes d'«Esprit» (des hommes du «Pneuma», qui *parlent avec Dieu* et qui, de cette expérience intime, tirent les lignes essentielles de leur gouvernement et de leur enseignement; des hommes vraiment aptes à discerner la situation et la signification d'une époque).

Théologiens laïcs

4. Enfin, il faut expliquer une nécessité qui, en fait, conditionne l'ensemble de notre schéma – et qui, par là, fait bel et bien sauter le cadre de ce paragraphe 22 – nécessité de revenir également à d'anciens usages en ce qui touche un autre thème principal: nous devons encourager les laïcs à entreprendre, sur des questions de théologie, des travaux scientifiques qui soient vraiment «à la hauteur». Parmi les conditions primordiales d'un fructueux échange entre Eglise et culture, notre schéma mentionne que de nombreux savants laïcs doivent se vouer à des recherches scientifiques: mais le schéma ne parle que des sciences

profanes et ne pense qu'à elles. Pourquoi cela ne serait-il pas valable aussi pour la dogmatique et les sciences théologiques?

Je viens de parler des évêques théologiens. Le théologien laïc serait le complément de l'évêque théologien. L'Eglise a besoin d'un grand nombre de théologiens laïcs, formés à la discipline strictement scientifique de la dogmatique. Il y en avait avant que l'enseignement ecclésiastique devienne le monopole du clergé, et il y en a encore aujourd'hui dans l'Eglise orthodoxe et dans quelques communautés protestantes. Enfin – et cela seul serait quelque chose de tout à fait nouveau dans le domaine culturel de l'Eglise – nous ne devrions pas ouvrir aux laïcs uniquement des voies accessoires, savoir les écoles théologiques du second degré; là non plus, il ne suffit pas de donner à quelques rares élus l'accès des facultés de théologie destinées au clergé. Il vaudrait beaucoup mieux leur ouvrir la voie vers des instituts qui leur seraient propres, où ils pourraient étudier les disciplines théologiques d'une manière plus ou moins scientifique, et qu'ils dirigeraient eux-mêmes comme il leur semblerait bon, sous la haute surveillance de la hiérarchie. Alors, les écoles de théologie et la formation du clergé trouveront vraiment de nouveaux chemins; alors, les établissements d'enseignement de l'Eglise se renouvelleront enfin en profondeur, leur «paideia» gagnera en dynamisme et en puissance de choc, leur «Organon» culturel vivra pour ainsi dire une aube nouvelle, et tous – prêtres et laïcs – seront instruits de manière à être capables de comprendre le monde; oui, les fils eux-mêmes de l'Eglise qui – répondant ainsi aux vœux du schéma – travaillent dans les domaines profanes de la science humaine, eux aussi, ils recevront un secours plus efficace dans leur effort de mettre un esprit chrétien dans la culture de ce temps: alors, tous les hommes cultivés trouveront – d'une manière pour ainsi dire «psychologique» et spontanée – le chemin de la théologie, qui est la sagesse de Dieu.

Remarque: On peut s'étonner que ce discours n'ait eu aucun effet sur la nouvelle rédaction du texte.

L'Eglise et la culture actuelle: où est le centre du problème?

ARTHUR ELCHINGER, coadjuteur de Strasbourg, le 1er octobre 1965

Au sujet du deuxième chapitre, sur la contribution qu'il convient de donner au progrès culturel, je voudrais présenter quelques pensées – négatives d'abord, puis constructives. Je remets les propositions pratiques au secrétariat du concile. Seul, leur fondement principal fera l'objet de cet exposé. Le problème dont il s'agit dans ce chapitre est celui de l'attitude que l'Eglise doit prendre face aux civilisations techniques du monde moderne. Le présent texte aborde beaucoup trop de questions. D'où il résulte de nombreuses déclarations générales (lieux communs) et des exhortations pieuses; de véritables points culminants, il n'y en a aucun. Les questions ardues qui devraient opprimer aujourd'hui la conscience de l'Eglise sont nivelées.

Le concept de culture est pris aussi dans un sens trop étroit. La culture comprend tout ce qui montre la manière dont s'expriment les hommes d'une région déterminée et d'une époque déterminée; y appartiennent non seulement le culte religieux, la vie intellectuelle et artistique, mais les œuvres de la technique, l'organisation du travail et des loisirs, et bien d'autres choses.

Si le concile veut atteindre l'oreille du monde, il faut que ce chapitre soit entièrement récrit.

Le véritable problème pastoral qui se pose à la hiérarchie de l'Eglise me semble être le suivant:

L'Eglise s'inquiète de ce que ses possibilités d'influencer les hommes d'aujourd'hui sont en régression, en même temps que décline la disposition des hommes à accueillir son message. Ce dont il s'agit, c'est donc de la «présence» de l'Eglise: que doit-elle faire pour entrer en contact avec un monde où la plupart des hommes ne semblent plus avoir besoin de l'Eglise, parce qu'ils se sentent autonomes, indépendants de l'Eglise, et que, parfois contre l'Eglise, ils ont même bâti leur propre humanisme, leur anthropologie et jusqu'à leur éthique, pour aboutir à un humanisme terrestre?

Comment l'Eglise, malgré cette situation, peut-elle garder la liaison avec le monde et le remplir d'esprit chrétien?

L'Eglise doit chercher le contact avec les cultures du monde entier. Elle peut y parvenir par le dialogue et la collaboration, pourvu qu'elle le fasse dans un esprit de service et non de domination.

L'Eglise doit pourvoir à ce que de nombreux chrétiens authentiques soient capables d'apporter leur coopération dans tous les domaines qui caractérisent le monde nouveau: là, donc, où se forment positivement les programmes d'études, où se règlent des questions telles que la construction de logements, le travail, les loisirs. Ces chrétiens doivent être bien au fait de l'ambiguïté du progrès humain, de manière à pouvoir discerner les valeurs proprement humaines, et ils doivent s'engager courageusement en faveur d'une juste hiérarchie des valeurs. Cela, de nouveau, présuppose un clergé ouvert et éclairé, capable de conseiller les laïcs et d'appuyer leurs efforts.

En outre, l'Eglise doit mettre en train diverses sortes de rencontres et de collaboration, par quoi les savants des différents domaines spécialisés pourront faire le parallèle entre leurs recherches et l'authentique tradition chrétienne. C'est le seul moyen de jeter un pont sur le fossé qui sépare science et foi.

Enfin, l'Eglise doit se pourvoir de théologiens doués d'assez de flair pour découvrir, dans l'Evangile et, d'une manière générale, dans la Bible, ce qui est propre à intéresser l'homme d'aujourd'hui, et qui soient également capables de faire rentrer dans le cadre de leurs propres recherches tout ce qu'il y a de positif dans les philosophies modernes et dans les problèmes qui résultent du développement des sciences. Ces

Suite à la page 271

Entre la troisième et la quatrième session, lors de la congrégation générale des jésuites, l'Espagnol Pedro Arrupe a été élu général de l'ordre. Ainsi se trouve maintenant à la tête de la Société de Jésus – la plus importante congrégation de l'Eglise catholique: 36000 membres – un homme qui, depuis trente-cinq ans, avait exercé son activité dans les missions, en Asie, et principalement au Japon. De cette expérience résultent les thèmes choisis par Arrupe: athéisme et mission. Dans les deux cas, il fit quelque sensation en exigeant «analyse» et «planification». Des malentendus furent en partie responsables de cette réaction; d'autre part, tous ne saisirent pas la perspective de ces discours axés sur la mission. Peut-être une pensée aussi «globale» effraya-t-elle également les Occidentaux plus nuancés.

Durant la première et la deuxième session, déjà, on eut beaucoup de considération pour le successeur du cardinal confesseur Stepinacz, interné et mort en Yougoslavie. Parmi les évêques de l'Europe orientale qui, depuis des années, vivaient comme retranchés des développements théologiques de l'Ouest et en étaient réduits à garder le patrimoine catholique, l'archevêque de Zagreb Franjo Šeper a nettement fait figure d'exception. Il a salué avec enthousiasme l'introduction du diaconat; il a montré beaucoup de compréhension dans la question œcuménique. Avant même qu'il se fût expliqué d'une manière à la fois très approfondie et complète sur l'athéisme, il reçut de Paul VI le titre de cardinal.

Le cardinal John Heenan, archevêque de Westminster, a été l'un des meilleurs exemples de ce qu'il y a de superficiel à répartir les évêques en «conservateurs» et «progressistes». Membre du Secrétariat pour l'unité des chrétiens, John Heenan s'est exprimé d'une manière très positive sur la question de la jeunesse et, à cette occasion, s'en est pris d'une manière mordante à la Commission théologique du cardinal Ottaviani. De même au sujet de la liberté religieuse. Mais, d'une manière tout aussi mordante, lors des discussions sur le contrôle des naissances, il s'est tourné contre les théologiens aux opinions avancées dans la question dite de la «pilule», et il a fait des réserves en ce qui concerne les mariages mixtes. Les laïcs catholiques d'Angleterre ont trouvé son attitude fortement «réactionnaire». Au concile, le plus souvent, on l'appréciait plus équitablement.

L'une des grandes figures du concile a incontestablement été le cardinal salésien Paul Silva Henriquez, archevêque de Santiago du Chili. Déjà, dans le débat sur la liturgie qui eut lieu pendant la première session, il fut le premier à réclamer – sous les applaudissements de la majorité – une révision du centralisme romain. Même dans l'ardue question des rapports entre l'Eglise et le monde, il a été l'un des rares orateurs à dominer les difficultés théologiques que ce problème présente. En outre, on peut le considérer comme l'un des promoteurs, en Amérique du Sud, de la si urgente réforme agraire. Il est à peine exagéré de dire que le Chili, sans l'activité du cardinal, aurait déjà succombé au communisme; l'archevêque ne condamne pas le communisme mais cherche à le surmonter par des œuvres concrètes.

Le cardinal sulpicien Paul Léger, archevêque de Montréal (Canada), passait chez les Italiens pour un «converso». C'est ainsi qu'ils désignaient les évêques qui, durant et par le concile, avaient changé leur manière de voir, s'étaient «convertis». Paul Léger ne vint nullement à Rome en qualité de «progressiste». Mais, avec une pieuse lucidité, il ne tarda pas à reconnaître de quoi il s'agissait pour le pape Jean. De toute son énergie, il prit le parti du renouvellement et, en 1964, lui qui parla presque aussi souvent que le cardinal Ruffini durant la troisième session, il était devenu – ou peu s'en faut – la figure dominante du concile. Les points essentiels de ses discours concernaient d'une part le schéma de *L'Eglise dans le monde actuel* – où, sur les thèmes du *mariage* et de la *guerre*, il l'emporta sur tous les autres orateurs en profondeur et en vigueur – et, d'autre part, les décrets sur la vie des prêtres et sur l'enseignement des séminaires. Léger distançait le concile, et il était profondément troublé de ce que la grande masse fût souvent incapable de le comprendre.

théologiens devraient aussi discerner dans le monde actuel ce qui, pour ainsi dire, désire et «attend» le message de l'Evangile – ce que les Français nomment «les pierres d'attente du Royaume dans le monde d'aujourd'hui». Indéniablement, il y a là au fond une certaine espérance eschatologique. L'élément nouveau, dans la situation de l'Eglise, n'est pas qu'elle se trouve devant de nouvelles cultures, mais qu'elle ne peut plus maintenir ses prétentions de rester en tête.

Les causes de cette situation

Causes démographiques: L'accroissement de la population est particulièrement important dans les pays et continents où le christianisme n'a pas été reçu, sinon par une infime minorité. Dans une assez grande partie du monde, donc, les efforts culturels ne s'appuient pas sur le fond de la pensée chrétienne.
Causes historiques: Même dans les pays de tradition chrétienne, il y a chez beaucoup une certaine défiance envers l'Eglise. Sous le rapport de la culture, on reproche à l'Eglise son étroitesse d'esprit, son goût de la domination, son manque d'égards et d'amour. Et cela a son fondement dans l'Histoire des cinq derniers siècles. Bien plus, l'Eglise elle-même s'est recroquevillée dans une culture déterminée, qui se rattache à une philosophie déterminée. Par là, elle est devenue incapable de comprendre la pensée et le langage d'hommes ayant une autre tournure d'esprit.
Causes pastorales: Longtemps, l'Eglise s'est trop peu appliquée à *écouter* et, de ce fait, elle n'a pas entièrement répondu à sa vocation apostolique. Si elle veut effectivement rendre témoignage du Christ, elle doit se pencher sur *les problèmes et les besoins des hommes* pour y apporter sa réponse. Fréquemment, il semble au contraire que l'Eglise présente un enseignement abstrait, presque factice, qui ne rencontre en rien ce dont le monde a besoin.
S'il est déjà faux de ne pas répondre à des questions qui se posent réellement, il est peut-être encore plus faux de répondre à des questions qui ne se posent pas du tout! En tout cela, il ne s'agit pas des méthodes pastorales, mais d'une réorientation de la pensée théologique. Pour y parvenir, il serait éminemment souhaitable que l'Eglise lance une parole d'encouragement aux théologiens créateurs. Sans avant-garde, sans troupe de choc, la grande masse des fidèles ne trouvera pas facilement le chemin du salut parmi toutes les voies souvent aberrantes du monde moderne.

Remarque: Même une analyse soigneuse ne trouvera guère trace de ce discours dans le texte définitif. Certes, la liberté de la recherche y est reconnue – recherche théologique incluse, mais prudemment circonscrite – et l'accent se porte sur ce caractère de l'Eglise qui est de servir, même dans le domaine culturel. Au grand préjudice de la pénétration spirituelle des questions urgentes, cependant, le chapitre persiste à ressembler à quelque annuaire des lieux de rendez-vous culturels.

La guerre: un cas de conscience pour l'Eglise

PIERRE BOILLON, évêque de Verdun, le 8 octobre 1965

Le schéma contient des déclarations très justes sur la guerre moderne. Il s'y mêle cependant un tel nombre de distinguos qu'il en perd pour ainsi dire toute valeur et toute vigueur. Différents pères, notamment le cardinal Léger, en ont déjà fait la remarque. En matière de guerre, ces distinguos sont dus à la théologie traditionnelle, telle qu'on la trouve encore aujourd'hui dans les manuels. Mais la guerre dont cette théologie parle n'est pas la guerre d'aujourd'hui; le même mot ne signifie plus la même chose.

Distinctions déplacées

1. *La distinction entre armes conventionnelles et non conventionnelles:* Dans mon diocèse de Verdun, les armes conventionnelles – il y a moins de cinquante ans – ont tué 1300000 hommes. Dès lors, à quoi bon cette distinction? A quel chiffre s'en tiendra-t-on?

2. *La distinction entre belligérants et non-belligérants:* Aujourd'hui, la nation entière prend part à la guerre: industrie, aciéries, agriculture, laboratoires scientifiques, et j'en passe. De plus, alors que pendant la guerre la mobilisation avait fait de moi un soldat, j'étais, à mon sentiment, aussi innocent que les civils. Car les belligérants sont aussi des hommes, exactement comme les non-belligérants.

3. On parle de *«moyens proportionnés»*. A tort. L'expérience enseigne que, lorsqu'on autorise la guerre, lorsqu'on s'y laisse entraîner, sa loi impitoyable exige que l'on inflige à l'ennemi les plus grandes pertes possibles, le plus rapidement possible, afin de terminer la guerre le plus tôt possible. Dans la guerre moderne, le haut commandement ne doit pas obéir à de telles distinctions, mais, hélas! aux nécessités de la guerre, comme on l'a vu à satiété dans le dernier conflit mondial.
On dit aussi: *«Il faut calculer d'avance et limiter les destructions.»* Voilà qui n'est absolument pas possible, parce que la puissance des inventions humaines et l'interdépendance des peuples ont atteint aujourd'hui un tel degré qu'aucun homme ne saurait prédire où les destructions et l'extension du conflit s'arrêteront. La distinction entre grands et petits conflits est aujourd'hui inutilisable, car un conflit localisé signifie pour l'humanité le risque d'une guerre mondiale. Voilà pourquoi le monde entier prend peur quand, où que ce soit, une guerre éclate, très lointaine peut-être, et nettement circonscrite, comme c'est le cas aujourd'hui entre l'Inde et le Pakistan! Aussi, faut-il rejeter toutes ces distinctions et les faire disparaître du schéma, si le concile ne veut pas présenter au monde actuel un enseignement inopportun.
Révérends pères, nous n'avons à accomplir dans ce concile qu'une seule et unique tâche, qui est de proclamer à la face des peuples, comme notre cher pape Paul: «Vous êtes frères en Christ: il n'est pas permis de faire la guerre.»

L'autorité internationale

Cependant, il peut être nécessaire quelquefois de répondre aux armes par les armes. Mais cela également est un mal – comme l'a dit le cardinal Ottaviani – car cela signifie la guerre. C'est pourquoi il faut souligner la grande responsabilité morale qui pèse sur l'autorité internationale: empêcher la guerre. Le monde entier doit devenir conscient du fait que, si l'on veut que cette institution soit efficace, chaque nation doit renoncer à une part de son indépendance en faveur de l'autorité universelle. C'est une obligation! Si les peuples et l'opinion publique, si les chefs d'Etat n'admettent pas ce renoncement, cela revient à dire qu'ils admettent la guerre, quelque beau discours qu'ils puissent d'ailleurs prononcer sur la paix. Mais l'Eglise doit participer activement à la formation de cette conscience.
Là contre, on ne saurait objecter que l'autorité mondiale ne sera pas parfaite, et que ses décisions ne correspondront pas toujours à la justice. Le poids des armes est-il plus conforme à la justice? Le principe selon lequel «la raison du plus fort est toujours la meilleure» est valable pour les loups, non pour les hommes. D'ailleurs, l'imperfection elle-même qui s'attache à toutes choses ici-bas est préférable à la guerre, cette manière sanguinaire, effroyable, haïssable, de régler les problèmes des hommes.

Le scandale de la guerre entre peuples chrétiens

Il faut cependant ajouter une observation dans ce concile: les guerres inhumaines entre les peuples occidentaux que l'on considère dans le monde comme chrétiens ont constitué un gros obstacle pour l'acceptation de l'Evangile par les peuples qui ne connaissent pas le Christ. Gardons-nous de perpétuer le scandale par ces distinctions inopportunes.

L'Eglise a le devoir d'éduquer les consciences

Entre-temps – comme l'ont déjà indiqué divers orateurs – il faut non seulement condamner la guerre mais établir la paix, et celle-ci nécessite une autorité internationale. Les institutions, toutefois, ne suffisent pas. Il faut également éduquer en ce sens l'opinion publique, c'est-à-dire la conscience de chaque peuple, de chaque citoyen. Or, cela est avant tout la tâche de l'Eglise, car cette éducation doit être morale ou, mieux encore, évangélique.
En effet, elle demande de l'*humilité* sur le plan international: citoyens et chefs d'Etat doivent reconnaître, en faveur de l'autorité internationale, une limitation de l'indépendance nationale. Malheur à l'orgueil, même national!
De la *pauvreté* sur le plan international: les peuples les plus riches et chacun de leurs citoyens doivent, de leur plein gré, consentir à une diminution de leurs richesses et de leur niveau de vie au profit des peuples pauvres, plutôt qu'à un accroissement scandaleux des biens terrestres dû précisément à la guerre! L'expérience en témoigne!
De la *bonté* – elle qui témoigne du Christ – de la bonté sur le plan international, en sorte que les hommes refusent absolument le recours aux armes. Ainsi en témoignent ceux qui recommandent et pratiquent courageusement l'«action non violente». Dans leur peuple et par-delà les frontières des peuples belligérants, ils opposent douloureusement, mais sans brutalité, la justice à l'injustice. Tandis qu'ici, dans cette aula, nous parlons de la guerre, vingt jeunes femmes, ici, à Rome, jeûnent sévèrement et prient pour que le Saint-Esprit nous éclaire. Permettez-moi de me faire leur porte-parole: venues de divers pays, catholiques et protestants, ces femmes se sont demandé comment, en qualité de mères et de protectrices de la vie, elles pourraient avoir part aux responsabilités du concile. Stimulées par le conseil de vigilance spirituelle qu'a donné Paul VI, ainsi que par la circulaire FAIRE PENITENCE, de Jean XXIII, elles ont jeûné et prié dix jours durant. Elles se sont retirées dans un couvent et ont demandé au Seigneur d'inspirer aux pères conciliaires les solutions évangéliques que le monde attend.

Remarques: Comme le rapporte le *Monde* des 10 et 11 octobre 1965, le cardinal Lercaro a appuyé cette action, et le patriarche Maximos IV a expressément encouragé les jeunes pénitentes dans leur effort. Dix-sept d'entre elles étaient catholiques, deux protestantes et une adepte de la Science chrétienne. La plupart sont mères. Les jeûneuses ne prenaient que de l'eau; les catholiques communiaient chaque jour. Jusqu'au 8 octobre, l'initiative due à Mme Faugeran fut tenue secrète, afin que les pères du concile fussent les premiers à l'apprendre. Dans huit pays différents, d'autres groupes se sont joints à cette «action» de jeûne; en France, dans quatorze villes.

Le temps presse, et beaucoup de changements sont nécessaires

PEDRO ARRUPE, général de la Société de Jésus, le 12 octobre 1965

Le schéma sur *L'activité missionnaire de l'Eglise* donne une vue claire des bases théologiques – à quelques points près, sur lesquels je remets par écrit à la commission des projets de corrections. En complément du texte et surtout des déclarations sur la collaboration, je voudrais cependant ajouter quelques considérations.
Cette coopération de tous dans l'œuvre missionnaire exige une nouvelle conception du travail des missions: l'idée courante, telle qu'elle prédomine chez beaucoup de gens, provient pour la plus grande part d'une connaissance déformée de la réalité missionnaire; c'est ce que ressentent les missionnaires qui reviennent chez eux ou, pour un motif ou un autre, en Occident. Il apparaît donc nécessaire de mettre sous son vrai jour l'universalité de la mission. Les personnes autorisées – les laïcs aussi bien que les ecclésiastiques – et l'ensemble des fidèles devraient avoir une connaissance claire, précise et juste du problème missionnaire et comprendre sans nul romantisme ni infantilisme la nature du com-

mandement du Christ. Ce but, une fois posé un solide fondement théologique (tel que l'offre le schéma), sera atteint grâce à une connaissance exacte de la situation concrète des missions dans le monde, ainsi que de la complication particulière du travail missionnaire (de nouveau, dans la situation concrète de l'ensemble du monde actuel). En particulier, il faudrait faire partout la lumière sur les points suivants :

L'urgence du travail missionnaire

Aujourd'hui, deux mille millions d'êtres humains vivent en dehors de l'Eglise, et nous devons les conduire à la plénitude de la foi. Ce nombre ne cesse de grandir : le fait est certain si l'on s'en tient au nombre absolu, mais il concerne vraisemblablement aussi la proportion des catholiques. On a déjà montré souvent, dans des revues et des congrès, avec quelle ardeur les peuples du tiers monde tendent aujourd'hui à un progrès toujours accru. Cela ne donne-t-il pas à prévoir que le centre de gravité du monde et de l'humanité va passer à ces peuples afro-asiatiques qui totalisent quinze cents millions d'êtres humains? La croissance actuelle des sous-développés (comme on dit) et leur progrès rapide ne semblent-ils pas favoriser l'avènement de nouvelles nations très puissantes? Prenons pour exemple le Japon : du point de vue technique, voilà à peine quatre-vingts ans qu'on l'aurait mis au rang des sous-développés ; aujourd'hui, il compte parmi les nations principales. Ainsi, dans la ville de Tokyo, il y a quatre-vingt-dix universités, et seulement 8 ‰ d'analphabètes !

Diversité et difficulté de notre travail missionnaire

Tous les problèmes de l'apostolat moderne se posent aussi dans les missions (problèmes de nature théologique, philosophique, linguistique, sociale) ; mais il s'y en ajoute bien d'autres, car, dans les missions, nous rencontrons souvent un mélange de cultures et de religions anciennes et très riches. Il se produit ainsi une addition des difficultés résultant des religions et cultures anciennes, telles que le bouddhisme, le shintoïsme, l'hindouisme, et d'acquisitions modernes, telles que l'existentialisme et le marxisme. Aussi, n'est-il vraiment pas facile d'incorporer ici-bas dans le Royaume de Dieu ces peuples et leur culture. Un judicieux coup d'œil dans l'avenir réclame de nous que, tandis qu'il est encore temps, nous travaillions de toutes nos forces à la conversion de ces peuples.
En échange, notre patrimoine culturel peut trouver là un grand enrichissement : les vénérables cultures des peuples asiatiques sont un signe éminent de l'esprit humain et de son activité créatrice. Il est de notre devoir de joindre les richesses de ces cultures au trésor de la foi chrétienne, afin qu'elles aussi soient imprégnées de notre foi. Par ses missionnaires, l'Eglise peut faire beaucoup pour le progrès de l'humanité. Car nos missionnaires non seulement connaissent l'enseignement et les méthodes qui répondent aux vœux les plus intimes de l'homme, mais ils connaissent et surtout ils *aiment* les peuples pour lesquels ils travaillent ; ils ont tout quitté et ils sacrifient leur vie pour le bien spirituel et matériel de ces peuples : de ce fait également, nos missionnaires sont plus appropriés que d'autres à accomplir cette incorporation. Sans leur influence spirituelle, non seulement le mouvement actuel restera une rencontre sans âme des cultures, mais se développera en un monstre matérialiste.

L'activité missionnaire peut favoriser efficacement la véritable paix mondiale

Voilà encore un motif d'exercer aujourd'hui l'activité missionnaire d'une manière plus intensive. L'idéologie du matérialisme dialectique, qui fascine les hommes à la façon d'un mysticisme, ne sera surmonteé ni par ses adversaires politiques ni par la guerre, mais uniquement par un authentique « mysticisme » (si j'ose ainsi dire) de la foi et de l'amour fraternel. Chez les convertis de nos missions, ce mysticisme doit naître de la croyance qu'ils ont acquise, et, dans le reste du peuple de Dieu, prendre source d'une part dans l'amour envers tous les hommes auxquels nous voulons apporter les trésors de l'Eglise, et, d'autre part, dans la vision de notre responsabilité à l'égard de toute la famille humaine, cette race qui, s'il plaît à Dieu, deviendra le peuple de Dieu et le corps du Christ, où tout, pour la plus grande gloire de Dieu, sera reçu et rétabli.
Cette œuvre divine concerne tous les croyants (chefs, prêtres, fidèles), et une grave obligation les lie. Voilà l'idéal que nos missionnaires se proposent et ne perdent pas de vue dans leur travail quotidien. Cependant, lorsqu'ils reviennent en Occident, ils éprouvent souvent une déception : certes, ils voient les grands sacrifices que font nombre de chrétiens pour que le nom du Christ soit annoncé, mais il n'est pas rare non plus qu'ils constatent, surtout chez les adultes, les riches et les gens cultivés, l'absence de cet esprit de mission.

Faux points de vue à l'origine

Ce défaut provient de certaines erreurs d'interprétation. Je vais nommer les principales d'entre elles :
Infantilisme : Encore trop souvent, les milieux *cultivés* ne sont pas renseignés de la manière qui convient sur les besoins des missions. Pour diverses raisons (que je ne peux examiner dans le cadre restreint de ce discours), les rapports des missions s'adressent trop exclusivement à des associations enfantines et à des gens simples. De ce fait, la manière de comprendre les missions prend certains traits infantiles, et les œuvres missionnaires ne reçoivent pas l'appui spirituel et matériel qui leur est indispensable aujourd'hui.
Sentimentalité : Les œuvres missionnaires qui s'adressent au cœur – tels le secours aux enfants et les hôpitaux – obtiennent une aide généreuse, ce qui est digne d'éloges ; d'autres œuvres, en revanche, qui ne sont pas moins importantes, car elles ont une plus grande portée dans l'activité missionnaire – universités, travaux scientifiques sur l'histoire, la culture, les religions des peuples lointains – reçoivent à peine l'appui nécessaire, ou seulement avec de grandes difficultés.
Complexe de supériorité : D'une compréhension insuffisante du travail missionnaire de l'Eglise résulte aussi la funeste présomption qui, aujourd'hui encore, ne se manifeste que trop souvent à l'égard des peuples « non occidentaux ». Elle ne peut se concilier avec une pensée purement chrétienne et, la plupart du temps, elle ne se fonde que sur

une complète ignorance, car les peuples afro-asiatiques possèdent de hautes qualités spirituelles. Je me borne à rappeler les Asiates qui ont obtenu le Prix Nobel en littérature (Tagore), en physique (Raman), en botanique (Bose). Il y a en Asie, pour la recherche atomique, au moins vingt-quatre réacteurs nucléaires (dont onze au Japon, trois en Inde, trois en Indonésie, quatre en Chine).

Myopie: Ce que l'on voit de près semble plus grand que le reste. D'où, peut-être – du moins en partie – l'étonnant particularisme qu'il n'est pas rare de constater. De telles gens ont assez à faire avec leur propre pays ou leur ville; ils considèrent en dernier lieu les besoins des missions – parce qu'elles sont éloignées. Cela s'exprime souvent par la phrase: «Quand nous aurons pourvu à toutes les nécessités de notre propre ville ou de notre diocèse, alors nous penserons aussi aux missions.» Ne voir que cela serait la fin des activités missionnaires!

Jugements superficiels: Sous ce rapport, on peut encore mentionner une autre raison de ce que le problème des missions, à leur détriment, est souvent mal compris. Je pense à ces gens qui, après un bref séjour dans les pays de mission, portent des jugements péremptoires, souverainement critiques, mais subjectifs et souvent pleins d'injustice, sur la situation des missions, les erreurs des missionnaires, les méthodes à suivre et, d'une manière générale, sur tout ce qui touche les missions. Non seulement cette façon superficielle d'écrire et de parler répand des idées fausses dans le peuple chrétien et jette la confusion, mais elle décourage souvent les missionnaires et porte préjudice à l'Eglise dans les pays de mission. A cet égard, il faut citer surtout une tendance exagérée à mesurer le succès des missions sur la statistique des conversions et à négliger les problèmes particuliers de chaque mission.

Erreur de principe dans le choix des missionnaires: Une opinion assez fréquente, hélas! veut qu'il suffise, pour être missionnaire, d'avoir des qualités moyennes: santé physique, vigueur et bonne volonté. Rien de plus inexact. Il faut que le missionnaire, à cause des difficultés de toute sorte qu'il doit résoudre, soit une personnalité hautement qualifiée, munie de «certificats» meilleurs que ceux dont elle aurait besoin dans son pays.

Parcimonie: «Si nous voulons que l'Eglise réponde, ne fût-ce que dans une certaine mesure, à sa tâche missionnaire, et que ces activités missionnaires soient délivrées de leur indigence et de leur consomption, il faut que toute l'Eglise, l'ensemble du peuple de Dieu, prenne en chacun de ses membres et de ses groupements une conscience missionnaire de sa tâche missionnaire et s'y dévoue» (rapport, p. 9). «On ne peut admettre que les missionnaires et les missions soient considérés comme des quémandeurs et des mendiants» (id.), ni que les missionnaires se voient contraints de gaspiller leur temps à quêter des secours qui devraient leur être donnés spontanément. Je dis: leur temps, dont ils ont cruellement besoin, en fait, pour annoncer l'Evangile. Et passons sous silence l'impression malheureuse que font sur les évêques et sur les autres ces missionnaires qui, l'un après l'autre – parfois plusieurs en même temps – viennent crier misère pour leur mission.

Nécessité d'organes supérieurs d'information

Pour que de telles fautes soient évitées dans l'avenir, et que le peuple chrétien reçoive des renseignements plus exacts, je propose que le schéma recommande la création, à cette fin, d'organes d'information travaillant en collaboration avec la Congrégation «De propaganda fide» et les conférences épiscopales des différentes missions et veillant à ce que:

1. soient données sur les missions des informations systématiques, correspondant à la réalité, d'une part, et aux exigences des gens cultivés, de l'autre, selon les critères que je viens d'énumérer;

2. que la *considération des différentes cultures* grandisse et que – loin de toute pensée de supériorité – s'éveille un plus vif désir de coopérer avec elles, et non pas sous la forme de quelque concession extérieure, certes, mais du fond du cœur, en sorte qu'elles se sentent fraternellement reconnues;

3. que s'accroisse la connaissance du fait que les missionnaires doivent être *des hommes d'élite et éminemment cultivés*, afin de servir plus efficacement les missions; à ce propos, la direction doit passer de plus en plus aux mains de personnes originaires des missions elles-mêmes. Pour ce but, il faut que les personnalités dirigeantes reçoivent une formation religieuse et scientifique hors de pair. Prenons exemple sur les athées militants, dont l'Université athée groupe trente mille étudiants, quelques milliers d'entre eux ayant été choisis dans les pays afro-asiatiques. Ne nous serait il pas également possible d'appeler à de hautes études, dans nos Universités catholiques, un grand nombre de jeunes gens? Dans l'avenir, ils seraient des chefs;

4. que devienne claire, pour *l'ensemble du peuple de Dieu* et pour chacun de ses membres, la grave obligation qui est la leur, et dont le fondement théologique est profond: celle de répondre personnellement à l'attente de la mission sous tous ses aspects, afin que tous ramassent leurs forces dans la collaboration, et «que la parole du Seigneur ait un cours libre, et qu'elle soit glorifiée...» (II Thess. 3:1).
C'est ce qu'espèrent des milliers de missionnaires. Quelques centaines de pères conciliaires les représentent dans cette aula... Je conclus par un mot de saint Augustin: «Et quand cela sera-t-il?... A supposer que cela soit une fois, pourquoi pas maintenant, et si ce n'est pas maintenant, pourquoi une fois?»

Remarque: Dans le décret sur *L'activité missionnaire de l'Eglise*, il a surtout été question des propositions visant à une formation approfondie des missionnaires. Quant à l'obligation de tous, le texte y insistait déjà auparavant.

IV. L'Eglise en mouvement

Témoignons à l'opinion mondiale le respect qui lui est dû

CARDINAL RICHARD CUSHING, archevêque de Boston, le 23 septembre 1964

Dans l'ensemble, la déclaration sur *La liberté religieuse* reçoit notre approbation. En cela, je ne parle pas seulement en mon nom, mais au nom de presque tous les évêques des Etats-Unis.

« Une fois enfin »

Nous sommes heureux qu'une fois enfin (« tandem aliquando »), sur cette question, une discussion complète et libre ait lieu dans cette aula. A notre époque, cela a une importance pratique pour la vie de l'Eglise, ainsi que pour les domaines civique et social. Mais il s'agit aussi d'une question de doctrine (« quaestio doctrinalis ») ; car l'enseignement de l'Eglise sur la liberté religieuse dans ses rapports avec la vie sociale et civique n'a encore jamais été présenté, jusqu'ici, avec clarté et sans équivoque.
Or, ce clair exposé, nous le devons au monde entier, le catholique et le non catholique : tous deux l'attendent. En faisant une telle déclaration, notre concile œcuménique – pour reprendre une expression fameuse de notre histoire américaine – témoigne «à l'opinion publique le respect qui lui est dû» («adequate respect to the opinion of mankind»).
Ici ou là, comme l'a déjà remarqué le rapporteur, le texte a besoin d'une retouche. Mais il faut souhaiter vivement que ce qui est dit dans cette déclaration soit renforcé plutôt qu'atténué par les corrections. Telle quelle, en effet, la substance doctrinale est vraie et solide. En outre, elle correspond entièrement à notre temps. Aussi, pour l'essentiel, ne faut-il pas toucher à la déclaration.
Ce qui me paraît de la plus grande importance, c'est que l'Eglise, par cette déclaration, se montre à l'ensemble du monde actuel comme un champion de la liberté, principalement dans le domaine religieux.
A certains égards, toute la question de la liberté religieuse est passablement compliquée. D'un autre point de vue, elle me semble aussi tout à fait simple. L'ensemble du problème peut se ramener à deux constatations :
Premièrement : Tout au long de son histoire, l'Eglise a revendiqué pour elle-même la liberté civile au sein de la société et face aux pouvoirs publics. Pour l'enseignement et le gouvernement du peuple de Dieu, elle a défendu la liberté du pape et des évêques. Elle a combattu également pour la liberté du peuple de Dieu qui, en effet, a le droit de vivre dans la société selon ce que lui dicte sa conscience, et sans que rien l'en empêche. Voilà donc ce qu'exprime la formule traditionnelle : « Liberté de l'Eglise. »
Deuxièmement : Cette même liberté civile que l'Eglise n'a cessé de réclamer pour elle-même et pour ses membres, elle la réclame aussi, en ce temps-ci qui est le nôtre, pour les autres Eglises et leurs membres – mieux encore : pour tout homme.
Sur ce deuxième point, je vais préciser quelques raisons. Je les prends dans l'encyclique du pape Jean XXIII : PACEM IN TERRIS. Il y est dit

que toute société bien ordonnée repose sur la vérité, la justice, l'amour et la liberté. Or:
1) la liberté religieuse est un postulat de la vérité; c'est en effet une vérité fondamentale que tous les hommes, dans la mesure où ils sont des personnes humaines, ont la même dignité, et que des droits légaux leur sont dus. Au nombre de ces droits, le pape Jean met le droit à la liberté religieuse;
2) la liberté religieuse est un postulat de la justice. En effet, la justice réclame que tous les citoyens, de semblable manière, jouissent de ces droits qui, aujourd'hui, sont considérés comme inhérents à la dignité que l'on reconnaît au citoyen. Le premier de ces droits consiste dans la liberté religieuse;
3) la liberté religieuse est un postulat de l'amour: rien, en effet, ne déchire plus violemment l'unité et l'amitié entre citoyens que la contrainte et la discrimination pour des motifs religieux, que cela se fasse au nom ou à l'encontre de la loi;
4) la liberté religieuse est un postulat de la liberté civile elle-même. Lord Acton résume l'opinion de la tradition chrétienne dans les mots: «Freedom is the highest political end» (la liberté est le plus haut but de la politique). But le plus élevé de la politique, la liberté civile est aussi un moyen nécessaire par rapport aux fins les plus élevées de la personne humaine. Tel est l'avis du pape Jean. La liberté religieuse, en particulier, ou l'absence de toute contrainte dans le domaine religieux, est un moyen nécessaire pour que l'homme – de manière humaine et voulue par Dieu – cherche Dieu, le trouve et le serve.

On pourrait apporter bien d'autres arguments en faveur de la légitimité du droit à la liberté religieuse qu'ont les hommes et les citoyens; certains d'entre eux se trouvent dans cette déclaration qui, nous l'avons dit, reçoit dans l'ensemble notre approbation. C'est pourquoi je fais l'éloge de cette déclaration et la recommande.

Remarque: Malgré leurs efforts désespérés, les nombreux pères qui voulaient faire modifier la déclaration sur des points essentiels n'y parvinrent pas. Certes, durant la correction, elle fut revêtue de toute sorte d'accessoires, mais, pour l'essentiel, elle resta intacte, comme en témoignèrent ses adversaires eux-mêmes.

Confession d'une faute, puis réclamation aux oppresseurs de la liberté

CARDINAL JOSEPH BERAN, archevêque de Prague, le 20 septembre 1965

La déclaration sur la liberté religieuse, dont, au sens large, la légitimité s'étend à toute véritable liberté de conscience, est très significative tant du point de vue théologique que pratique.
Dans l'Ecriture sainte, il est dit ouvertement que «tout ce que l'on ne fait pas avec foi est péché» (Rom. 14:23b), ce qui signifie (d'après le contexte de l'épître aux Romains): tout ce qui ne ressortit pas à une conscience droite. Celui, donc, qui use de la contrainte physique ou morale pour faire agir quelqu'un contre sa conscience, celui-là induit sa victime à pécher contre Dieu. Pour nous aussi, révérends frères, l'exhortation de saint Jacques est valable: «Parlez et agissez comme devant être jugés par la loi de liberté» (Jacq. 2:12).
Ces principes sont également confirmés par l'expérience. Et je me risque ici, avec humilité, à apporter mon témoignage personnel.

Le témoignage de l'expérience personnelle

Dès l'instant que, dans ma patrie, la liberté de conscience a subi des restrictions radicales, j'ai été témoin des graves tentations que cet état de choses fait naître. Dans mon troupeau entier, même parmi les prêtres, j'ai observé non seulement de graves détresses de la foi, mais aussi de fortes sollicitations au mensonge, à l'hypocrisie et à d'autres vices qui corrompent facilement un peuple frustré de la véritable liberté de conscience.
Quand un tel dommage est fait délibérément à la vraie religion, la gravité du scandale est manifeste pour chaque croyant. Mais l'expérience nous montre aussi que de tels procédés, dirigés contre la liberté de conscience, sont également pernicieux lorsqu'ils tendent à l'avantage de la vraie croyance ou la prennent pour prétexte. Toujours et partout, l'oppression de la liberté de conscience produit chez beaucoup de gens l'hypocrisie. Et l'on pourrait presque dire qu'une hypocrisie simulant la foi nuit plus à l'Eglise qu'une hypocrisie dissimulant la foi, comme le cas est le plus fréquent aujourd'hui.

La mort du prêtre Jean Huss sur le bûcher

Aussi, dans ma patrie, l'Eglise catholique semble-t-elle aujourd'hui expier douloureusement ces péchés et ces fautes qui, en son nom, ont été commis jadis contre la liberté de conscience, telle la mort du prêtre Jean Huss sur le bûcher ou la contrainte extérieure qui, au XVIIe siècle, fut exercée sur une grande partie du peuple tchèque pour qu'il revienne à la foi catholique, en vertu du principe: «Au maître du pays d'en déterminer la religion.» Le bras séculier, même s'il voulait ou prétendait servir l'Eglise catholique, a effectivement causé là une blessure qui subsiste en secret dans le cœur du peuple. Ce traumatisme a fait obstacle au progrès de la religion et, aux anciens ennemis de l'Eglise comme à ceux du présent, il a fourni de bons prétextes à semer le trouble.
L'Histoire elle-même, donc, nous encourage à proclamer clairement dans ce concile le principe de la liberté religieuse et de conscience, sans nulle restriction ressortissant à des raisons d'opportunité. Si nous le faisons, et dans un esprit de pénitence envers les péchés commis dans les siècles passés, l'autorité morale de notre Eglise grandira à l'avantage des peuples. Ceux-là aussi qui, aujourd'hui, oppriment la liberté de conscience au détriment de l'Eglise, seront d'eux-mêmes, et actuellement, honteux devant tous les hommes de bonne volonté. Le fait, pour eux, de se sentir compromis aux yeux du monde pourrait être le début

Suite à la page 279

L'archevêque de Boston, le cardinal Richard Cushing, n'assistait pas toujours au concile. Il ne vint exprès à Rome que pour les débats sur la jeunesse et pour défendre la déclaration sur la *Liberté religieuse*. Beaucoup, pour expliquer cette absence, disaient que le latin ne lui convenait pas. Effectivement, il a offert au pape Paul VI une installation de traduction simultanée qui n'a pas fait ses preuves. Sa propre explication était différente: «Chaque fois que je m'en vais, mon fonds Caritas en souffre.» Il estimait la perte quotidienne à vingt mille dollars. Si bien que, selon les calculs de l'abbé Laurentin (*Figaro* du 5 octobre 1964), la liberté religieuse et les juifs lui auraient coûté 400000 dollars (plus d'un million et demi de francs suisses).

Arthur Elchinger, coadjuteur de l'archevêque de Strasbourg, a été l'un des orateurs les plus intéressants du concile. Chaque fois, il touchait au vif, et il n'admettait pas de compromis. Les évêques français n'étaient pas toujours contents du courage et de la franchise de leur «collègue» strasbourgeois, car ils voulaient, au concile, s'en tenir à une prudente réserve. Voilà ce dont l'évêque Elchinger se souciait peu. Il s'adressait aussi aux laïcs et aux observateurs, parfois plus, peut-être, qu'aux évêques. Eh bien! si le «dialogue» était le mot d'ordre, ne fallait-il pas montrer de quoi un dialogue a l'air en pratique, et ne fallait-il pas, en tout, sortir des royaumes de l'abstraction et de la déclamation? (*L'Eglise est invitée à être courageuse*, tel est le titre d'un petit livre que l'évêque Elchinger a publié en 1964, en collaboration avec le pasteur Marc Bœgner. C'est ce qu'il a constamment crié aux évêques, non sans succès.)

Le cardinal Joseph Beran, archevêque de Prague, n'a pu participer aux trois premières sessions du concile, car, depuis la victoire du communisme en Tchécoslovaquie, il était pour ainsi dire interné. En 1962, Jean XXIII lui écrivit une lettre sans adresse, son lieu de séjour étant gardé secret. Finalement, Beran fut «mis en liberté», mais il n'a pu reprendre son activité épiscopale. Pour obtenir l'autorisation de sortir du pays, il fallut de longues négociations. En fait, ses fonctions sont maintenant remplies à Prague par Mgr Tomasek, en qualité d'«administrateur apostolique», en sorte qu'un minimum d'ordre, au moins, a pu être rétabli dans l'activité pastorale. Nommé cardinal par le pape Paul VI, Beran vit à Rome. Le courage, l'œcuménisme de son discours sur la liberté religieuse ont soulevé une grande émotion.

d'une réflexion salutaire. Ce concile va prendre un regain de force morale et intervenir auprès de ces hommes en faveur des frères persécutés.

Proposition

C'est pourquoi je vous demande, révérends frères, de n'amoindrir en aucune façon la vigueur de cette déclaration et, en outre, d'y ajouter pour conclure les paroles suivantes, ou un texte analogue:
«A tous les gouvernements de ce monde, l'Eglise catholique demande avec instance de respecter réellement le principe de la liberté de conscience pour tous les citoyens, même pour ceux qui croient en Dieu, et de mettre un terme à toute oppression de la liberté religieuse. Il faudrait que soient immédiatement libérés tous les prêtres et laïcs qui, en raison de leur activité religieuse et sous divers prétextes, se trouvent encore en prison après tant d'années. Il faudrait accorder aux évêques et aux prêtres qui, en si grand nombre, sont empêchés d'accomplir leur tâche, la permission de revenir à leur troupeau. Il faudrait que l'Eglise, là où des lois injustes la livrent à des autorités malintentionnées, recouvre sa liberté et son autonomie internes, et puisse rester sans entraves en liaison avec le siège de Pierre. Il faudrait cesser de mettre obstacle à la vocation sacerdotale ou religieuse des jeunes gens. Aux ordres réguliers, ainsi qu'aux congrégations de frères et de sœurs, il faudrait permettre à nouveau l'existence en commun. Enfin, il faudrait accorder à tous les croyants la liberté effective de professer leur foi, de proclamer positivement les vérités révélées et d'élever leurs enfants dans la religion. Ainsi, on accomplirait une véritable œuvre de paix, tout particulièrement nécessaire de nos jours.»

Remarque: La confession demandée a été introduite en ces termes dans l'article 12 de la déclaration sur *La liberté religieuse*: «Sans doute, dans la vie du peuple de Dieu en pèlerinage parmi les vicissitudes de l'histoire humaine, s'est parfois manifestée une manière d'agir qui ne répondait guère à l'esprit de l'Evangile, et même le contredisait. L'enseignement de l'Eglise, cependant, selon lequel personne ne doit être contraint à la foi, a traversé le temps.»

Un sage Espagnol parle de la liberté religieuse

CARDINAL JOSÉ BUENO Y MONREAL, archevêque de Séville, le 23 septembre 1964

Je tiens pour juste la doctrine présentée dans cette déclaration. Cependant, la rédaction du texte a besoin d'être précisée, afin qu'il ne favorise pas une fausse compréhension, donnant ainsi à croire que certains énoncés ne correspondent pas entièrement à la vérité.

Le point de vue œcuménique est trop étroit

1. Certes, personne ne conteste l'importance de la déclaration, mais, bien loin de mettre cette importance en valeur, le texte la réduit.
Primordiale, fondamentale, la liberté religieuse est la condition requise pour que l'Eglise puisse accomplir la tâche qui lui a été confiée par le Christ: annoncer l'Evangile à toute créature.
Chez bien des peuples, hélas! cette condition n'est pas remplie aujourd'hui, elle qui, en même temps, constitue un postulat de cette dignité humaine qui doit être proclamée et protégée par l'Eglise et par tout homme de cœur.
Il ne s'agit donc pas uniquement d'établir entre les chrétiens des relations fraternelles, ni de cultiver le dialogue œcuménique; le problème est beaucoup plus étendu et plus profond.
Il semble, dans les phrases initiales du texte, qu'il soit uniquement question de le rattacher aux précédents chapitres sur l'œcuménisme, comme si l'on n'avait en vue que l'amélioration des rapports entre frères, et qu'il faille en tout et pour tout mettre fin à des querelles domestiques – si querelle il y a dans les peuples catholiques. Mais, par là, l'importance du problème est amoindrie.
Ce dont nous avons besoin, c'est d'une déclaration solennelle où, se tournant vers tous les peuples, l'Eglise réclame la liberté r ligieuse pour tous, soit parce que tous les hommes sont appelés à participer en Christ de la nature divine, soit parce que la dignité de la personne humaine l'exige.
2. J'ai l'impression que deux équivoques se prolongent à travers le texte entier de cette déclaration.

a) *Le texte confond le domaine de la doctrine et celui de la politique*

Ainsi, il aboutit à des conclusions qui sont indubitablement vraies dans le domaine politique, pour autant que, sans elles, une protection efficace de la liberté de l'Eglise et une communauté pacifique d'existence entre les hommes sont impossibles. Ce qui, dans le domaine de la doctrine, ne donne pas encore à ces conclusions – il s'en faut – la valeur de principes généraux.
Seule l'Eglise catholique a reçu du Christ la mission d'enseigner les hommes et de les incorporer au Christ, et, «en soi», tel est pour nous l'unique moyen d'atteindre notre but suprême. Objectivement, nulle autre doctrine religieuse n'a donc le droit d'être proclamée ni diffusée. Cela contreviendrait au commandement du Christ.
Il n'en demeure pas moins vrai que dans la plupart des cas, pour d'autres raisons, notamment les nécessités de la situation, il faut consentir à d'autres religions la liberté de propagande. Mais la distinction doit toujours rester claire, pour que l'on n'aille pas penser que, selon la doctrine catholique, toutes les religions conduisent à Dieu et, de ce fait, ont les mêmes droits; car cela est inadmissible.

b) *Le texte confond les domaines individuel et social*

Nous sommes tous d'accord que, dès l'origine, il a été considéré comme un tort de contraindre quelqu'un à adopter une religion ou de lui porter un dommage quelconque pour des motifs religieux. Quiconque suit le témoignage sincère, quoique faux, de sa conscience pour chercher Dieu par des voies détournées doit, sans nul doute, jouir de sa liberté dans la sphère individuelle ou privée, à condition que n'en résultent pas des réactions sociales. Mais quand cet homme, dont la conscience est honnête, bien qu'elle se trompe, entraîne d'autres que lui-même dans le malheur, ceux-ci ne peuvent en aucune façon être tenus de supporter les conséquences de l'erreur s'ils y répugnent ou y courent un danger; cela est particulièrement vrai lorsque les erreurs ne consistent pas uniquement dans la présentation d'une doctrine, mais s'étendent sur des normes pratiques de la moralité qui, peut-être, entrent en contradiction avec la manière usuelle et générale de se conduire.

Quand elle a des répercussions sociales, toute liberté, religieuse ou autre, est soumise à des restrictions qu'exigent précisément l'existence pacifique en commun et la vie libre de tous. Le droit de proclamer une religion peut être exercé parmi ceux qui veulent spontanément écouter, non parmi ceux qui ne le veulent ou ne le doivent pas, ceux qui ne sont pas aptes du tout à faire un bon usage de la liberté, tels les enfants contre la volonté des parents.

La propagande publique qui, grâce aux «communications de masse», atteint aujourd'hui chacun, qu'il le veuille ou non, et qui empiète sur la liberté par des excitations violentes et une pression psychologique, peut léser les droits des catholiques, qui ne veulent pas entendre de telles doctrines parce qu'elles présentent pour eux le risque de perdre la vraie foi. On ne peut donc, d'un principe général, inférer directement le droit de toute communauté religieuse à propager publiquement sa doctrine.

C'est affaire de prudence politique, chez les autorités publiques (auxquelles il revient de protéger les droits et les libertés de tous les citoyens, en sorte que soit assurée une pacifique existence en commun), d'accorder plus ou moins de liberté aux diverses communautés religieuses en tenant compte de la situation sociale (que ce soit dans la nation ou dans le monde). A la vérité, les autorités publiques doivent tendre à ce que tous jouissent de la plus grande liberté possible dans ce qui touche leur conscience et leurs fins personnelles entre toutes (qui ne sont qu'indirectement et occasionnellement de la compétence des autorités, c'est-à-dire dans la mesure où les droits et libertés des citoyens doivent être pacifiquement tenus en équilibre).

3. Le texte dit: il y a prosélytisme chaque fois que sont employés des moyens malséants ou immoraux. Ici, il faudrait ajouter: «ou quand la propagande s'étend à des gens dont elle n'a pas le droit de disposer, tels les enfants contre la volonté des parents ou de leurs remplaçants»; car les droits et la liberté de ces gens doivent être préservés.

Remarque: Ce judicieux discours, qui adopte sans restriction le principe fondamental de la liberté religieuse, mais croit devoir en limiter les conclusions dans le texte de la déclaration, a largement contribué à l'amélioration de la rédaction; maintenant, la première «confusion» a nettement disparu; en revanche, la deuxième apparaît comme une nécessaire et légitime transition, dans la mesure où, actuellement, la liberté religieuse elle-même concerne essentiellement le bien général de l'Etat: un moment dont l'Espagne devra encore mesurer toute la portée.

Revoir et corriger la tradition d'après l'Ecriture sainte

CARDINAL ALBERT MEYER, archevêque de Chicago, le 5 octobre 1964

L'ensemble du deuxième chapitre reçoit mon approbation, principalement le paragraphe 8, où se trouve exposé que la tradition est vivante, dynamique, largement compréhensive, et qu'elle ne consiste pas uniquement en thèses, mais réside également dans le culte et dans la pratique de toute l'Eglise.

De même, je suis heureux qu'il montre que la croissance de la tradition ne procède pas seulement de l'enseignement doctrinal, mais aussi de la «réflexion des fidèles et d'une expérience tout intime des choses de l'esprit».

De plus, je me félicite de l'allusion faite à la Sainte Vierge, car l'Eglise imite Marie en ce qu'elle médite dans son cœur les événements et les paroles que lui rapporte la tradition.

Cependant, cette partie sent un peu le triomphalisme: en effet, elle ne montre la vie et le culte de l'Eglise que sous un aspect positif. Dès lors que, dans ce paragraphe, la tradition dépasse les frontières de l'infaillibilité de l'enseignement doctrinal, elle se trouve sujette aux insuffisances et aux erreurs de l'Eglise en pèlerinage. Eglise de pécheurs, où «nous voyons présentement confusément et comme dans un miroir» (I Cor. 13:12).

L'histoire de l'Eglise fournit une quantité d'exemples de semblables erreurs. Ainsi, l'enseignement théologique sur la résurrection du Christ a longtemps été obscurci; depuis le XVIIIe siècle a dominé un moralisme malsain; il y avait un excès de casuistique; des siècles durant a régné une piété non liturgique, à quoi s'est fréquemment ajouté le sentimentalisme, au siècle dernier; on a négligé l'Ecriture sainte, et j'en passe.

La norme de l'Ecriture sainte

Aussi, faudrait-il ajouter à ce paragraphe quelques mots sur la correction et la suppression des erreurs. Je propose l'insertion de la phrase suivante: «Cependant, la tradition vivante ne croît pas toujours et partout. Et, parce que l'Eglise, aussi longtemps qu'elle sera en pèlerinage, peut se tromper et se trompe effectivement dans la considération des choses divines, elle porte en soi la norme éternelle des saintes Ecritures, y compare son existence et, par là, ne cesse de s'amender et de se parfaire.»

Grâce à cette petite adjonction, qui s'accorde bien avec ce qui précède et ce qui suit, le paragraphe 8 pourrait, je l'espère, acquérir ce qui lui manque et prendre son juste poids.

Remarque: En définitive, l'adjonction proposée par le cardinal n'a pas été faite au texte, car elle aurait préjugé le point litigieux sur lequel le concile ne voulait pas prendre de décision: toute vérité révélée n'est-elle contenue que dans l'Ecriture sainte?

Liberté de la recherche exégétique

CHRISTOPHER BUTLER OSB, abbé de Downside, le 6 octobre 1964

Dans le présent schéma, le paragraphe traitant du caractère historique des Evangiles présente la question avec une prudente réserve, et, d'une manière générale, il est satisfaisant. Chacun sait que, sur ce point, il y avait des craintes de part et d'autre. Les uns croyaient que l'indispensable fondement historique de notre foi allait se perdre; les autres réclamaient pour nos savants toute la liberté nécessaire à la continuation de leurs travaux, qui rendent un si grand service à l'Eglise.
Au sujet de cette liberté, je voudrais dire encore quelque chose. La question de la valeur historique des Evangiles peut être envisagée à deux points de vue. Il n'existe aucun doute, à la lumière de la foi, sur l'inspiration des Evangiles, ainsi que des autres livres de la Bible – avec toutes les conséquences qui résultent de ce dogme. Mais, d'un autre côté, il est certain que le concept de «genre littéraire» s'applique tout aussi bien aux Evangiles qu'aux livres inspirés. Personne ne doute qu'à l'aide de ce concept, et sans nuire à la foi, beaucoup de difficultés ont été résolues dans l'Ancien Testament. Ainsi ont été éliminées d'apparentes contradictions entre la Bible et d'autres vérités établies par les sciences naturelles ou l'Histoire. Ni la foi ni une définition de l'Eglise n'interdisent d'appliquer le même procédé aux Evangiles.
On peut prendre aussi l'historicité des Evangiles par le biais de l'accès qu'ils donnent à la foi, c'est-à-dire dans la perspective de l'«apologétique». A cet égard, il ne sert à rien et il n'est même pas du tout permis d'en appeler à des dogmes (tel celui de l'inspiration), car l'apologétique ne plaide pas en se référant aux dogmes. De ce point de vue, il serait fort regrettable de donner nous-mêmes l'impression que les savants catholiques ne sont pas libres dans leurs travaux.
Notre paragraphe dit: «Les évangélistes ont *toujours* écrit de manière à nous communiquer non pas des choses inventées, provenant de la puissance créatrice de la communauté primitive, mais rien que des informations vraies et authentiques sur Jésus.» Ici, je propose de mieux formuler la pensée. Car ni la foi ni la science ne nous enseignent que les évangélistes n'ont jamais utilisé un genre littéraire que nous appellerions aujourd'hui «poésie». Des récits de ce genre, il s'en trouve des quantités dans l'Ancien Testament, et, à priori, il n'y a aucune raison que ce qui s'est fait dans l'Ancien Testament n'ait pu se produire dans le Nouveau Testament. C'est pourquoi je propose de mettre le mot «purement» entre les mots «choses» et «inventées», et le mot «seule» devant l'expression «puissance créatrice». De plus, aux mots «sur Jésus», je propose d'ajouter «conformément au genre littéraire qui a été choisi.»
Somme toute, on pourrait presque considérer comme un miracle que, dans le concile, nous ayons déjà tant fait pour surmonter l'esprit de crainte et d'excessive anxiété qui, si souvent, a empêché notre travail de porter tous ses fruits.
Aujourd'hui, je dis: ne craignons pas le travail de la critique scientifique et historique. Ne craignons pas qu'une vérité ne se mette à la traverse d'une autre. Et ne craignons pas non plus que nos exégètes ne manquent de fidélité à l'Eglise et à la doctrine traditionnelle.
En tout cas, une chose est certaine: ou bien il y a, entre exégètes, une conjuration internationale, voire mondiale, pour saper les fondements de la foi chrétienne, et, si l'on croit cela, on est prêt à croire n'importe quelle absurdité – ou bien nos exégètes mesurent leurs travaux au cordeau de la vérité pleine, objective et authentique sur ce qui nous est transmis dans les Evangiles. Ils se trouvent ici devant un double devoir: d'une part, être de fidèles catholiques; d'autre part, des savants de la critique historique, pour qui la recherche pure est une condition primordiale. A n'en pas douter, certains feront tourner la liberté en licence. Mais, en vue d'un bien supérieur, nous devons prendre ce risque, comme celui de l'erreur. L'élément décisif, ici, c'est que la vérité soit trouvée en ce domaine par la méthode «des essais et des erreurs» («by trial and error»). Nous ne cherchons pas à nous rassurer comme les enfants en fermant les yeux, mais nous voulons une érudition véritablement critique, qui nous rendra aptes à un vrai «dialogue» avec les exégètes non catholiques.

Remarque: Le concile a assuré la liberté des exégètes dans la mesure demandée par l'abbé. Dans le schéma sur la Révélation, le passage mis en cause a subi encore diverses métamorphoses. Butler peut être content du texte définitif de la constitution, bien que celui-ci ne s'exprime pas avec la clarté souhaitée.

Le schéma sur l'activité et la vie des prêtres est décevant

CARDINAL JULIUS DÖPFNER, archevêque de Munich, le 15 octobre 1965

Le nouveau texte du schéma sur *L'activité et la vie des prêtres* manifeste un grand progrès sur le projet présenté en novembre de l'année dernière. C'est là le fruit des nombreuses corrections proposées entre-temps à la commission. Ce qui me plaît particulièrement, c'est que la notion du sacerdoce n'est pas vue dans le schéma sous un aspect cultuel, c'est-à-dire réduite à l'offrande du sacrifice de la messe et à la dispensation des sacrements, comme ce fut le cas des siècles durant, mais s'étend à la triple fonction du Christ, dont l'exact et honnête accomplissement est considéré comme l'élément propre de la vie du saint sacerdoce.
A mon avis, cependant, le schéma souffre encore maintenant de divers et même graves défauts. Premièrement, dans son style et sa composition; deuxièmement, dans la manière de présenter et de décrire les problèmes du prêtre d'aujourd'hui.

Les prêtres d'aujourd'hui ne supportent pas...

Encore trop souvent, le schéma fait penser à quelque livre dévot. En se référant à la manière de penser de l'homme d'aujourd'hui, le style devrait être plus sobre et d'une plus grande précision théologique.
Les prêtres d'aujourd'hui ne supportent pas d'être désignés comme «le précieux couronnement spirituel des évêques», même si cette belle pensée a déjà été exprimée par saint Ignace d'Antioche; ni qu'à propos de tout et de rien soient allégués des motifs religieux – jusqu'aux plus menus détails, à ce qui va de soi dans la vie d'un prêtre; ainsi, lorsqu'on ajoute, au sujet des moments de fraternelle et amicale détente: «... rappelez-vous les paroles par lesquelles le Seigneur lui-même, plein de compassion, invitait les apôtres fatigués: venez à l'écart, et prenez un peu de repos.» Les prêtres d'aujourd'hui n'admettent pas non plus que soit répété ce qui a été dit mille fois et entendu à satiété. Dans le schéma, cependant, le cas est fréquent.
En ce qui concerne les expressions théologiques, on trouve dans le schéma beaucoup de ce que l'on pourrait dire dans un livre pieux, mais pas dans un document conciliaire. Comment, par exemple, les prêtres peuvent-ils donner en partage aux fidèles «la foi, la grâce et la plénitude qu'ils ont dans le Seigneur»? Je croyais que le Christ seul, par le Saint-Esprit, dispense la vie surnaturelle. Ou bien, comment peut-on dire avec sérieux que les prêtres doivent imiter «Jésus, le Seigneur, que le Père a sanctifié et envoyé dans le monde, lui, la parole de Dieu faite chair, qui voulait devenir pareil à ses frères en tout, excepté le péché»! Tout comme si la consécration avait fait du prêtre une sorte de surhomme! Mais de telles exagérations au sujet des rapports entre prêtres et laïcs, on en trouve à plus d'un endroit!
Et maintenant, la composition: Le premier paragraphe parle de la nature du sacerdoce et de la situation du prêtre. De cela, il faudrait faire deux paragraphes distincts. La troisième section du septième paragraphe, qui parle de la vie commune du prêtre, ne concerne pas le service mais la vie du prêtre; il faudrait donc transplanter ce passage dans la deuxième partie.
Il y a beaucoup à dire de la deuxième partie (De la vie du prêtre): on ne trouve rien sur la situation personnelle du prêtre, ce que beaucoup attendaient pourtant à bon droit! On ne lit rien sur l'attitude du prêtre à l'égard du monde et des biens terrestres, sauf quelques lignes du paragraphe 17 à propos du bon usage des biens – ce qui est très unilatéral. Autre sujet de mécontentement: qu'il ne soit expressément parlé que dans un seul paragraphe des conseils évangéliques dans la vie du prêtre, même s'il est tout à fait juste d'en parler. Pour distinguer les chemins de la sainteté des prêtres et des religieux et pour préciser le premier, je préférerais que l'on traite, dans des paragraphes séparés, en premier lieu du célibat en tant que don à respecter, puis du bon usage des biens et de la pauvreté, et troisièmement de l'esprit d'humilité et de l'obéissance.

La situation pastorale a changé de fond en comble

Nous savons tous que les difficultés du prêtre sont plus nombreuses que jamais dans le monde actuel. A l'origine de ce fait, il y a diverses raisons qu'il n'est pas question d'examiner ici. Ces difficultés concernent en premier lieu la situation personnelle et pastorale du prêtre.
A cause des profonds changements sociaux et, dans maints domaines, de la désagrégation d'un ordre valable jusqu'ici, les prêtres d'aujourd'hui vivent dans une sorte de diaspora, même dans les régions catholiques; de ce fait, ils ont beaucoup plus à souffrir de la solitude et de l'isolement que naguère. Durant les dernières décennies, la situation pastorale a changé de fond en comble et s'est détériorée. Aussi, nombre de prêtres, surtout les plus âgés, ne se sentent-ils plus à la hauteur de leur tâche. Dans les domaines de la théologie, de l'anthropologie et de beaucoup d'autres sciences théoriques ou pratiques, il y a une quantité de choses nouvelles à apprendre. Ainsi arrive-t-il fréquemment que les prêtres attendent en vain le succès et subissent une dépression, voire – le cas n'est pas rare – une crise de conscience.
Le schéma, particulièrement dans la deuxième partie, n'approfondit pas assez ces problèmes – et bien d'autres, tout aussi réels – de la vie du prêtre actuel. On ne trouve que peu, fort peu de chose, et en des lieux tout différents, sur la nouvelle situation pastorale; quant aux difficultés personnelles du prêtre, on n'en parle pas assez – il s'en faut de beaucoup – ni loyalement.

Le problème du célibat doit être traité avec loyauté

Il y aurait lieu, par exemple, de dire ouvertement un mot du *célibat*. D'une part, le célibat est un don «accordé par le Père à quelques-uns» (paragraphe 42 de la constitution dogmatique *De l'Eglise*, en référence à Mat. 19:11); d'autre part, dans l'Eglise occidentale, il est exigé de *tous* les prêtres. La réponse du schéma à cette difficulté est tout à fait insuffisante et, somme toute, passe à côté de la question. A l'objection que la chasteté complète est presque impossible, on répond par la parole du Seigneur: «Ce qui est impossible aux hommes est possible à Dieu» (Luc 18:27).
Mais cette parole ne s'applique pas à tous; en outre, dans ce passage, elle ne s'adresse pas à ceux qui pratiquent la chasteté, mais aux riches, dont le salut éternel est compromis. Aussi faudrait-il dire, dans le texte du schéma, que l'Eglise est entièrement au fait de ce problème, mais qu'elle attend à bon droit le don du célibat pour un nombre suffisant de candidats au sacerdoce, pour peu que l'on prie Dieu humblement à ce sujet, et que le prêtre fasse son possible. Enfin, on ne trouve pour ainsi dire rien sur les soins pastoraux dus aux pasteurs eux-mêmes, qui peinent chaque jour et s'occupent des âmes du troupeau.
Je conclus: style, formulation théologique et composition de ce schéma me semblent nécessiter encore beaucoup de corrections. De plus: étant donné les proportions que l'on a déjà données au schéma, il faudrait y traiter d'une manière beaucoup plus approfondie du service et de la vie des prêtres actuels, en sorte que, pour eux, ce texte devienne la grande charte du deuxième Concile du Vatican.

Remarque: Bien que, de bonne foi, la commission se soit efforcée de répondre aux vœux du cardinal et aux nombreuses motions de corrections, et qu'ainsi le texte se soit considérablement amélioré, il ne saurait être question de grande charte.

Le cardinal Albert Meyer, archevêque de Chicago, passait dans les trois premières sessions pour le cardinal le plus «ouvert» des Etats-Unis. Il fut également l'un des dix (ultérieurement des douze) présidents du concile. Eminent exégète, il a fait des déclarations importantes au sujet du schéma sur la Révélation, ainsi que sur la première partie du schéma de *L'Eglise dans le monde actuel*, où, se référant à la position cosmique du Christ, il a montré le changement consécutif dans la notion de travail. Il est mort le 7 avril 1965, entre la troisième et la quatrième session. Le cardinal Shehan, de Baltimore, l'a remplacé à la présidence du concile, et a fait un brillant discours sur les progrès, dans les documents pontificaux, de la doctrine concernant la liberté religieuse.

Christopher Butler, abbé de Downside (Angleterre), est à la tête des bénédictins anglais; John Todd, un laïc de premier rang, le désigne comme «la seule personnalité qui, parmi les hommes d'un certain âge, soit capable de rassembler les catholiques d'Angleterre». En tout cas, Todd a raison de dire que c'est au concile, pour la première fois, que «l'importance de Butler a été reconnue et honorée». D'une voix douce, il s'exprimait en un latin difficile, mais, chaque fois qu'il parlait, les évêques mettaient la main à l'oreille pour ne pas perdre un mot. «La plus importante conséquence du concile, a écrit l'abbé, sera que nous apprenions à nous traiter les uns les autres comme des adultes.»

Qui se serait attendu qu'un évêque d'Afrique du Sud soit un spécialiste de premier ordre en ce qui touche les relations entre société, Eglise et Etat, et, de surcroît, un sagace interprète des œuvres de Teilhard de Chardin? Pourtant, l'archevêque Denis Hurley, de Durban, était l'un et l'autre. Son effort en faveur d'une discussion plus approfondie de ces deux thèmes n'eut que peu de résultats. Il n'en obtint pas moins quelques petites améliorations dans le chapitre sur les laïcs du schéma de l'Eglise. En revanche, son travail au sein de la Commission des séminaires fut couronné de succès. Il y a tout lieu de croire que les conséquences postconciliaires en seront de grande portée.

En raison d'une urgente nécessité pastorale, emploi à mi-temps de prêtres mariés

PIERRE KOOP, évêque de Lins (Brésil), le 15 octobre 1965 (requête par écrit)

D'emblée, je vais dire à quoi tend mon intervention: pour sauver l'Eglise chez nous, en Amérique du Sud, il faut établir aussitôt que possible un clergé non célibataire, formé d'hommes de choix, sans d'ailleurs que disparaisse, pour les autres prêtres, la loi en vigueur du célibat.

Des faits confirmés par la statistique montrent que l'Eglise catholique est en recul constant: dans le monde en général et principalement en Amérique latine, face à l'accroissement de la population et aux assauts de l'athéisme, des sectes et des grandes religions non catholiques. Dans les deux cent cinquante dernières années, proportionnellement à l'augmentation de la population mondiale, l'Eglise a rétrogradé de 30% à 20%. A ce train-là, dans deux cents ans, elle sera tombée à 10%.

En Amérique latine, l'Eglise catholique perd chaque année un million d'âmes. Au Brésil, mille par jour. Dans d'autres continents tels que l'Afrique, il lui en échappe des millions, qui adhèrent, peut-être pour toujours, à d'autres religions.

Toujours moins de prêtres

La raison principale réside dans le manque de prêtres et de vocations pour le célibat sacerdotal. Ce déficit est chaque jour plus accablant, lorsqu'on pense au nombre grandissant de la population. Trente-trois pour cent des catholiques vivent en Amérique latine, mais seulement 6% des prêtres du monde entier. Dans trente-cinq ans, c'est-à-dire en l'an 2000, l'Amérique latine aura 600 millions d'habitants et représentera la moitié de l'Eglise catholique; il lui faudra 120000 prêtres, si l'on compte un pasteur pour 5000 âmes – et l'on n'ose penser à l'immensité des territoires sur lesquels la population se répartit.

Le nouvel ordre diaconal atténuera quelque peu la difficulté, mais ne la supprimera en aucune façon.

D'urgence, nous avons besoin de prêtres, pour des motifs pastoraux au sens le plus précis du terme: pour sauver la foi de nombreux êtres humains, pour dispenser aux fidèles les sacrements de la pénitence et de l'eucharistie, et donner l'extrême-onction aux agonisants, pour célébrer la liturgie et, avant tout, le sacrifice eucharistique. Seul, en qualité de repas communautaire, le sacrifice eucharistique est propre à assembler les groupes du peuple de Dieu, à les éduquer, les agrandir, les fortifier, et à créer des bases de départ dans la campagne, ainsi que dans les grandes villes dont la population est dense. Si on laisse les gens seuls, ils périssent spirituellement, faute de prêtres, et succombent aux sectes ou aux superstitions.

Aussi est-il nécessaire, urgent même, de «multiplier par cent» – pour ainsi dire – le sacerdoce, aujourd'hui déjà, et plus encore dans l'avenir, en sorte que l'Eglise puisse s'approcher des hommes chez eux, ceux-ci ne trouvant ni le Christ ni l'Eglise en raison du nombre insuffisant des maisons de Dieu.

Au Brésil, il y a 80 millions d'habitants; faute de prêtres, l'Eglise n'atteint communément pas 60 millions d'entre eux, bien qu'ils fassent partie d'elle.

Le commandement de Dieu

Veuillent les pères y penser: c'est un commandement divin, pour l'Eglise, d'annoncer l'Evangile et de sanctifier les hommes! Le peuple de Dieu a le droit strict d'entendre l'Evangile et de recevoir la vie sacramentelle. C'est là un droit donné par Dieu, que nul droit humain ne peut abolir, et la justice oblige l'Eglise à le respecter!

Révérends pères et pasteurs pleins de zèle! Comme l'impose un commandement de Dieu sur le maintien et la propagation de la foi, je propose que ce concile crée la possibilité de *conférer la consécration de prêtre à des laïcs appropriés, qui sont déjà mariés depuis au moins cinq ans*. Après une période préparatoire relativement courte, ils devraient, sans autre formalité, consacrer leurs loisirs au sacerdoce, à la tête de petites paroisses.

Ce projet n'est pas d'une nouveauté inouïe. Car de tels hommes, pleins de mérite et véritablement apostoliques, il y en a depuis les premiers temps dans l'Eglise orientale!

Les prêtres mariés doivent le rester, garder leur vie de famille, leur situation économique et sociale, ce qui donnera sans nul doute à leur service une grande force d'expansion. Ils travailleront en toute indépendance de l'évêque, puisque, dans des endroits déterminés, ils consacreront leur temps libre à de petites communautés. Ainsi, rien de changé, sinon la création d'un nouvel instrument pastoral, dont il se pourrait qu'il remédie aujourd'hui et demain à notre affligeante situation religieuse.

Que les évêques ne se fassent aucune illusion: le destin de l'Amérique du Sud est en grand danger! Il faut prendre une décision: ou bien accroître le nombre des prêtres célibataires et mariés, ou bien assister au déclin de l'Eglise en Amérique latine!

C'est pourquoi je propose d'ajouter à notre texte le paragraphe suivant: «Etant donné que, dans de vastes régions de l'Eglise, le nombre des prêtres célibataires doit être considéré comme tout à fait insuffisant, et tend à diminuer encore par rapport à l'énorme poussée démographique, ce saint synode décide, pour le bien d'un si grand nombre d'âmes dont le soin et le salut lui ont été confiés par Dieu: «Il faut que les conférences territoriales d'évêques aient la compétence de déterminer, en accord avec le pape, si et où, pour le bien des âmes, et selon les normes établies par l'apôtre Paul dans les épîtres à Tite et à Timothée, la consécration sacerdotale peut être accordée à des hommes d'âge mûr, déjà mariés depuis au moins cinq ans.»

Remarque: Sur le conseil du cardinal Lercaro, cette intervention n'a pas été faite oralement, mais remise par écrit. On n'a pas changé le texte, mais le thème reste pendant!

Allocution finale de Paul VI le 7 décembre 1965

Dessin: Rome, ville de collines

Nous terminons aujourd'hui le deuxième Concile du Vatican. Votre nombreuse présence prouve qu'il est encore en bonne santé et plein du désir d'agir. L'ordre de cette assemblée en témoigne, l'achèvement des travaux conciliaires conformément à leur plan le confirme, l'unanimité des avis et des résolutions le proclame pour ainsi dire. Certes, quantité de questions qui n'ont surgi que durant ce concile attendent encore une solution satisfaisante. Mais ce fait, précisément, montre que notre concile ne finit pas ses travaux dans la lassitude, mais avec l'allant qui a tenu en éveil ce synode général. Après le concile, et avec le secours de Dieu, cet allant sera tout à l'avantage des questions pendantes...

Le concile a-t-il été religieux ?

Peut-être nos considérations finales devraient-elles exposer ce que signifie ce concile, ce qu'il a fait. Mais cela exigerait trop d'attention et de temps... Consacrons donc ces précieuses minutes à une pensée qui nous rendra humbles, en même temps qu'elle nous portera au sommet de nos vœux. Demandons-nous: en quoi l'importance religieuse de notre concile a-t-elle consisté? Par «religieuse», nous entendons notre relation au Dieu vivant. L'Eglise existe grâce à vous. Ce qu'elle croit, espère, aime, ce qu'elle est et ce qu'elle fait, vous le manifestez.

Pouvons-nous dire que nous avons rendu hommage à Dieu, cherché à le connaître et à l'aimer, que nous avons fait des progrès dans l'effort de le considérer, dans le soin de l'honorer, dans la capacité de l'annoncer aux hommes qui nous regardent comme leurs pasteurs et attendent que nous leur enseignions les voies de Dieu?

Nous croyons en toute simplicité qu'il en est ainsi. Et d'abord, parce que la pensée constitutive du concile, au départ et avant tout, a précisément été cette pensée-là. A présent encore, dans cette basilique de Pierre, résonnent les paroles inaugurales de notre vénéré prédécesseur Jean XXIII, que l'on peut sans nul doute considérer comme l'auteur du concile: «La tâche principale du concile consiste à préserver et à publier le saint héritage de la doctrine chrétienne...»

Le temps où nous vivons

Les faits ont répondu à l'intention. Pour les apprécier convenablement, il faut tenir compte de l'époque où l'événement s'est produit. C'est une époque où – chacun en conviendra – les hommes tendent davantage à la domination du monde qu'au Royaume de Dieu ; une époque où l'oubli de Dieu devient la règle, comme si les progrès des sciences le voulaient ainsi ; une époque où la personne humaine, parvenue à une conscience plus claire d'elle-même et de sa liberté, vise en premier lieu à une indépendance totale et ne veut se trouver liée par aucune loi surpassant l'ordre naturel... Une époque, enfin, où les grandes religions du monde, elles aussi, subissent des ébranlements et des transformations sans précédent. Voilà donc le temps où notre concile a été célébré à la louange de Dieu... Grâce au concile, la conception théocentrique et théologique – comme on dit – de l'homme et de l'univers a excité l'attention du monde. Cette conception a eu l'air d'une provocation à l'égard de ceux qui la tiennent pour un anachronisme et pour une opinion dénuée de tout fondement réel. Ainsi a été élevée une prétention que le jugement du monde traitera d'abord d'insensée, mais dont il reconnaîtra ensuite – nous l'espérons – l'humanité, la sagesse et le caractère salutaire : à savoir que Dieu existe. Oui, certes, il existe. Réellement. Il vit. Il est une personne. Il pourvoit à tout, et la plénitude de sa bonté est infinie. Non seulement en soi, mais à notre égard, et en abondance. Il est notre Créateur, notre vérité, notre bonheur. Quand, par la contemplation, nous tournons vers Dieu notre esprit et notre cœur, nous faisons ce que nous pouvons faire de plus noble dans le sens de la perfection ; de ce point de vue aussi, aujourd'hui, les innombrables domaines d'activité de l'homme doivent mesurer toute la dignité qui leur revient...

Le concile s'est-il complu à lui-même ?

La séculaire communauté religieuse qu'est l'Eglise a essayé de réfléchir à elle-même, afin de se mieux connaître et définir et, ainsi, d'accorder réciproquement son esprit et ses prescriptions. Voilà qui est bien. Mais cet auto-examen n'était pas une fin en soi, ni une exhibition de sagesse et de culture purement terrestres. En méditant sur elle-même, l'Eglise a pénétré dans les cryptes les plus secrètes de sa propre conscience, non pour se complaire à de savantes recherches sur la psychologie religieuse ou sur l'histoire ecclésiastique, ni pour reconquérir péniblement ses anciens droits ou exposer ses lois, mais – en vertu de sa propre vie et sous l'effet du Saint-Esprit – pour mieux comprendre la parole du Christ, mieux pénétrer le mystère qui entoure les vues de Dieu sur l'Eglise et la présence de Dieu en elle, pour entretenir en elle-même le feu de la foi qui fait mystérieusement sa force et sa sagesse, ainsi que le feu de l'amour qui la pousse à chanter sans cesse la louange de Dieu : «Qui aime, chante», dit Augustin (Sermo 336)...

Trop de concessions au monde ?

Il nous faut cependant ajouter une observation de la plus haute importance au sujet de la fécondité religieuse de ce concile. Il se proposait principalement d'examiner le monde actuel. Jamais autant qu'à l'époque de ce synode, peut-être, l'Eglise n'a senti la nécessité d'apprendre à connaître la société qui l'environne, de se rapprocher d'elle, de l'estimer à sa juste valeur, d'y pénétrer pour la servir, lui apporter l'Evangile, et, en quelque sorte, de la poursuivre et de la rattraper, elle qui ne cesse de changer avec rapidité. Cette nécessité résulte des distances que l'Eglise a gardées jadis, et de sa rupture avec la culture moderne – au siècle dernier et, surtout, dans celui-ci. De par son essentielle mission de salut, au fond, l'Eglise est tenue en tout temps d'adopter l'attitude qui s'est affirmée au concile avec vigueur et constance.

Chez beaucoup, à vrai dire, cette attitude a éveillé des soupçons. On a cru que les hommes et les actes de ce concile avaient incliné plus que de raison, et avec trop d'indulgence, à un «relativisme» doctrinal calculé sur celui qui, dans le monde profane, répond au cours rapide des choses, aux courants de mode culturelle et à la pensée pluraliste – imitation fort nuisible à la fidélité dont nous devons faire preuve envers l'enseignement patristique, ainsi qu'aux sentiments qui conviennent à un concile. Mais nous ne croyons pas que l'on puisse imputer une telle perversion au concile, si l'on a égard à ses véritables et profondes intentions et à ses publications authentiques.

Nous voudrions bien plutôt faire ressortir que la ligne de conduite religieuse du concile s'est montrée avant tout dans l'amour. Personne ne reprochera au concile, à cause de cette attitude ouverte et manifeste, d'avoir eu des sentiments irréligieux et de s'être écarté de l'Evangile. Rappelons-nous que le Christ en personne nous a enseigné: «C'est à cela que tous connaîtront que vous êtes mes disciples, si vous avez de l'amour les uns pour les autres» (Jean 13:35)...

L'homme tel qu'il est

Certes, au concile, l'Eglise – au-delà des questions qu'elle se posait sur elle-même et sur ses relations avec Dieu – s'est beaucoup préoccupée de l'homme, de l'homme tel qu'il se montre réellement aujourd'hui: de l'homme, disons-nous, tel qu'il vit, de l'homme qui ne pense qu'à son ascension, qui fait de lui-même le centre de tout intérêt, bien plus, qui ose affirmer qu'il est le commencement et la base de toute réalité. L'ensemble du phénotype humain, sous ses innombrables masques et travestis, est en quelque sorte apparu aux pères conciliaires – qui sont eux-mêmes des hommes et, mieux encore, des pasteurs et des frères – avec son cœur plein de soucis et d'amour; l'homme tragique, qui déplore son destin sans espoir; le surhomme d'hier et d'aujourd'hui, si fragile et porté au mensonge, égoïste et cruel; puis l'homme qui ne sait jamais s'il faut rire ou pleurer; l'homme inconstant, toujours prêt à prendre le parti de chacun; l'homme inflexible, pour qui ne comptent que les faits scientifiques; et l'homme tel qu'il est, pense, aime, travaille et ne cesse d'attendre quelque chose, le «filius accrescens», le rameau fertile (Gen. 49:22); et l'homme sanctifié par l'innocence de son enfance, par le mystère de sa pauvreté, par la sincérité de sa douleur; l'individualiste et l'homme «engagé»; celui qui vante à jamais le passé, et celui qui rêve de temps meilleurs; l'homme pécheur et l'homme saint; et ainsi de suite, à perte de vue.

Finalement, d'une grandeur menaçante, l'humanisme laïc et profane a fait son apparition et, en un sens, a provoqué le concile en duel. La religion du Dieu devenu homme et celle (car il s'agit d'une religion) de l'homme qui s'érige en dieu se sont rencontrées. Et qu'est-il arrivé? Une compétition, un combat, un anathème? Voilà qui risquait bien de se produire – mais qui n'eut pas lieu! L'ancien récit du Samaritain servit d'exemple et de norme à l'attitude spirituelle du concile. Celui-ci a été pénétré d'une immense sympathie. Sans restriction d'aucune sorte, notre synode a été attentif à découvrir et à considérer la détresse humaine – d'autant plus grande que le fils de la terre fait davantage l'important. De cela au moins, vous, les humanistes modernes, félicitez le concile, et vous qui niez la transcendance des biens suprêmes, reconnaissez notre nouvel humanisme: nous aussi, nous plus que tout autre, nous sommes les amis de l'homme.

Faisons confiance à l'homme...

Et quel fut le cours des réflexions de cette haute assemblée dans son étude de l'humanité à la lumière de Dieu? Une considération de l'aspect à jamais double du visage de l'homme: sa misère et sa grandeur; le mal profond dont l'homme est affligé comme d'une maladie incurable et indéniable, et ce qu'il lui est resté de bon: beauté sublime et invincible élévation. Ici, il faut avouer que le concile, dans le jugement qu'il porte sur l'homme, s'est bien plus occupé du bon côté que du mauvais. Son attitude a été nettement et consciemment optimiste. Certes, les erreurs ont été refusées, car l'amour autant que la vérité exigent qu'on le fasse; cependant, à l'égard des personnes, il n'y a eu qu'encouragement, respect et amour. Au lieu de diagnostics déprimants sont apparus des remèdes stimulants; au lieu de prédictions funestes, le concile a adressé des messages de confiance au monde actuel: ses valeurs ont non seulement été respectées mais honorées, ses entreprises ont reçu appui, et il a été fait un vigoureux éloge de ses efforts...

... et dialoguons avec lui

Il y a un point, cependant, qu'il faut spécialement relever: si l'enseignement de l'Eglise n'a voulu publier aucune déclaration extraordinaire dans le domaine du dogme, il n'en a pas moins édicté des ordonnances obligatoires sur une série de questions qui s'adressent à l'homme d'aujourd'hui, dans sa pensée et dans son action. L'Eglise a pour ainsi dire engagé un dialogue avec lui. Et, bien que subsistent sa propre autorité et sa force, elle a adopté le langage prévenant et amical de l'amour pastoral. Elle a voulu être entendue et comprise de tous. Elle n'a pas fait appel uniquement à la raison spéculative, mais a cherché à s'exprimer aussi dans le langage courant d'aujourd'hui, qui se rattache aux expériences vécues et met en valeur les sentiments du cœur, ce qui la rend plus attrayante, plus vivante et plus convaincante. L'Eglise a parlé à l'homme d'aujourd'hui, tel qu'il est.

Servir l'homme

Sur un autre point encore, nous voudrions attirer l'attention: l'abondance de ces enseignements ne vise qu'à *servir* l'homme. En toute situation, où qu'apparaisse sa faiblesse, dans toutes ses peines. L'Eglise s'est pour ainsi dire déclarée la servante de l'humanité, et précisément à un moment où les solennités conciliaires faisaient ressortir avec clarté et vigueur sa fonction enseignante et pastorale: l'idée de service a pris une position centrale. Cela, maintenant, et tout ce que l'on pourrait dire encore sur la valeur humaine du concile, aurait-il peut-être fait dévier l'Eglise de sa ligne de conduite, au cours du concile, dans le sens anthropocentrique de la culture actuelle? Fait dévier, non, mais dirigé, oui! A considérer avec exactitude l'intérêt dominant du concile pour les valeurs humaines et temporelles, on ne peut nier que le caractère pastoral dont le

Suite à la page 295

Durant la première session déjà, l'archevêque Helder Pessoa Câmara (Brésil) a fait des plans pour la clôture solennelle du concile. Il pensait à une fête universelle de l'amour. A une confession mutuelle des fautes commises, par le pape et les représentants d'autres Eglises, le pape et les juifs, le pape et les religions non chrétiennes, ainsi que le pape et les représentants du monde. Chaque acte de ce spectacle devait se terminer par une embrassade. Eh bien! cela ne s'est pas produit. Mais les représentants des diverses conditions du monde sont bel et bien apparus: politiques, savants, artistes, ouvriers, femmes, malades, jeunes gens. Un message a été lu à chaque groupe, pour montrer que l'Eglise se sait liée à tous les hommes.

Aujourd'hui, les évêques du monde entier n'affluent plus chaque jour sur la place Saint-Pierre. Le spectacle est fini. Chacun, aujourd'hui, est à un endroit différent, sur tous les continents et dans tous les pays de la terre. Semence dispersée par le vent! Lors de la sortie ultime se posait la question: est-ce une semence féconde? Seules, les années à venir le montreront. D'abord – une fois la semence en terre – il règne toujours un silence inquiétant. La première croissance est souterraine.

Saint-Pierre sombre dans la nuit – l'obélisque luit d'une clarté blanche. Il porte l'inscription : le Christ vainc. Concile, pape et évêques, dômes et églises passeront, disparaîtront, mais il reste l'obélisque : le Christ, le Seigneur qui sera tout en tous.

concile s'est fait un programme requiert effectivement cet intérêt. Il faut avouer que cet intérêt, précisément, ne s'écarte jamais des préoccupations proprement religieuses, soit parce qu'il n'est porté que par l'amour (et qui dit amour dit Dieu!), soit parce que les valeurs humaines et temporelles sont en rapport étroit avec les valeurs spirituelles, religieuses et éternelles que le concile n'a cessé de favoriser: en se penchant sur l'homme et vers la terre, l'Eglise s'élève au Royaume de Dieu.

La pensée moderne, habituée à tout considérer sous l'angle de la réalité, devra reconnaître qu'à cet égard, du moins, le concile a fait un grand et bon travail: il ne s'est soucié que d'être utile aux hommes. Il ne faut donc pas dire qu'une religion telle que la religion catholique ne sert à rien, alors que, précisément, dans sa manifestation la plus consciente et la plus efficace, c'est-à-dire le concile, elle se prononce sans restriction en faveur de l'homme et se met à son service. Ainsi, religion catholique et vie humaine confirment une fois de plus leur union, leur convergence en une seule réalité humaine: la religion catholique est là pour l'humanité et, en un certain sens, elle est sa vie. Sa vie, par la signification qu'elle lui donne de l'homme: signification élevée et, en définitive, complète. (L'homme laissé à lui-même n'est-il pas sa propre énigme?) Cette signification de l'homme, l'Eglise la lui donne délibérément en vertu de la connaissance qu'elle a de Dieu: pour connaître l'homme, l'homme entier et réel, il faut connaître Dieu. Pour preuve, qu'il suffise de rappeler les paroles ferventes de sainte Catherine de Sienne: «Dans ta nature, Dieu éternel, je reconnaîtrai ma nature.» La religion catholique est la vie, parce qu'elle fait voir la nature et la destination de la vie. Elle lui donne sa pleine signification. Elle est la vie, parce qu'elle représente la loi suprême de la vie et qu'elle dispense à la vie cette force sublime qui la rend divine.

Humanisme chrétien

Si nous nous rappelons, révérends frères et fils qui êtes ici présents, que dans le visage de chaque homme – surtout lorsque les larmes et la souffrance l'ont rendu transparent – nous pouvons reconnaître le visage du Christ, le Fils de l'homme, et que, dans le visage du Christ, nous pouvons et devons reconnaître la face du Père céleste: «... celui qui m'a vu a vu mon Père», dit Jésus (Jean 14:9), alors notre humanisme deviendra christianisme, et notre christianisme sera théocentrique; au point que nous pouvons dire aussi: pour connaître Dieu, il faut connaître l'homme.

N'est-ce donc pas la tâche de ce concile, qui s'est tourné d'abord et avec ardeur vers les hommes, de proposer au monde moderne les libertés et les consolations qui lui permettront de s'élever pour ainsi dire par degrés? Ne serait-ce pas là, en définitive, une nouvelle invitation, simple et solennelle, à aimer l'homme pour aimer Dieu? Nous disons: aimer l'homme non pas en tant que moyen, mais en quelque sorte comme une première étape, par où nous atteindrons le but suprême, surpassant tout ce qui est terrestre, origine et cause de tout amour. Ainsi, pour l'humanité d'aujourd'hui, la signification religieuse du concile entier débouche sur une amicale et énergique invite à retrouver, par la voie de l'amour fraternel, ce Dieu «dont s'écarter signifie tomber, se tourner vers lui veut dire ressusciter, persévérer en lui donne toute assurance, retourner à lui, c'est renaître, demeurer en lui, c'est vivre» (voir Aug. Solil. I, 1, 3).

Tel est notre espoir, à la fin de ce deuxième Concile œcuménique du Vatican, et au début du renouveau humain et religieux qu'il s'est proposé d'étudier et de favoriser. Nous l'espérons pour nous, frères et pères du concile, nous l'espérons pour l'humanité entière, que nous avons appris ici à aimer davantage et à mieux servir.

Appendice

Constitution de la Sainte Liturgie

1962 : 22. 10-13. 11. Débats. 17. 11-7. 12. Premiers scrutins.
1963 : 8-30. 10. Suite des premiers scrutins.
18-22. 11. Vote sur les «modi».
4. 12. Solennité du vote final et de la promulgation.

Passé : Par l'usage du latin, langue morte, la liturgie de l'Eglise catholique d'Occident était inintelligible au peuple, presque exclusivement l'affaire du clergé, faisant tourner à la magie des règles minutieuses, mettant en danger le sens religieux par la surcharge des grand-messes fastueuses, rendant plus difficile la communauté par les messes privées ; en négligeant la prédication, elle prenait une orientation unilatérale.
Avenir : Service divin du peuple entier de Dieu, avec participation de tous : prières, chants, communion. Moins de messes privées. Eveil d'un sens du Dieu «vivant», dont l'action, aujourd'hui encore, s'exerce sur nous par la parole et les sacrements. Lecture accrue de l'Ecriture, selon un ordre plus varié des péricopes. Célébration de la parole de Dieu, également en dehors de la messe. Adaptation à la diversité des peuples par l'introduction de la langue vernaculaire ; rites directement intelligibles ; simplicité et rigueur accrues de la célébration liturgique, en sorte que l'essentiel ressorte plus nettement. Autorisation du calice laïc en certaines occasions. Concélébration de plusieurs prêtres rendue possible. Révision de la liturgie concernant l'administration des sacrements ; réforme de l'année ecclésiastique.

Constitution dogmatique sur la Révélation

1962 : 14-21. 11. Débats (sur «Les sources de la Révélation»).
1964 : 30. 9-6. 10. Débats sur le schéma révisé «De la Révélation divine».
1965 : 20-22. 9. Premiers scrutins. 29. 10. Vote sur les «modi».
18. 11. Solennité du vote final et de la promulgation.

Passé : Dans les catéchismes se répandait l'opinion que toutes les vérités révélées ne se trouvent pas dans l'Ecriture sainte. Une théologie biblique faisait défaut. Chez les fidèles, dans la vie de la foi, la Bible jouait un rôle secondaire. Des limites étaient autoritairement imposées à l'explication moderne de l'Ecriture. Le mouvement biblique rencontrait beaucoup de difficultés.
Avenir : Il est permis par l'Eglise d'être d'avis que toute la vérité révélée se trouve dans la Bible. Ecriture et tradition forment un tout. Un progrès dogmatique est possible. La doctrine ne se tient pas au-dessus de la Bible, mais doit la servir. La science pure est pleinement reconnue dans la recherche biblique. L'étude de l'Ecriture doit être l'âme de la théologie. Prédication et évangélisation doivent avoir un caractère biblique. L'infaillibilité de l'Ecriture n'est réclamée que pour les vérités concernant le salut, non dans les domaines profanes. Il faut que tous lisent la Bible avec zèle, et qu'il soit également pourvu à de bonnes traductions en collaboration avec les non-catholiques.

Décret sur les Moyens de communication sociaux

1962 : 23-27. 11. Débats.
1963 : 14. 11. Premiers scrutins. 25. 11. Vote sur les «modi».
4. 12. Solennité du vote final et de la promulgation.

Passé : Souvent, dans les milieux ecclésiastiques, les «mass media» ont été considérés avec défiance. Fréquemment, ils ont été jugés d'une manière purement négative, ou peu s'en faut, et du seul point de vue de la moralité.
Avenir : L'importance de la presse, du film, de la radio et de la télévision pour l'évangélisation du monde est officiellement reconnue. Des directives concernant leur bon usage doivent être publiées. La critique de la production profane doit être portée à un niveau élevé. L'accent est mis sur la responsabilité des laïcs, auxquels il sera plus souvent fait appel dans les organismes ecclésiastiques d'appréciation.

Constitution dogmatique de l'Eglise

1962 : 1-7. 12. Débats sur le premier schéma.
1963 : 30. 9-30. 10. Débats (sur quatre chapitres du schéma remanié).
1964 : 15-18. 9. Débats sur deux nouveaux chapitres : Eschatologie, Marie.
16-30. 9. Scrutins sur les chapitres traités en 1963.
19/20. 10. Premiers scrutins sur le chapitre de l'eschatologie.
29. 10. Premiers scrutins sur le chapitre de Marie.
30. 10-18. 11. Vote sur les «modi» du schéma entier.
21. 11. Solennité du vote final et de la promulgation.

Passé : Depuis la Réforme, l'Eglise a surtout été considérée comme une magistrature et un Etat spirituels : à sa tête, le pape, tel un monarque absolu, puis, s'éloignant par degrés, les évêques, les prêtres. En face d'eux, pour ainsi dire, les fidèles. L'aspect juridique et immuable se détachait abruptement de tout ce qui n'était pas l'Eglise. Il s'y mêlait un trait de triomphalisme et de cléricalisme.
Avenir : L'accent est mis sur l'Eglise en tant que mystère et peuple de Dieu, et l'on souligne l'égalité de tous. Des images bibliques font apparaître les divers aspects internes. L'Eglise est conçue comme se trouvant ici-bas «en chemin», et sujette à de constantes réformes. Ses frontières s'étendent au-delà de l'Eglise catholique visible, du fait qu'en dehors d'elle on reconnaît également d'autres Eglises chrétiennes ou communautés religieuses, et que, même aux non-chrétiens, voire aux athées, on accorde la possibilité du salut. Conçue comme un service, et non comme une souveraineté, la hiérarchie ecclésiastique doit être dérivée de l'idée plus compréhensive du sacerdoce universel des chrétiens (et non pas l'inverse). Ensemble, pape et évêques portent la responsabilité collégiale de l'Eglise entière, même si, d'une certaine manière, la direction générale revient au pape. Par la consécration épiscopale, l'évêque prend sa part individuelle de la responsabilité collégiale. Le diaconat est remis en vigueur, et les non-célibataires eux aussi peuvent devenir diacres. Cessant d'être séparée de la doctrine de l'Eglise, la doctrine mariale s'y intègre.

Décret sur l'Œcuménisme

1963: 18. 11-2. 12. Débats.
1964: 5-8. 10. Premiers scrutins. 10-14. 11. Scrutins sur les «modi».
21. 11. Solennité du vote final et de la promulgation.

Passé: Attitude hostile et purement défensive à l'égard des autres chrétiens, dans la seule préoccupation de leur montrer leurs défauts et erreurs. Vis-à-vis d'eux, on cherchait à cacher ses propres défauts. On se souciait peu de comprendre autrui, et l'on faisait rarement ressortir la communauté d'héritage. On considérait les autres chrétiens uniquement comme un danger pour les catholiques. Officiellement, on gardait beaucoup de réserve à l'égard du mouvement œcuménique naissant.
Avenir: On cherche à comprendre l'autre et à expliquer sa propre position d'une manière qui lui soit intelligible. On reconnaît sa propre responsabilité dans la division des Eglises, ses propres insuffisances dans le présent. On fait ressortir la communauté d'héritage et l'on est disposé à prendre en commun, en tant que chrétien, les responsabilités communes qui en découlent. On reconnaît les autres en qualité d'Eglises et de communautés religieuses, mieux: on peut apprendre quelque chose d'eux. Sans effacer ce qui sépare, on cherche en revanche à le surmonter par un dialogue fondé sur une connaissance approfondie de l'Ecriture sainte. En évitant toute dispute et toute concurrence, il faut éveiller en tous, par la prière en commun, un sincère désir d'unité.

Décret sur les Eglises catholiques orientales

1964: 15-20. 10. Débats. 21/22. 10. Premiers scrutins.
20. 11. Vote sur les «modi».
21. 11. Solennité du vote final et de la promulgation.

Passé: On considérait surtout les Eglises catholiques orientales comme les restes d'un temps primitif. On ne leur reconnaissait pas la qualité de véritables Eglises locales et, de plus en plus, dans leur droit, leur liturgie et leur pensée théologique, on cherchait à les faire ressembler à l'Eglise latine occidentale. Ainsi, en ce qui concerne la réunion avec les Eglises orientales non catholiques, elles constituaient un obstacle plutôt qu'un pont.
Avenir: On reconnaît et l'on se propose même de favoriser l'existence d'Eglises locales, égales en droits dans leur diversité – l'Eglise latine occidentale n'étant que l'une d'entre elles. Aussi faut-il rétablir les droits et particularités qui étaient les leurs avant la division de l'Eglise. Le droit de nommer leurs évêques leur revient également. La consécration sacerdotale des Eglises orthodoxes séparées est reconnue. Leurs fidèles peuvent, s'ils le souhaitent, recevoir les sacrements dans des églises catholiques, de même que les catholiques dans des églises orthodoxes, en l'absence de tout prêtre catholique. On reconnaît la validité des mariages mixtes célébrés par le prêtre orthodoxe. L'usage commun d'une église est autorisé.

Schéma sur la fonction pastorale des évêques dans l'Eglise

1963: 5-18. 11. Débats sur «les évêques et le gouvernement des diocèses».
1964: 18-23. 9. Débats sur des passages repris du schéma «Sur la charge d'âmes». 4-6. 11. Premiers scrutins.
1965: 29. 9-6. 10. Vote sur les «modi».
28. 10. Solennité du vote final et de la promulgation.

Passé: Les évêques, dont les compétences étaient toujours plus restreintes, ne représentaient plus que les organes exécutifs du centre romain. Souvent, il n'existait aucune liaison transversale de pays à pays, et l'on apercevait à peine la responsabilité envers l'ensemble de l'Eglise.
Avenir: La responsabilité collégiale des évêques trouve son expression dans l'établissement d'un conseil épiscopal auprès du pape (synode). Comme ces synodes généraux doivent, pour la plus grande part, se composer de représentants élus par les conférences épiscopales, il faut instituer de telles conférences sur le plan national et international, et les doter de solides statuts, d'un secrétariat permanent et du droit de prendre, en certains cas, des décisions obligatoires. Elles devront mieux répartir les diocèses, déplacer les sièges épiscopaux en des endroits plus appropriés, entrer en liaison avec d'autres pays pour ce qui touche les questions pastorales de caractère international. Les dicastères romains doivent faire davantage appel à des évêques diocésains, ainsi qu'à des laïcs. Ils doivent revoir leur manière de procéder. Il faut rendre aux évêques les pleins pouvoirs nécessaires à l'administration normale des diocèses. Il faut délimiter avec précision les pleins pouvoirs des nonces. Disposant dans leur diocèse d'une autorité indépendante et directe, les évêques doivent adapter leurs organismes consultatifs au temps et, à cette fin, créer un conseil pastoral comprenant des prêtres et des laïcs. Les paroisses également doivent instituer un conseil pastoral.

Déclaration sur les relations entre l'Eglise et les religions non chrétiennes

1963: 18-21. 11. Débats (en tant que quatrième chapitre du décret sur l'œcuménisme: Les relations avec les non-chrétiens et principalement avec les juifs).
1964: 28-30. 9. Discussion de la déclaration «Sur les juifs et les non-chrétiens», conçue comme deuxième appendice du décret sur l'œcuménisme.
20. 11. Premier scrutin; la déclaration devient indépendante.
1965: 14/15. 10. Vote sur les «modi».
28. 10. Solennité du vote final et de la promulgation.

Passé: Face aux religions du monde, la mission gardait le plus souvent une attitude purement négative. On ne les voyait que sous l'angle de la conversion. Cette attitude était particulièrement nette à l'égard des musulmans, qui passaient pour les ennemis actifs de l'Eglise, et des juifs, que l'on considérait comme un peuple «au cou raide». Aux idées des catholiques se mêlait un trait d'antisémitisme sans quoi la persécution des juifs par le national-socialisme n'aurait guère pu se produire.

Avenir: On reconnaît l'action de Dieu dans toutes les Eglises, même si l'Eglise catholique a reçu du Christ et gardé en lui la plénitude de la vérité. Aussi faut-il témoigner à tous de la compréhension et de la considération. En outre, l'Eglise se relie aux musulmans du fait qu'ils révèrent Jésus et les prophètes. Cependant, l'Eglise doit reconnaître un lien particulier avec les juifs: à cause de la possession commune de l'Ancien Testament, et parce que les Juifs ont été et restent le peuple élu de Dieu. Il faut renoncer à rendre tous les juifs coupables de la mort du Christ. Tout antisémitisme doit être extirpé de la prédication et de l'école, et l'on recommande particulièrement l'étude en commun de la Bible.

Déclaration sur la liberté religieuse

1963: 18-21. 11. Débats (en tant que cinquième chapitre du schéma sur l'œcuménisme).
1964: 23-28. 9. Débats sur la «déclaration» conçue comme appendice du décret sur l'œcuménisme.
1965: 15-22. 9. Débats sur la déclaration entièrement remaniée.
26/27. 10. Premier scrutin. 19. 11. Vote sur les «modi».
7. 12. Solennité du vote final et de la promulgation.

Passé: En tant que droit, la liberté religieuse était tenue pour le produit d'une pensée relativiste et, de ce fait, inadmissible, puisque la vérité seule peut avoir un droit. La tolérance était considérée uniquement comme un moindre mal, et, dans toute la mesure du possible, on cherchait à réprimer la propagation de l'erreur. Là où les catholiques étaient en minorité, ils plaidaient pour la liberté religieuse; là où ils formaient la majorité, ils prétendaient la réserver à l'Eglise catholique.
Avenir: En vertu de la dignité de la personne humaine, tout homme a droit à la libre pratique religieuse, en privé et en public, individuellement et en commun. Aussi, n'est-il pas permis d'user de la contrainte pour empêcher quelqu'un de pratiquer sa religion, ni de faire préjudice à personne à cause de sa religion. Les pouvoirs publics n'ont pas le droit de se mêler des affaires pastorales, ni d'intervenir restrictivement dans les relations avec les frères en religion ou avec la hiérarchie ecclésiastique d'autres pays. L'Etat a le devoir de protéger la liberté religieuse – outre la société et l'Eglise – comme un fondement de bien commun. Quand d'autres droits ou l'ordre public exigent une limitation de la liberté religieuse, elle doit se réduire au nécessaire. Là où, pour des motifs historiques, une situation privilégiée est reconnue à une communauté religieuse déterminée, il n'est pas permis de restreindre pour cette raison la liberté religieuse de toutes les autres.

Décret sur l'apostolat des laics

1964: 7-13. 10. Débat.
1965: 23-27. 9. Premiers scrutins. 9/10. 11. Vote sur les «modi».
18. 11. Solennité du vote final et de la promulgation.

Passé: Dans la perspective cléricale de l'Eglise, un rôle plutôt passif était échu au laïc, consistant à recevoir et à obéir. Il était un objet, non un sujet de l'Eglise. Le clergé passait à lui seul pour l'Eglise. L'idéal de la sainteté, pour le laïc, avait fréquemment des traits monacaux. Dans les questions ecclésiastiques, il faisait souvent figure de mineur.
Avenir: Dans le peuple de Dieu, le laïc est reconnu en qualité de membre pleinement responsable. Un domaine beaucoup plus vaste de responsabilité personnelle lui est alloué dans le monde moderne. Il a part au sacerdoce universel et aux dons du Saint-Esprit, qui agit où il veut. Aussi, la hiérarchie doit-elle faire preuve à son égard d'une grande confiance, apprécier et rechercher son conseil. Chacun, dans le milieu où il vit, est tenu à l'apostolat du témoignage et, en outre, de donner aux structures du monde une forme répondant à l'esprit du christianisme; enfin, à l'apostolat direct de la parole, principalement dans le cercle familial. Ce n'est qu'en second lieu qu'il faut s'appliquer aux diverses formes de l'apostolat organisé, sans négliger la collaboration avec d'autres chrétiens, et aussi avec des non-chrétiens.

Décret sur la formation des pretres

1964: 12-17. 11. Débat sur des «directives».
17/18. 11. Premiers scrutins.
1965: 11-13. 10. Vote sur les «modi».
28. 10. Solennité du vote final et de la promulgation.

Passé: Ce n'est que peu à peu, après le Concile de Trente, que s'imposa l'organisation de séminaires. A l'origine, le concile n'en faisait nullement une obligation générale. Une vie claustrale était d'usage dans ces séminaires, peu favorable à la formation de personnalités aptes à porter des responsabilités. Les vertus humaines se rangeaient derrière l'exercice de l'obéissance. Souvent, l'enseignement d'un savoir trop abstrait prenait un tranchant polémique.
Avenir: Une grande liberté est laissée aux conférences épiscopales dans l'organisation des séminaires. Celle-ci doit être adaptée aux nécessités pratiques. Il faut y cultiver une piété biblique. Etude de la Bible et théologie biblique doivent prendre le premier rang. Les opinions adverses ne doivent pas être présentées uniquement sous leurs aspects négatifs. Il faut s'appliquer davantage au contact avec les hommes, dans le monde. Tous les séminaristes doivent être conduits à la franchise et à la connaissance des questions qui se posent à l'homme d'aujourd'hui. Les possibilités d'un développement de la personnalité et celles d'un amical travail d'équipe doivent être offertes en nombre accru. Les séminaristes doivent aussi apprendre à connaître et à respecter les manières de penser non scolastiques.

Décret sur le renouvellement de la vie des religieux dans l'esprit du temps actuel

1964: 10-12. 11. Débat sur des «directives».
12-16. 11. Premiers scrutins.
1965: 6-11. 10. Vote sur les «modi».
28. 10. Solennité du vote final et de la promulgation.

Passé: Au Moyen Age, les ordres étaient porteurs de la culture. Leur constant idéal de sainteté se conformait d'une part à l'Ecriture sainte et, de l'autre, à la situation du temps; souvent, il imprégnait l'Eglise entière. Dans le rapide développement des temps nouveaux sont nées nombre de communautés religieuses visant certains buts transitoires. Souvent, parmi les progrès modernes, elles ont perdu le contact avec la réalité, devinrent l'expression d'une époque révolue, et, de ce fait, le service qu'elles pouvaient rendre à l'ensemble de l'Eglise a été mis en question.

Avenir: Les directives laissent aux ordres le soin de se renouveler eux-mêmes. Ils doivent retourner aux sources, méditer sur l'Ecriture sainte, sur l'esprit de leurs fondateurs et sur les nécessités du temps actuel. En conséquence, ils doivent faire disparaître tout ce qui est périmé et, par une coopération de tous les membres de l'ordre – non pas uniquement celle des supérieurs – procéder à des réformes. Les subordonnés ne doivent pas être maintenus sous une sorte de tutelle spirituelle. Les ordres dont l'activité ne promet pas d'être fructueuse n'ont plus le droit d'accueillir de nouveaux postulants.

Décret sur l'activité missionnaire de l'Eglise

1964: 6-9. 11. Débats sur un schéma de petite dimension.
1965: 7-13. 10. Débats sur un projet plus long, entièrement nouveau.
10/11. 11. Premiers scrutins. 30. 11. Vote sur les «modi».
7. 12. Solennité du vote final et de la promulgation.

Passé: A la base de l'activité missionnaire se trouvait dans une large mesure l'idée que les païens sans baptême étaient voués à la damnation éternelle. La mission s'effectuait dans un style «colonial»; on européanisait les modes de vie et de pensée des nouveaux convertis. Souvent, il y avait entre les diverses confessions chrétiennes des rivalités qui rendaient le christianisme indigne de croyance.

Avenir: On fait preuve d'une grande compréhension envers les religions non chrétiennes. On veut, en toute honnêteté, respecter les valeurs culturelles et les biens propres des autres peuples et y enraciner l'Eglise. On est persuadé qu'ils peuvent enrichir l'Eglise et aider à découvrir de nouveaux aspects de l'Ecriture sainte. Avec les autres Eglises, on veut établir des relations fraternelles et, dans la vie, donner avec elles un commun témoignage du Christ. Il faut, sur proposition des conférences épiscopales, créer un conseil des missions composé d'évêques et de spécialistes, qui aura une influence déterminante sur la Congrégation «De propaganda fide».

Décret sur l'activité et la vie des pretres

1964: 13-15. 10. Débats sur des «directives».
1965: 14-26. 10. Débats sur un nouveau schéma.
12/13. 11. Premiers scrutins. 2. 12. Vote sur les «modi».
4. 12. Solennité du vote final et de la promulgation.

Passé: Le prêtre était uniquement considéré sous l'aspect sacré du rôle qu'il joue dans le service à l'autel et dans l'administration des sacrements. Son idéal était une vie ascétique, de caractère fortement monacal. D'un point de vue sociologique, les prêtres formaient vis-à-vis du peuple un «état» privilégié, et, vis-à-vis de l'évêque, ils manquaient de responsabilité personnelle.

Avenir: La notion de service, en ce qui concerne le prêtre, prend un tout autre accent. Il doit être humain au plein sens du mot, non pas séparé des laïcs, mais les écoutant et travaillant avec eux. Il doit réellement conduire la paroisse. Du service dans le monde doit se développer en lui une piété particulière de prêtre séculier. Il doit être écouté par l'évêque et être son collaborateur. L'évêque doit également créer un conseil sacerdotal. On mentionne avec éloge les prêtres mariés des Eglises orientales.

Déclaration sur l'éducation chrétienne

1964: 17-19. 11. Débats. 19. 11. Premiers scrutins.
1965: 13/14. 10. Vote sur les «modi».
28. 10. Solennité du vote final et de la promulgation.

Passé: L'introduction de l'enseignement obligatoire a mis les écoles chrétiennes dans une situation critique. Trop peu nombreuses, il arrivait souvent qu'elles ne puissent concurrencer les écoles de l'Etat; en outre, elles étaient moins disposées à faire leurs preuves qu'à résister à l'épreuve du temps.

Avenir: En premier lieu, on souligne le devoir éducatif des parents, on reconnaît à l'Etat le droit de coopérer à l'éducation, on s'en tient au droit d'établir des écoles catholiques, mais on souhaite aussi que soit favorisée l'initiative des élèves. Il faut que les écoles catholiques accueillent également des élèves non catholiques. Enfin, il faut donner plus d'attention aux élèves des écoles non catholiques.

Constitution pastorale de l'Eglise dans le monde actuel

1964: 20. 10-10. 11. Débats sur un premier projet.
1965: 21. 9-8. 10. Débats sur le projet remanié.
15-17. 11. Premiers scrutins. 4-6. 12. Vote sur les «modi».
7. 12. Solennité du vote final et de la promulgation.

Passé: L'Eglise et le monde n'avaient cessé de s'écarter davantage l'un de l'autre en raison de l'indépendance des sciences exactes, de l'esprit et de la vie culturelle modernes. L'Eglise cherchait en partie à défendre, en partie à reconquérir son ancienne prépondérance. Souvent, elle en vint ainsi à prendre une attitude hostile à l'égard du monde, qui ne se sentit plus compris par elle et la considéra comme désuète.

Avenir: L'Eglise se fait un principe de reconnaître les progrès de l'humanité et se sent tenue à la gratitude envers eux. Mais elle voit aussi les erreurs et les égarements. Elle donne la valeur de signe des temps aux acquisitions humaines qui, accroissant les facultés d'accueillir le message évangélique, ont au fond une orientation eschatologique. L'Eglise se sait solidaire du monde et destinée à servir l'homme.

Dans le détail, la constitution se préoccupe avant tout des racines de l'athéisme, qui conduit l'Eglise à une autocritique; des problèmes de la vie conjugale, où elle met l'accent sur l'amour conjugal et sur la responsabilité personnelle du couple; de l'actuelle socialisation de l'humanité, dont l'analyse impose de s'engager plus fermement en faveur des faibles; de la tendance des peuples à former une communauté internationale, qui dénonce la guerre moderne comme une entreprise criminelle.

Table des matières

Les photos des pages 216-217 et 228-229 proviennent de UPI, Len Sirman Press et NASA.